CONIECTANEA BIBLICA ● NEW TESTAMENT SERIES 17

AGNETA ENERMALM-OGAWA

Un langage
de prière juif en grec

Le témoignage des deux premiers livres
des Maccabées

ALMQVIST & WIKSELL INTERNATIONAL

Édition révisée et imprimée de la thèse de doctorat (disponible au préalable sous forme polycopiée) portant le même titre, présentée à la Faculté de Théologie de l'Université d'Upsal en 1986.

Abstract:
Enermalm-Ogawa, A. 1987. Un langage de prière juif en grec. Le témoignage des deux premiers livres des Maccabées (The Language of Jewish Prayer in Greek. A Study of the Evidence in 1 and 2 Maccabees). Coniectanea Biblica, *New Testament Series* 17. ix + 157 pp. Uppsala. ISBN 91-22-00927-2.

In this dissertation the prayers of 1 and 2 Maccabees are analyzed with respect to their immediate contexts. Their vocabulary is compared with that of other prayers ranging from Tobit to the Seventh Book of the Apostolic Constitutions. Special attention is given to the diachronic aspect of the choice of some expressions that also occur in the Psalms and other OT hymns. An analysis is made of the style and structure of the prayers.

The prayers in 1 Maccabees are shown to have literary functions similar to other non-narrative passages, which in combination form an important interpretative pattern. Those in 2 Maccabees are shown to have partly a didactic function and partly a thematic one in that they manifest the subject of the book, the victory of God. Certain kinds of expressions can be explained as typical of Synagogal usage. Regularities are observable more in terms of content than of form. This fits in with what is known regarding the development of the Jewish Statutory prayers. The structures, mode of thought and manner of expression which are shown to recur in these Jewish prayers are important for the understanding of the content and formulation of early Christian prayers.

Agneta Enermalm-Ogawa, Department of Theology, Box 1604, S-751 46 Uppsala, Sweden.

Imprimé en Suède
Textgruppen i Uppsala AB, 1987

A mes enfants
Satoru et Mamoru

Table des matières

1 Introduction

1.1 La tâche

Saul Lieberman, au début de son livre *Greek in Jewish Palestine* (1942), cite un rabbin qui interprète *Gn* 9,27 ainsi : « Laisse-les parler la langue de Japhet sous la tente de Sem. »[1] Nous avons deux livres dans la langue de Japhet qui couvrent à peu près la même période : les deux premiers livres des Maccabées. Le Premier (I M) est une traduction de l'hébreu, le Deuxième (II M) est écrit directement en grec. Quand on traduit en grec une œuvre historique qui se veut « biblique », quel sera le langage de la traduction? Fera-t-il écho à la Septante[2], ou bien sera-t-il le langage d'usage parmi les Juifs bilingues? Quant à l'auteur du II M qui peut s'exprimer librement, lui qui nous présente la nation juive livrée à la persécution, a-t-il recours à un langage juif religieux dont le vocabulaire et la phraséologie sont spécifiques?

Circonscrire « le langage religieux judéo-hellénique » est une tâche impossible mais une réalisation particulière de ce langage, le groupe de prières, est à notre portée. James H. Charlesworth a récemment rendu accessible un recueil de textes de prière en traduction anglaise[3]. En outre, nous savons qu'il était permis de prononcer le *Shema* en grec et également les Bénédictions, à une exception près, la Bénédiction sacerdotale[4]. Les Juifs qui ne connaissaient que la langue de Japhet, comment priaient-ils[5]? Nous nous sommes donnée pour but d'étudier quelques prières, surtout celles de I M et de II M, en vue de présenter quelques traits caractéristiques d'un langage de prière juif en grec.

L'étude des prières juives en grec présente un intérêt multiple. Un intérêt historique d'abord : on peut entrevoir que bien des réflexions théologiques du Nouveau Testament sont le reflet d'un milieu de nature didactique et liturgique : la synagogue. Son influence sur la liturgie de l'Église primitive est ex-

---

[1] LIEBERMAN 1942, 1: « Let them speak the language of Japhet in the tent of Shem. »

[2] Voir *infra* sous 2.0; à cet endroit « Septante » désigne la traduction à laquelle se réfère l'auteur de I M; dans la suite, nous emploierons le terme pour désigner les écrits réunis dans l'édition manuel de RAHLFS ou pour les écrits auxquels se réfère la concordance de HATCH-REDPATH : dans le dernier cas nous mettons un « H.-R. » entre parenthèses après le sigle LXX. Pour les difficultés du terme, voir KRAFT, « Septuagint » dans *IDB*-Suppl.

[3] CHARLESWORTH II, 1985 : « Prayers, Psalms and Odes » — noter la section « Hellenistic Synagogal Prayers » (textes tirés des *Const Ap* VII—VIII).

[4] IDELSOHN (1932) 1967, 107 et FIENSY 1985, 130.

[5] Les prières juives de vengeance de Rhénée (Délos) présentées par Adolf Deismann en 1908 témoignent d'un langage de prière qui se réfère à la Septante mais qui est aussi influencé par les idées de prédilection du monde ambiant.

traordinaire : depuis l'ouvrage de W.O.E. Oesterley en 1925, on ne cesse de l'affirmer. Les hymnes et les prières du NT ne peuvent être interprétés justement qu'en comparaison avec le même type de textes légèrement antérieurs ou contemporains; on en trouve dans les écrits deutérocanoniques[6]. Le traité de Norman B. Johnson, daté de 1948, semble être encore la plus ample étude des prières de la littérature deutérocanonique. Mais l'auteur systématise trop le contenu des prières au risque de ne pas découvrir leur richesse.

En outre, les prières présentent un intérêt littéraire : en comparant les deux premiers livres des Maccabées l'un avec l'autre, on a souvent affirmé qu'ils rapportent les faits sous des perspectives différentes, mais personne n'a tenté d'étudier les prières dans le but de préciser cette différence. En fait, les prières constituent un discours particulier[7]. Volker Langholf, en étudiant les prières d'Euripide, a fait la même découverte que nous : la prière diffère d'autres moyens d'expression dramatique dans la mesure où elle est beaucoup plus riche de présupposés qui ne s'expriment pas[8]. Cependant, nous ne regardons pas les prières de I M et de II M uniquement comme des réalisations d'un discours littéraire particulier : nous devons tenir compte du fait qu'elles se rapportent à un langage de prière établi par l'usage, parfois très nettement. Notre intention est donc d'essayer de présenter les caractéristiques de cet usage, à l'aide des prières de ces deux livres et en nous référant à un recueil de textes, des prières juives ou chrétiennes que nous avons choisies expressément et que nous allons présenter plus tard (1.2.2).

Nous avons intitulé notre étude « un langage de prière ». Par *langage* nous visons le sens coutumier que donne le *Petit Larousse* (1985) : « Manière de parler propre à une communauté linguistique, à un groupe ». La présentation de notre méthode, qui va suivre, précisera davantage notre compréhension de ce terme. Par *prière* nous entendons l'acte par lequel l'homme s'adresse à Dieu pour lui demander (du secours, etc.) ou le louer : nous comprenons donc aussi bien *petitio* que *laudatio* dans le terme « prière ». Nous ne connaissons aucune définition meilleure que celle de Maurice Mauss (1909) comprise dans sa thèse inachevée et publiée *post mortem* sous le titre Prière. Nous la citons : « La prière est une parole. Or le langage est un mouvement qui a un but et un effet; il est toujours, au fond, un instrument d'action. Mais il agit en exprimant des idées, des sentiments que les mots traduisent au dehors

---

[6] James H. Charlesworth donne un bon compte rendu des études consacrées à la matière dans un article de l'année 1982. On doit mentionner aussi l'article de HOLM-NIELSEN 1979 (avec bibliographie).

[7] BENVENISTE 1974, 99 sur le double système relationnel de la langue : l'opposition 'moi-toi' est une structure d'allocution personnelle qui est exclusivement interhumaine. Il n'y a qu'un *code spécial, religieux ou poétique* (cursivé par nous) qui autorise à employer cette opposition hors du milieu humain. »

[8] LANGHOLF 1971,6 : « Von anderen dramatischen Ausdrucksmitteln. . . unterscheidet sich das Gebet dadurch dass es an unausgesprochenen Voraussetzungen viel reicher ist : diese Voraussetzungen bieten der Mythos, der Kult, der Volksglaube, die persönlichen Einstellungen. »

et substantifient. Parler, c'est à la fois agir et penser : voilà pourquoi la prière ressortit à la fois à la croyance et au culte. » Il dit également à la même page que « toute prière est toujours, à quelque degré, un *Credo* »[9]. Notre étude va le confirmer.

1.2 Méthode et procédés

1. Contexte

Comme les prières de I M et de II M font partie d'une œuvre littéraire, une analyse de ces textes dans leur rapport à leur contexte est indispensable. On peut s'attendre à ce que les prières remplissent, dans la composition littéraire, certaines fonctions qu'il reste alors à déterminer. D'autres textes qui semblent avoir des fonctions analogues dans la texture du récit doivent aussi entrer en ligne de compte justement pour mettre en relief la particularité à cet égard. Comme nous avons devant nous principalement des prières qui continennent une *petitio*, c'est-à-dire une ou plusieurs demandes, il s'ensuit qu'elles se rapportent à l'entourage d'une façon spécifique : dans le contexte précédent est souvent présentée une situation dont l'orant demande le *changement*. Il y a aussi un rapport plus positif entre prière et situation de récit : sur la base d'une connaissance de certains textes de l'Ancien Testament nous pouvons nous attendre à ce qu'il y ait dans ces prières une tendance à *interpréter* la situation du récit à partir de la tradition religieuse à laquelle se réfèrent les orants.

En ce qui concerne le rapport d'une prière au texte plus large où elle est insérée, disons une lettre (II M) ou un livre, il faut prendre en considération le fait qu'elle a la possibilité de créer des liens étroits entre destinateur et destinataires de ce texte plus large, notamment s'ils sont membres d'une même communauté de foi; nous voudrions donc avancer qu'une prière intégrée dans une œuvre littéraire contribue de façon non-négligeable au message de ce texte dans son entier. Au minimum, telle prière transmettrait un *message de solidarité* qui a des effets sur la réception du texte plus large. De tels liens entre destinateur et destinataires peuvent se constituer d'autant plus que la prière « n'est jamais personnelle, même si elle est individuelle, car, pour marquer son respect à l'égard de la divinité, pour la supplier, pour lui témoigner sa gratitude, le fidèle coule sa pensée dans des formules que lui dicte son éducation religieuse; il ne réagit que dans des limites traditionnellement permises; (. . .) il reste tributaire des idées admises par la communauté dont il fait partie »[1].

---

[9] MAUSS (1909) 1968, 358.

[1] LIMET 1980, 15.

De plus, il faut se rendre compte qu'une prière, aussi littéraire soit-elle, possède normalement en tant que prière, la vertu d'inviter les récepteurs du texte à un *acte*, si secondaire soit-il; car toute prière, même si elle est écrite et constitue un élément de récit, a une dimension actionnelle.

Si les prières contribuent de façon positive à la compréhension du texte dont elles font partie, il est tout aussi vrai qu'il existe une action en sens inverse : le texte littéraire où elles sont insérées agit sur elles de différentes manières, il constitue leur contexte discursif[2]. Le contexte discursif plus vaste qui nous servira de cadre de référence sera le livre, à savoir le Premier ou le Second livre des Maccabées.

Il nous faut aussi faire attention à la situation de discours ou « l'ensemble des circonstances au milieu desquelles se déroule un acte d'énonciation »[3]. Un commentaire d'ordre extralinguistique s'imposera dans des cas où il y a dans le contexte discursif des indices d'une situation de fonctionnement à laquelle on pourrait rattacher le texte donné[4] : l'invitation par exemple de II M 1,9 à célébrer la « fête des Tentes » suggère un lieu situationnel de répercussions sur la teneur et l'expressivité des vœux de 1,2—5, passage qui domine la lettre 1,1—10a.

Il faut peut-être ici dire un mot sur la différence entre « situation de discours » et « arrière-fond ». Entre les deux il y a essentiellement une différence de degré de pertinence; le linguiste John Lyons préfère, quant à lui, parler de contextes 'développés'; il entend par cette expression la connaissance dont se servent les participants dans une situation de communication[5]. Ce sont de tels contextes qui nous intéressent ici et non pas les contextes « minimaux » qu'entraîne l'univers de discours spécifique de ces mêmes participants du dialogue, mais dont ils ne se servent pas[6].

Notre approche sera la suivante. Après avoir situé une prière, un discours, etc. dans la trame narrative, il faudra délimiter le texte ou le passage de façon plus précise afin d'examiner ensuite son rattachement à l'entourage[7]; c'est dire qu'il faudra noter les *liens significatifs*, en premier lieu avec le contexte immédiat mais aussi avec l'entourage plus vaste, parfois le livre tout entier.

---

[2] Slama-Cazacu 1961, 215s.

[3] Ducrot-Todorov 1972, 417; il (Ducrot) précise, *ibid.* : « Il faut entendre par là à la fois l'entourage physique et social où cet acte prend place, l'image qu'en ont les interlocuteurs, l'identité de ceux-ci, l'idée que chacun se fait de l'autre (y compris la représentation que chacun possède de ce que l'autre pense de lui), les événements qui ont précédé l'acte d'énonciation (notamment les relations qu'ont eues auparavant les interlocuteurs, et surtout les échanges de paroles où s'insère l'énonciation en question). »

[4] Cf. Lapointe 1971, 477 : « le message linguistique a essentiellement besoin d'un commentaire extralinguistique pour mordre sur l'expérience concrète et individuelle ».

[5] Lyons 1970, 322.

[6] *Ibid.*

[7] Texte = un corpus délimité; passage = une unité de texte non-délimitée. — Quand ce sera jugé superflu, nous ne délimiterons pas le texte sous rubrique séparée. Des observations suffisantes à cet égard seront comprises dans la présentation d'encadrement narratif du texte.

Le rapport d'une prière avec un contexte situationnel indiqué dans l'ensemble du texte sera aussi considéré à ce même endroit, sous titre séparé. Sur la base de cette analyse nous nous attacherons à déterminer la *fonction* de la prière en question; par « fonction » nous entendons fonction littéraire sous plusieurs aspects[8].

1.2.2 Vocabulaire

Nous comprenons dans notre étude du vocabulaire des prières de I M et de II M aussi bien des mots individuels que des syntagmes[1]. Nous devons prêter attention tout particulièrement à un type d'expressions, syntagmes ou phrases[2], qu'il faut prendre en bloc sans les analyser mot par mot. Nous voulons les qualifier, par catégorisation, de *discours répété*. L'avantage de ce terme que nous avons rencontré chez Eugenio Coseriu est qu'il est en mesure d'évoquer certaines idées que nous trouvons pertinentes en relation avec notre matière. Coseriu emploie le terme pour désigner des expressions toutes faites, telles que le dicton proverbial « La nuit, tous les chats sont gris »[3]. Nous trouvons la désignation préférable à « formule » qui est trop vague et à « tournure biblique » qui a une acception trop formelle. Positivement nous voulons alléguer ceci : 1. Il y a des phrases et syntagmes « figés » qui sont au plus haut degré des commentaires culturels, voire constitutifs pour ce que

---

[8] Nous visions 1. fonction de compsition 2. fonction de communication 3. fonction interprétative, c'est-à-dire fonction du texte vis-à-vis de la narration qui l'entoure.

[1] Pour « syntagme » nous adhérons à la définition de LYONS 1970, 132 : « tout groupe de mots qui est grammaticalement équivalent à un seul mot et qui n'a pas son propre sujet et son propre prédicat ». Bien que le terme soit très technique, il est opportun car il facilite la précision. Nous pouvons nous contenter cependant dans la plupart des cas de dire « expression » (phrases ou syntagmes) ou « élément » (syntagmes ou phrases — normalement celles du type discours répété).

[2] Nous prenons « phrase » dans le sens d'unité abstraite ou mieux grammaticale, voir LYONS, *op. cit.*, 136; voir aussi *Dict Ling* 1973, *.s.v.* et aussi sous « fonction », article qui signale l'étendue de la « phrase ». — « Phrase » est à distinguer d' « énoncé », voir DUCROT-TODOROV 1972, 405 (Todorov).

[3] COSERIU 1966, 195 dit : « le 'discours répété' comprend tout ce qui est traditionnellement figé comme 'expression', 'phrase' ou 'locution' et dont les éléments constitutifs ne sont pas remplaçables ou re-combinables selon les règles actuelles de la langue. (. . .) Comme les citations explicites, les unités de 'discours répété' sont des pièces de discours reprises en tant que telles dans de nouveaux discours. » (. . .) Discours répété fait état d'une *survivance de la diachronie dans la synchronie* » (cursivé par nous). — Il faut cependant noter qu'il y a des différences dans le mode d'emploi du terme : Conseriu vise la langue en tant que langue historique, mais nous visons une langue fonctionnelle sous ses manifestations historiques; à côté de cette différence de base, nous en voyons une autre, c'est que le discours répété du langage du prière juif ne comporte pas d'expressions figées au même degré. Nous verrons des cas où il s'agit plutôt d'une structure de pensée, mais dont les éléments linguistiques peuvent être qualifiés de dérivés d'une expression « pleine » (voir *infra*, 2.2.1.4). Parmi les exemples de I M, εὐλογητὸς εἶ, est le cas-limite : c'est un élément de louange qui ne dérive pas d'une expression pleine mais auquel on peut sans difficulté attribuer des fonctions précises; de plus il tend à l'uniformisation.

5

l'on appelle le texte idéologique[4], à savoir dans notre cas la religion juive sous son aspect de croyance. 2. Dans un langage religieux, ces éléments d'un emploi continu constituent un patrimoine vivant : leur dimension diachronique est signficative. 3. De telles expressions dans la tradtion vétéro-testamentaire et sa continuation juive lient d'une manière particulière leurs usagers entre eux : c'est un discours communautaire[5]. 4. Ces éléments, étant constitutifs du texte idéololgique, sont susceptibles de transformation due à la relation histoire (ou expérience) — interprétation.

Dans notre étude du vocabulaire, nous ferons attention à tous les exemples de *discours répété*. Outre ceux-ci, nous considérons: 1. *Vocabulaire appliqué à Dieu*; 2. *Vocabulaire concernant les orants*; 3. Sous le titre *Autre vocabulaire* nous traiterons de vocables qui sont significatifs pour une raison ou une autre. Les questions que nous voulons poser par cette étude de vocabulaire sont les suivantes :

1. Provenance des éléments — en particulier l'occurrence de tel ou tel élément dans le Psautier[6].
2. Distribution des mots et des syntagmes[7], aussi bien dans I M—II M que dans notre recueil de textes, ultérieurement présenté.
3. Discours répété : l'histoire de tradition, le degré de fermeté de l'expression, etc.
4. Sens des éléments, tout particulièrement le sens contextuel dans sa variabilité. Cette variabilité est liée à notre double optique : nous regardons un texte de prière d'une part comme une manifestation de discours littéraire, d'autre part comme une réalisation particulière d'une langue fonctionnelle.

Notre perspective est de tenter la détermination d'un usage, à savoir les habitudes linguistique des Juifs priant en grec. Voici la liste de textes de notre recueil:

Le Troisième livre des Maccabées (III M : 2,2—20; 5,7—8; 5,13; 5,25; 5,35; 5,51; 6,1—15 et 6,32), le Quatrième livre des M (IV M : 4,9; 6,27—29; 12,17), Esther (*Est* : C 2—10; C 14—30 et F 9b/L/, les sigles selon Hanhart), Judith (*Idt* : 9,2—14; 16,1—17;4,12; 6,19; 13,4—5), Tobit (*Tob* : 3,1—6; 3,11—15; 4,19; 8,5—7, 11,14—15, etc.), Siracide (*Sir* : 33 (36), 1—17; 51,1—12, etc.), Daniel : la prière d'Azarya (*Or As*), un ou deux endroits de *Bel-et-Dr* et de *Sus*; le cantique des trois jeunes gens (*Cant Tr Puer*), Baruch (*Bar* : 1,15—3,8); Les Psaumes de Salomon (*Ps Sal*), Josef et Aséneth (*Jos As* : 12,2—11(12); 13 etc.) et d'autres priè-

---

[4] Voir DUBOIS 1971, 92.

[5] Cf. KRISTEVA 1981, 17: *discours* « désignerait toute énonciation qui intègre dans ses structures le locuteur et l'auditeur avec le désir du premier d'influencer l'autre ».

[6] Cf. GREIFF 1915, 73: « Die Psalmen sind die Grundlage für das ganze jüdische Gebetsleben geworden. »

[7] Pour le terme « distribution », voir LYONS, *op. cit.*, 56s. — Nous avons les aspects suivants en vue: 1. fréquence 2. co-occurrence 3. considération du rattachement d'une expression soit à certains genres de prières, soit à certaines formes de ces genres 4. considération de la différence distributionnelle qui dépend du type de discours représenté (récit, prière, etc.).

res des pseudépigraphes, à l'occasion[8]. La prière de I *Clem* 59—61, *Didachè* 9—10 et les Constitutions Apostoliques (*Const Ap*, livre VII,33—38)[9]. Nous nous référons aussi aux prières « modèles » comme *Dan* 9 et plusieurs Psaumes.

1.2.3 Style

Après avoir étudié le vocabulaire dans les prières, il faut regarder celles-ci sous l'aspect de leur intégralité. Cet aspect comporte selon nous une analyse aussi bien du style que de l'organisation de ces prières. Comme l'intégralité est la question par excellence sous la rubrique d'organisation, nous nous y attacherons en dernier.

Nous ne pouvons commencer une étude sur le style sans rendre compte de notre compréhension de ce terme. Ceci s'impose d'autant plus qu'il n'existe pas de définition établie du mot « style »[1]. De plus, il faut proposer une approche déterminée, puisque la stylistique se situe « aux frontières de la littérature et de la linguistique »[2]. Nous préférons nous orienter vers un type de définition selon lequel le style est « l'ensemble d'associations liées à une expression, des associations qui sont déterminées par les contextes, linguistiques et non-linguistiques, dans lesquels une expression est normalement utilisée »[3]. Dans l'esprit de cette définition, la valeur stylistique pourrait aussi bien être nommée *sens associatif*. Le style d'un texte est donc « le système des associations évoquées par les expressions du texte, qui le rapportent aux contextes du même type ou d'un autre type que celui où le texte est produit »[4]. Nous estimons cette définition spécialement applicable aux textes bibliques, qui nous présentent un vocabulaire et une phraséologie souvent répétés et familiers, avec un entourage assez précis, aux utilisateurs de ces textes. On pourrait donc dire que les textes bibliques sont riches en associations.

Le type de recherche sur lequel nous voudrions nous aligner est celui de la stylistique descriptive[5]. Cette branche de la stylistique se sert d'une méthode

---

[8] *Hénoch* 9,4—11; *Test Abr* 9; *Test Jobi* 43,1—13; *Test Sal C* (le prologue) et *Par Ier* 4,7—10, 6,5—10 et ailleurs.

[9] « Juives » selon Bousset 1915, Kohler 1893—1924, Goodenough 1935 et récemment, en 1985, Fiensy. Selon le dernier, les prières remontent à 250 envir. ap. J.-C.

[1] CASSIRER 1975, 27.

[2] GUIRAUD-KUENTZ 1970, 19.

[3] TELEMAN 1975, 91. Le texte original est : « (Style is here defined positively as) the set of associations attached on an expression, associations which are determined by the linguistic and non-linguistic contexts in which an expresion is normally used. In the spirit of this definition, style value could also be called associative meaning. The style of a text is then the system of associations, evoked by its expressions relating it to other contexts of the same kind or of another kind than the one where the texts is produced. »

[4] ENKVIST 1964, 30s; pour lui, le genre littéraire est un fait du contexte extra-textuel.

[5] CASSIRER, *op. cit.*, 38.

comparative dans le but de mettre un texte ou un type de texte en relief par rapport à un autre[6].

Avant de préciser notre approche des textes, nous voudrions avec les styliciens de métier faire la précision suivante à propos du style d'un texte. C'est le texte qui a un style, les mots et les phrases ont une valeur stylistique et peuvent fonctionner en marques de style ou qu'ils sont caractéristiques d'un certain niveau de style[7]. En abordant notre analyse stylistique nous croyons qu'il faut :

1. être attentif au sens affectif des mots et des phrases — sous le sigle de VALEUR[8].
2. observer l'organisation des mots et des phrases; y-a-t-il des parallélismes, chiasmes, anaphores, etc. — le sigle est RHÉTORIQUE.
3. noter les mots qui sont prédominants par leur fréquence ou significatifs par leur position — sigle FRÉQUENCE/POSITION.
4. essayer de décrire le « rythme » du texte (voir le ch. 3A:3 pour un exemple) — sigle RYTHME.
5. essayer de comprendre l'attitude de l'auteur vis-à-vis de son objet — sigle ATTITUDE.

1.2.4 Organisation

Sous le titre Organisation nous nous attacherons à dégager l'agencement et la thématique des textes de prière. La thématique est évidemment une partie de l'agencement d'un texte dans la mesure où elle est une suite *organisée* de contenu[1]. Mais nous prenons uniquement AGENCEMENT dans le sens d'organisation formelle, et c'est par l'analyse d'un texte sous cet aspect que nous commençons. A ce premier stade il faut observer les traits distinctifs de la face d'expression du texte qui peuvent être dits diviser le texte : mots répétés, marques syntaxiques, éléments qui renvoient en arrière ou en avant[2]. Notre analyse stylistique pourrait nous devenir utile ici puisque déjà à ce stade nous considérons l'organisation de mots et de phrases, y compris l'organisation du début et de la fin du texte. Or cette fois l'observation sur l'organisation du texte sera liée à la question de sens, et l'effet du texte est sans intérêt, étant une question proprement stylistique. Nous pouvons profiter de notre traitement stylistique aussi sur un autre point : un changement de style indique souvent une transition dans la thématique.

---

[6] KAYSER 1976, 284s. : « Wenn das Vergleichen auch von vielen Wissenschaften angewendet wird, so ist es doch für die Stilforschung der wichtigste methodische Griff geworden. »

[7] CASSIRER, *op. cit.*, 29.

[8] Le sens affectif des expressions de nos textes dépend beaucoup des associations qu'elles évoquent. Voir aussi KINNEAVY 1971, 432 au sujet de discours expressif.

[1] TOMACHEVSKI (1925) 1965, 267.

[2] Voir RICHTER 1971, 85s. et PLETT 1979, 60—70.

L'attention à l'organisation formelle d'un texte peut nous aider non seulement à découvrir les transitions ou ruptures thématiques, mais aussi à entrevoir, si elle existe, une progression de pensée.

THÉMATIQUE. Tenant compte que nous avons affaire à des prières et non à des textes narratifs, didactiques ou descriptifs[3], nous ne devons pas nous attendre à ce que ce type de texte montre le même genre d'unité thématique. Les prières qui font l'objet de notre étude comme les prières en général ne sont pas des textes « à sujet », pas plus qu'elle ne sont des textes descriptifs ou didactiques. La prière de la tradition vétérotestamentaire est essentiellement : 1. interprétation théologique de la situation qui la provoque[4], interprétation basée sur des interprétations déjà faites dans des situations analogues; 2. appel : les éléments du matériau thématique peuvent être de nature assez différents parce que le but principal reste celui « d'agir sur Dieu »[5]. 3. performance : une prière dépend de la compétence, système de règles auquel il faut rapporter dans la mesure du possible chaque prière individuelle[6].

Évidemment, les prières de I et II M ne sont pas des exemples d'une performance « directe ». Il s'agit d'un auteur qui *dit* ce que les gens dont il parle disent en priant. Il y a lieu de s'attendre à ce que l'auteur utilise ses textes de prière pour réaliser ses objectifs littéraires, qu'il les a « thématisés » d'avance. Notre étude des rapports au contexte va montrer que sur plusieurs points les prières font partie intégrale du livre. Mais étant donné que l'auteur est un juif « pratiquant » et que les lecteurs le sont également, les prières doivent être crédibles.

Une partie de l'organisation dont il ne faut pas se passer et qui n'est pas sans relation avec la thématique est celle qui porte sur les relations des acteurs ou participants à la communication[7], c'est-à-dire dans ce cas, les participants

---

[3] TOMACHEVSKI, *op. cit., ibid.*

[4] Cf. W. Bernet cité ches MAINBERGER 1972, 8 qui veut attribuer à la prière la fonction « Erfahrung (transzendental) zu reflektieren ».

[5] Parfois aussi appel aux destinataires du livre : soulagement, encouragement, etc; cet appel « littéraire » est une question à traiter sous « contexte ».

[6] MAINBERGER 1972, 14 : « Die These lautet : die sprachliche Performanz, d.h. das konkrete Sprachverhalten, besitzt ein universales Regelsystem, mit dem sich der kompetente Sprecher universale Aspekte des Sprachverhaltens erzeugt. » Il en donne ensuite un exemple : « Es gilt z.B. als universales Sprachverhalten der Gebete in der römischen Liturgie, 'Gott' nie in eine Zwangssituation zu bringen; oder : den Menschen nicht als fragendes Subjekt, sondern eher als Objekt des fraglosen Willens Gottes auftreten zu lassen. »
Pour une définition en langue française, voir le *Dict. ling.* 1973 sous « performance » : « La performance dépend de la compétence (le système de règles), du sujet psychologique, de la situation de communication, elle dépend, en effet, de facteurs très divers, comme la mémoire, l'attention, le contexte social, les relations psycho-sociales entre le locuteur et l'interlocuteur, l'affectivité des participants à la communication, etc. ».

[7] *Dict.ling.* 1973 sous « communication » : « Les participants à la communication, ou acteurs de la communication, sont les « personnes » : l'ego, ou sujet parlant qui produit l'énoncé, l'interlocuteur ou allocutaire, enfin ce dont on parle, les êtres ou objets du monde. »

au procès de communication emboîté dans le texte narratif. Dans ce procès, les personnes décrites sont les locuteurs et Dieu, à travers la conception de l'auteur, est l'adressé. Bien qu'il s'agisse d'un acte de communication dans le monde littéraire, l'auteur et les lecteurs peuvent s'identifier avec ce monde littéraire : « les Pères » des suppliants du récit sont aussi leurs pères, et « Dieu qui sauve son peuple » est aussi leur Dieu. En cherchant la relation entre le locutif et l'allocutif dans nos textes de prière[8], nous devons aboutir à des résultats qui portent également sur l'aspect communicatif du langage de prière alors en fonction. Il faut prendre en considération aussi la personne dont on parle dans une prière, « l'ennemi », la non-personne ou l'anontif selon quelques-uns[9]. Comme les trois sujets d'une prière se rapportent à l'action, nous avons choisi le sigle ACTION-ACTEURS pour ce genre d'analyse.

---

[8] TESNIÈRE 1959, 118.
[9] TESNIÈRE op. cit., 117. L'auteur brode sur le thème ont-, « qui, étant celui du participe présent du verbe 'être' en grec, semble particulièrement apte à signifier l'essence de la personne. On opposerait ainsi d'abord l'anontif (3ᵉ pers.), non-personne de Benveniste, à l'ontif (1ʳᵉ et 2ᵉ personnes). »

10

2 Premier livre des Maccabées

2.0 Introduction

Commencer avec I M ne veut pas dire suivre l'ordre chronologique[1], car ce récit est d'une date postérieure à celui de Jason de Cyrène[2]. Mais c'est une historie qui se veut archaïsante à bien des égards. L'auteur écrit dans le style des livres de Samuel et des Rois[3], en accordant aux chefs des Maccabées des traits modelés sur les héros de l'Ancien Israël, en particulier les juges[4]. Le livre a été composé en hébreu[5], mais ce texte original est perdu. Il a dû être traduit très tôt, sans doute en Palestine[6]. La traduction est très littérale, comme c'est le cas aussi avec d'autres livres parmi les plus récents de l'AT[7]. Harry W. Ettelson a amplement décrit les caractéristiques de ce grec de traduction[8]. Prenons un exemple en dehors de ceux qu'il propose afin d'illustrer combien s'écartent I M et II M quant au choix d'expressions : ἄνθρωπος ἀπὸ γένους τῆς βασιλείας de I M 3,32 correspond au titre exact de συγγενής en II M 11,1[9]. Le grec hébraïsant invite à tenter une restitution du texte hébreu. Pour une partie du livre qui nous occupe, C.F. Burney (1919—20) et récemment (1974) Günter O. Neuhaus s'y sont attachés. Nous n'avons pas l'intention d'en faire autant puisque notre choix est de traiter les prières en grec. Le traducteur reprend beaucoup d'expressions qu'il a trouvées

---

[1] Nous utilisons le texte de KAPPLER dans la Septante de Göttingen (IX:1), 2ᵉ éd., 1967. Depuis ETTELSON 1925 on ne peut guère nier que 16,24 constitue la fin authentique du livre (le fait que Fl. Josèphe, à partir de AJ XII, 213, ne se réfère plus à I M a suscité des discussions), voir MARTOLA 1984, 10—15.

[2] SCHUNCK 1980, 292 : d'environ 120 av. J.-C.; ABEL 1949, XXIX : autour de 100 — leurs interprétations de 16,23—24 (fin du livre) sont différentes. Le récit de Jason se place entre les années 161 (ou 160) et 124 av. J.-C. (date probable du résumé), HABICHT 1979, 175.

[3] En bon historien, l'auteur fait usage de sources, que ce soit des documents écrits (une Vie de Judas : SCHUNCK 1954, opinion acceptée par BUNGE 1971, niée par NEUHAUS 1974 et FISCHER 1980) ou des traditions orales. Qu'il ait eu recours aux archives, les documents officiels insérés en témoignent, voir récemment GAUGER 1977. PRÉAUX 1978(I), 97 parle, quant aux historiens hellénistiques en général, d'un « goût de document », voir aussi l'estimation de FISCHER 1980, 190s.

[4] GOLDSTEIN 1976, 6ss. et sommairement SCHUNCK 1980, 292.

[5] La forte dépendance de I M vis-à-vis des livres historiques de l'AT est un argument; il y en a d'autres, d'ordre syntaxique surtout, voir déjà GRIMM 1853, XVII : la rareté de la périphrase verbale (participe avec copule) parle contre l'araméen comme langue originale. — Nous avons aussi l'affirmation de Jérôme : *hebraicum reperi*, voir GOLDSTEIN 1976, 16.

[6] Voir HENGEL 1973, 186ss.

[7] THACKERAY 1927, 31.

[8] 1925, 302—42.

[9] ABEL 1949 *ad* I M 3,32 et BIKERMAN 1938, 42.

telles quelles dans les livres bibliques déjà traduits[10]. Du moins, c'est là une explication très probable des ressemblances que tout lecteur constate. Autrement, on pourrait expliquer en fonction du bilinguisme le fait que deux traducteurs, opérant sur les mêmes langues, s'expriment similairement. Mais le travail continu de traduction de l'hébreu en grec a eu pour résultat ce que l'on appelle en anglais un *sub-language*. Des habitudes linguistiques furent fixées et, qui plus est, devinrent exemplaires[11]. Par conséquent, il doit être légitime de considérer les données linguistiques de I M dans le cadre de la Septante ou plus précisement le langage des livres traduits.

Comme le suggère notre présentation de I M : le rattachement aux livres bibliques, l'ancrage dans le milieu palestinien, et plus encore, le fait qu'il s'agit originairement d'un ouvrage hébreu, nous imposent certaines restrictions d'ordre méthodique. L'étude doit être de préférence diachronique. Les documents d'un vocabulaire et d'un caractère linguistique semblables qui sont à peu près contemporains sont en effet peu nombreux : ce sont surtout le livre de *Judith* et les *Psaumes de Salomon*.

Le chapitre sur I M est réparti sous quatre rubriques : contexte, vocabulaire, style et organisation, dans cet ordre. Il sera achevé par une conclusion.

2.1 Contexte

2.1.0 Introduction

Outre les prières, dont la plupart sont rapportées textuellement, le Premier livre des Maccabées contient des textes qui ont un trait distinctif commun — ils arrêtent le mouvement du récit. Parmi de tels textes non-narratifs, exception faite de lettres et autres documents politiques et diplomatiques, le I M compte : discours, éloges sur les hauts faits des Maccabées, phrases hymniques et lamentations descriptives. Ce genre de textes fournit à l'auteur l'occasion de regarder en arrière, de réfléchir sur le cours des événements. On pourrait même dire qu'ils accordent un instant de répit dans le trouble des affaires racontées[1]. Parfois ils servent à préparer spirituellement le lecteur attentif avant un moment décisif. En raison de la fonction propre que présentent ces textes dans le discours narratif, nous les appelons *textes intermédiaires*. Par « textes intermédiaires » nous n'entendons pas des actes d'énonciation prescrits par le cours de la narration (voir 3,43 par rapport à 3,44). Nous n'avons pas non plus à l'esprit les cas où les acteurs ne font que présenter leurs

---

[10] NIESE 1900, 461, n. 2; KAMINKA 1935 à propos de I M 2,8, p. 181.
[11] RABIN 1968, 13; voir aussi KATZ 1964, 267 et TOV 1981.

[1] SCHUNCK 1954, 54s : « (Teile) mit denen der Autor betrachtend auf die bisherige Handlung zurückblickend ausruht, und die somit leicht aus dem eigentlichen Text herauszuheben sind. »

projets (3,14). Notre définition personnelle implique un changement de niveau, de celui du récit (dominé par l'intention de raconter) à celui de la communication (dominé par l'intention de communiquer)[2]. Notre choix du terme est dû au raisonnement suivant : 1. ce sont des textes qui interrompent provisoirement la continuité du récit; 2. on peut dire que ces textes agissent comme intermédiaires entre l'auteur et les lecteurs — ils signalent sous quel angle l'auteur considère les événements.

Les textes intermédiaires de I M s'inscrivent dans la tradition vétérotestamentaire[3]. Quant à l'insertion des discours et des prières, on voit qu'elle dépend nettement de modèles : un personnage prononce un grand discours à l'approche de sa mort[4]; une bataille est immédiatement précédée d'un discours d'exhortation, voir 2 S 10,5[5]. La description des opérations militaires de I M 4 contient prière, louange et discours — voir 2 Ch 20. Le I M illustre avec des prières et des chants de louange une narration centrée sur le Temple — on voit qu'il s'inspire du Chroniste[6]. Le discours de Simon (I M 13) au seuil d'une nouvelle époque ressemble pour ce qui est du cadre narratif à celui du roi David introduisant Salomon (1 Ch 28) : tout le peuple est rassemblé à Jérusalem pour l'écouter. Le Chroniste est effectivement un exemple très proche : l'emploi des discours pour mettre en valeur une époque entière ou pour indiquer un point culminant dans le cours d'un événement ou encore pour mettre en évidence un personnage d'importance, c'est ce qu'on retrouve dans I M[7]. Le Chroniste se sert aussi des prières. Celles-ci ne sont guère plus riches en substance que les discours, mais on peut percevoir pourquoi l'auteur a préféré à l'occasion une prière à un discours, car « on peut s'exprimer avec plus de ferveur . . . dans la prière, lorsqu'on prie afin que se réalise ce qu'on croit et ce qu'on confesse[8]. En abordant la question de savoir comment les textes intermédiaires de I M se rapportent au contexte, nous avons l'intention de voir si ce rapport permettra une distinction entre les différents types de textes ou plus précisément, quelles seront les particularités d'une prière à cet égard.

Comme les prières de I M se rapportent plus nettement au plan du livre que ne le font les prières correspondantes de II M, il convient d'en donner ici un aperçu. Le découpage des sections principales ne varie guère chez les différents commentateurs sauf toutefois le commencement de la section de Simon[9]. Ce sont : Introduction ch. 1—2; Judas 3,1—9,22; Jonathan 9,23—12,52; Simon 12,53—16,22; Fin du livre 16,23—24[10].

---

[2] Pour un exposé raisonné de la question, voir HELLHOLM 1980, 78—80.

[3] Voir CADBURY 1922, 11 et GÄRTNER 1955, 20.

[4] BENTZEN 1941, 301.

[5] *Ibid.* — Noter que l'allocution est transposée en prière.

[6] Voir 1 Ch 29, 2 Ch 5—6 et 2 Ch 29; cf. I M 4,55, 7,37 et 14,51.

[7] PLÖGER 1957, 43—46.

[8] *art.cit.*, pp. 46s : « In einer predigtähnlichen Ansprache kann man gewiss bekennen und zu erkennen geben was man glaubt; eindringlicher aber lässt es sich im Gebete sagen, wenn man um die Verwirklichung dessen bittet, was man glaubt und bekennt. — Cf. I *Par* 28,9 à 29,19!

[9] MARTOLA 1984, 18 et ARENHOEVEL 1967, 70.

[10] Sur 16,22—24 voir ARENHOEVEL, *op. cit.*, 94—96 : « Der Verfasser will die Gegenwart, in der er lebt, deuten. » (p. 95).

2.1.1 Les textes intermédiaires de I M 1—2

2.1.1.0 Introduction

Les deux premiers chapitres ont une place particulière dans la composition du livre. Ils présentent les raisons politiques et religieuses de l'insurrection maccabéenne ainsi que son programme. Ces chapitres veulent être plus qu'une explication : c'est un exorde qui veut diriger la compréhension du récit. Les textes intermédiaires sont là pour le signaler. Tout d'abord, c'est un certain type de textes qui est réservé à cette section de livre : les lamentations descriptives. Celles-ci dépeignent la misère physique et spirituelle de la nation. De plus, ces textes font une suite dont on peut dégager un sens : 1. l'essentiel de leur contenu est repris dans le *Klagegedicht* de Mattathias dans 2,7—13[1], ce qui signifie que son initiative est requise[2]; 2. une lamentation collective rapportée textuellement n'est introduite que dans 3,50—53 à un moment où le peuple est rassemblé sous la conduite des Maccabées. Avec cet arrangement l'auteur met en évidence que dans la personne des Maccabées le peuple a des chefs qui répondent à la difficulté de la situation. Ceci est souligné aussi par le grand discours d'adieu de Mattathias (2,49—70) qui termine l'introduction. C'est là une démarcation significative, car le discours est suivi par l'entrée en guerre de la nation juive. Étant donné que les textes intermédiaires des deux premiers chapitres préparent le récit qui commence à 3,1 nous les traiterons l'un après l'autre selon l'ordre du texte. Puis ils seront analysés sur la base d'un classement selon le type de textes auquel ils appartiennent. A partir de 3,1, nous ne considérons pas tous les textes intermédiaires du récit : pour ce qui est des discours et des éloges, seulement quelques textes seront traités.

2.1.1.1 La lamentation descriptive sur
le peuple, 1,25—28

Ayant raconté en 1,16—24 le pillage du Temple par Antiochos Épiphane de retour d'une expédition réussie en Égypte, l'auteur interrompt la narration par une lamentation descriptive[1].

DÉLIMITATION. Dans le récit précédent, aucune importance n'est donnée au peuple d'Israël en tant que tel. En 1,20 le nom a servi de simple désignation géographique et le cas, de 1,11 est semblable. Dans 1,25—28, une importance

---

[1] Voir NEUHAUS 1974, 96.
[2] Voir le complément déterminatif de ἡμῶν en 2,12.

[1] NEUHAUS 1974, 92s. qualifie ce morceau de « Klagegedicht des Volkes », qualification qui n'est pas très bonne, car la misère du peuple est vue de l'extérieur, cf. 2,7—13 « Klagegedicht des Mattathias » (*idem*).

primordiale est accordée à « Israël »; le nom est introduit au v. 25 et son synonyme « la maison de Jacob » marque la fin du texte[2]; le texte est cohérent quant au style et au contenu. Le fil narratif est repris au v. 29 (sujet: Antiochos).

LIENS SIGNIFICATIFS. Le v. 25 sert de rubrique[3], signalant que le pillage du Temple concerne tout Israël, ce que souligne encore le v. 28. Ce n'est pas la seule fois qu'un changement de situation est marqué ainsi, voir 2,70, 9,20 et 12,52. Analogiquement, toute la période difficile qui précède l'entrée en scène de Mattathias est sommairement caractérisée : καὶ ἐγένετο ὀργὴ μεγάλη ἐπὶ Ισραηλ (1,64). Le langage est traditionnel; pour le deuil que ressent tout Israël, voir par exemple le *Testament de Josef* 20,5 (cf. I *Regn* 6,19). Les catégories du peuple en deuil correspondent à celles de *Lam* 5,11—13. Le chant nupial réduit au silence nous est connu par les prophéties de jugement relatives à Jérusalem (*Jr* 7,34 et 25,10; *Ba* 2,23). La situation qui suscite la lamentation est modelée sur le pillage commis par Nabuchodonosor, car il y a des ressemblances d'expression entre *Lam* 1,10 et I M 1,21 et 23.

FONCTION. La lamentation descriptive est plus qu'un élément dramatique dans le récit; elle sert à valoriser ce récit : la situation est aussi grave qu'au temps de Nabuchodonosor, ce qui doit pousser le lecteur à chercher la signification du moment critique.

2.1.1.2 La lamentation descriptive sur Jérusalem, 1,36—40

Vers la fin du récit de la dévastation de Jérusalem, qu'entraîne la venue du « percepteur » et de son armée, et après la mention de la fondation de la Citadelle[1], on trouve insérée une autre lamentation descriptive qui concerne l'état de la Ville Sainte : la situation a radicalement changé, le Temple ayant été annexé à la cité séleucide[2].

DÉLIMINATATION. Le style du morceau est relativement cohérent, dominé par des parallélismes[3]. Les versets 36—38a sont plus proches de la narration

---

[2] Voir PFEIFFER 1949, 493—96 : « la maison de Jacob » est poétique, voir I M 3,7 et 3,45; γένος Ιακωβ (5,2) fait partie d'un passage écrit en prose mais d'un style solennel en raison de l'allusion au « rassemblement des nations », voir *infra* 2.2.1.2. Pour le découpage du texte, voir MARTOLA 1984, 25.

[3] NEUHAUS, *op. cit.*, 122 « Themazeile » est exact; par contre, il ne s'agit pas d'une citation d'*Est* 4,3 car les ressemblances sont purement formelles, sinon fortuites.

[1] Voir II M 5,24 et ABEL 1949, *ad* I M 3,10.

[2] BICKERMANN 1937, 77s.

[3] NEUHAUS 1974, 32.

ordinaire que les versets 38b—40 qui sont en style imagé[4]. Jérusalem domine le texte entier sauf au v. 36 qui signale l'effet du désastre sur tout le pays d'Israël, trait de démarcation identique à 1,25. La péripétie est vivement marquée au v. 40 par le contraste interne et double de δόξα-ἀτιμασμός et ὕψος-πένθος.

LIENS SIGNIFICATIFS. L'expression εἰς διάβολον πονηρόν reprend le εἰς μεγάλην παγίδα du v. 35; elle l'accentue en laissant entendre que le « piège » est un élément de traîtrise atteignant le cœur du judaïsme[5]. Si le texte intermédiaire précédent ne fournissait pas de renseignements noveaux, celui-ci le fait, mais furtivement. Un trait caractéristique du texte lui-même est qu'il allie des éléments d'information et d'interprétation. Le v. 36a renseigne, tandis que le v. 36b porte un jugement. Le διὰ παντός du v. 36 est impossible au point de vue du contexte discursif, car la prise de la possession de la citadelle Akra en 142/1 est racontée dans la suite. Or en tant qu'élément d'une lamentation, la locution est appropriée.[6] Le v. 37 a l'air d'un récit; pourtant le langage est très proche de *Ps* 78(79), 1—3 où le sang versé par les païens qui ont fait irruption dans le Temple est l'objet de la plainte; il s'ensuit que l'interprétation l'emporte sur la narration. 38a est formulé en termes neutres : l'Akra abritait une colonie, κατοικία. Le reste du verset se réfère au même incident (ainsi qu'à la fuite qu'il entraîna), mais en termes poétiques : Jérusalem est ici personnifiée. Au v. 39, le Temple est qualifié de « dévasté ». C'est là une description pleine de sens, reçue des prophètes. La locution anticipe sans doute sur « l'abomination de la désolation » en 1,54[7]. Que les juifs fidèles aient déserté la ville est une exagération du même genre — les autorités séleucides ne les y contraignirent pas. La péripétie est formulée au v. 39 d'une façon pareille à 1,28, fin de la lamentation précédente. Mais la transformation désastreuse des sabbats et des fêtes dans le même verset se rattache au récit : elle se matérialise dans l'édit d'Antiochos qui fait suite (vv. 41—50)[8].

FONCTION. Par l'insertion d'une lamentation descriptive à ce moment du récit, l'auteur signale que cette immixtion ostentative du pouvoir séleucide dans les affaires intérieures de l'État juif est un présage des calamités qui vont suivre : la persécution religieuse et la profanation du Temple au sens propre du mot.

---

[4] Il est aussi d'autres différences, MARTOLA 1984, 42s.

[5] Nous suivons BICKERMANN, *op. cit.*, 76 n. 2 qui se réfère à 11,21 pour étayer sa thèse, à savoir qu'il s'agit des habitants juifs de l'Akra, la Citadelle. Ceux-ci agissent en traîtres devant le roi séleucide. Sur le rôle des juifs sympathisants dans le conflit judéo-séleucide, voir *op. cit.* pp. 127s. et HENGEL 1973, 532—37.

[6] Cf. *Ps* 37(38), 18 et 50(51),5.

[7] Voir *Ier* 41,22 (TM 34,22) et *Dan* 8,11. L'expression révèle aussi une réalité historique : la cessation du sacrifice quotidien, HENGEL 1973, 515s.

[8] BICKERMANN, *op. cit.*, 76s — il nous apprend ici que l'édit a été promulgué une année après la fondation de l'Akra.

16

2.1.1.3 La lamentation de Mattahias, 2,7—13

Sur ce fond de tableau d'un peuple dans le deuil (1,25—28), d'un sanctuaire profané et d'une ville désertée (1,36—40), dans une situation de persécution qui n'a pas rencontré une opposition totale — bref, sous le règne de la « colère » (1,64), voici un personnage qui fait une entrée retentissante — Mattathias (2,1)[1]. L'auteur le présente en mentionnant sa lignée familiale et en énumérant ses fils. Que l'on soit parvenu au tournant de destin de la nation juive, ceci est déjà annoncé par la locution temporelle « en ces jours-là » qui introduit la présentation[2]. La situation décrite par le v. 6 indique que la lamentation est une réponse à la perversité régnante, aux blasphèmes commis. Vient ensuite dans le texte l'affrontement irréductible sur la question du sacrifice exigé par les émissaires séleucides venus à Modîn où siège Mattathias.

DÉLIMINATION. Les deux « pourquoi », introduits au commencement (v. 7) et repris à la fin, sont démarcatifs. La description au v. 14 du comportement rituel approprié de Mattathias et de ses fils clôt fermement le texte.

LIENS SIGNIFICATIFS et FONCTION. Au moyen de cette lamentation individuelle (οἴμμοι v. 7) Mattathias se déclare solidaire de son peuple. Il fait explicitement sien (pronom possessif répété) le malheur décrit auparavant, qu'il exprime dans des termes plus condensés équivalant à une interprétation : il adopte le langage de *Jérémie* et des *Lamentations*[3]. Les lamentations descriptives précédentes sont ici reprises : les images se ressemblent, la péripétie s'exprime dans un langage métaphorique de contrastes. Les victimes de la catastrophe sont toutes mentionnées : le peuple (1,25—28), la Ville Sainte et le Temple (1,36—40). L'inertie des habitants est un élément neuf et significatif[4] : en conséquence, ce que l'on attend de Mattathias c'est qu'il devienne l'instigateur de la résistance, d'autant plus qu'il se révèle le porte-parole du peuple, jusqu'ici frappé de mutisme[5].

2.1.1.4 Le discours d'adieu de Mattathias, 2,49—70

Le discours est inséré après le rapport sur la révolte de Mattathias et de ses compagnons et avant l'éloge de Judas qui d'après 3,1 succède à son père. L'encadrement du discours est classique : la perspective d'une mort pro-

---

[1] Pour « se leva » en pareille circonstance, voir *Iud* 10,1 et cf. CD 1,5—7.

[2] Cf. 1,11.

[3] σύντριμμα- (voir H.-R.) la situation du peuple après la conquête babylonienne; NEUHAUS 1974, 86 sur les textes intermédiaires 1—3 ci-dessus : « Diese Texte lassen zwar keine reine Formsprache mehr erkennen, sie spielen aber in einzelnen Wendungen noch auf eine solche an. »

[4] Nous lisons ἐκάθισαν avec KAPPLER; καθίσαι est une leçon facilitante — voir ἰδεῖν. Pour le manque de résistance et ses conséquences, voir 1,63.

[5] Les lamentations précédentes sont *descriptives*.

chaine, le discours adressé aux fils et, à la fin, la bénédiction, la mort et l'ensevelissement[1].

DÉLIMITATION. Le début du discours est signalé par εἶπεν; son terme final est l'acte de bénédiction à laquelle aboutit habituellement un discours d'adieu biblique.

LIENS SIGNIFICATIFS. On a raison de dire que le discours confirme le contexte discursif précédent et subséquent. L'existence juive reste soumise à la colère divine (cf. 3,1)[2]. Mattathias exhorte ses fils à suivre la Loi avec zèle, car c'est avec zèle que l'on peut détourner la colère de Dieu; ceci se manifestera aussi grâce à l'action fervente de Judas selon 3,8. Le zèle de Pinhas est loué au v. 54 et c'est d'après son exemple que Mattathias lui-même se conduit selon 2,26[3]. En appelant Pinhas « notre père » Mattathias veut probablement revendiquer pour ses descendants le sacerdoce de Pinhas, récompense de la ferveur dont celui-ci a fait preuve[4]. Ce n'est pas le seul cas de correspondance entre la récompense accordée aux Pères et les positions ultérieurement atteintes par les Maccabées : Josué (v. 55), « le juge », aura dans Jonathan (9,73) un successeur. De plus, la présentation des fils que contient le discours fait allusion à leur gloire future : Judas (v. 66) est le héros de la guerre (cf. 3,3s); Simon « de bon conseil » (v. 65) se manifestera comme le bon gardien de la nation (14,4—15; 14,43). Il y a lieu de rappeler que Simon était le père de Jean Hyrcan, dernier Maccabée à être mentionné par l'auteur qui devait avoir intérêt à démontrer l'ascendance distinguée de Jean Hyrcan; ce serait donc à dessein que Simon est introduit comme le père par excellence[5].

FONCTION. Le discours expose le but du soulèvement. Ainsi le testament de Mattathias comporte les thèmes essentiels de I M[6]. Le rappel constant des pères veut probablement marquer que dans la lutte maccabéenne se poursuit l'histoire de salut d'Israël[7]. Le discours est fait pour convaincre les destinataires : 1. à qui reste fidèle à l'Alliance, Dieu accorde ou renouvelle sa protection; 2. l'existence de la dynastie asmonéenne est le résultat manifeste du maintien par Dieu de sa promesse.

---

[1] Voir MICHEL 1970, 48 et 52s; ici l'instruction coutumière sur l'ensevelissement est remplacée par son rapport, *art. cit.*, p. 53. Qu'un personnage politique profère un discours d'adieu est connu de l'AT — voir *Jos* 24; on y retrouve un aperçu rétrospectif de l'histoire et aussi un appel à bien garder le patrimoine idéologique des Pères.

[2] Les Maccabées se présentent toujours sur un arrière-fond identique : 9,27 Jonathan; 13,1—2 Simon. Comme Judas est élu chef par Mattathias dans son discours d'adieu et comme il prend la relève immédiatement après le décès de son père, son entrée en scène n'a pas le même caractère.

[3] Sur le zèle de Pinhas dans les textes de cette époque, voir HENGEL 1961, 155—59.

[4] ABEL 1949 *ad loc.* et cf. ILG 1978, 261.

[5] NIESE 1900, 46. Cf. l'expression « des actions accomplies par nos pères » au v. 51 et voir la remarque de JANSSEN 1971, 35.

[6] GÄRTNER 1955, 20, n. 4.

[7] PFEIFFER 1949, 487 et MÜLLER 1973, 76.

2.1.2 Discours

1. Les discours d'exhortation au combat

Il y a dans I M cinq discours prononcés par le commandant au seuil d'une bataille[1]. Ils contiennent une ou plusieurs exhortations, soit à ne pas éprouver de peur, soit à prendre les armes.

DÉLIMITATION. Tous sont introduits par εἶπεν et rapportés textuellement. Un est pourvu d'une formule concluante (3,18—22), les autres diffèrent : deux aboutissent immédiatement à des mouvements militaires; l'un le fait après un passage de prière étroitement lié au discours, l'autre de même, après une invitation à prier. Les discours sont précédés de la constatation que les Maccabées ou leurs soldats aperçoivent l'armée ennemie qui avance.

LIENS SIGNIFICATIFS. L'orateur se réfère souvent à cette avance menaçante de l'ennemi. Ses paroles réconfortantes ont des bases scripturaires. En 3,18s. il exprime une conviction qui fait allusion à 1 S 14,6; en 4,8—9 il recourt à un paradigme approprié à la situation militaire pressante, situation qu'il a semble-t-il modifiée pour les besoins du contexte. Le paradigme rappelle une expérience de salut dans le passé que toute personne appartenant au peuple d'Israël connaît : leurs pères ont été sauvés de l'armée de Pharaon, pour nombreuse qu'elle fût[2]. En 3,22, Judas exprime la prédiction αὐτός (Dieu) συντρίψει, ce qu'on voit se réaliser dans la narration qui fait suite : συνετρίβη Σήρων.

FONCTION. Ces discours ont la fonction littéraire suivante : communiquer aux lecteurs que c'est grâce à la part prise par les Maccabées dans les combats que la guerre a été gagnée. Mais ils veulent plus : montrer la compassion des Maccabées pour le désarroi du peuple. Ce sont eux le porte-parole du peuple, ce sont eux qui indiquent où est à chercher le vrai secours : ils incitent à prier ou guident la prière et ils rappellent à l'esprit de l'assemblée les événements de salut fondamentaux dont dépend leur vie comme communauté nationale.

2. Le discours de mobilisation, 3,58—60

Ce discours se distingue des autres : il n'est pas immédiatement suivi d'un récit de bataille, car avant cette bataille Judas tient encore un discours, 4,8—9. Le discours que voici fait partie de la même situation narrative que la lamenta-

---

[1] 3,18—22; 4,8—9; 9,10 et 9,44—45. Le discours 9,10 diffère : l'orateur critique l'attitude des soldats. — En 11,70 Jonathan prie après une défaite sans que le contenu soit suggéré.
[2] Cf. I QM XI, 9s.

tion collective de 3,50—53; il faut regarder le texte comme un élément d'une suite d'actes et de déclarations qui se rapportent à l'inspection de l'armée convoquée selon les règlements de la « guerre sainte »[1]. Il constitue la dernière étape de la préparation à la guerre.

LIENS SIGNIFICATIFS. La terrible menace de l'ennemi selon les paroles de Judas au v. 58 est une reprise de la lamentation collective (v. 52). τὰ ἅγια, objet de cette menace imminente (vv. 58 et 59) renvoie à la prière d'assemblée, en deuil à la suite de la perte du Temple.

FONCTION. La mise en rapport du discours et de la lamentation collective est une manifestation de la même idée-force « de la lamentation on passe à l'action » qui se dégage de la lamentation de Mattathias commentée ci-dessus (2,7—13). Le discours est fondamental en ce qu'il annonce ce qui est capital pour toute « guerre sainte » : son issue ne dépend pas des activités humaines quelque méritoires qu'elles soient mais de la volonté de Dieu (v. 60)[2].

2.1.3 Éloges

Le I M contient deux éloges dont l'un concerne Judas (3,3—9), l'autre Simon. Celui de Judas, poème en forme d'acrostiche, à en croire C.F. Burney[1], est essentiellement une anticipation de la narration qui suit. Il en signale les faits d'éclat[2], et qui plus est, il en expose la portée : la colère divine est détournée (3,8) et c'est la σωτηρία qui règne, Judas guidant le pays[3]. Ce sont là les points importants du texte. Le cadre de notre exposé ne nous permet pas de rentrer plus en détail sur le premier éloge. Passons au second, celui de Simon (14,4—15) qui est beaucoup plus riche en matériaux.

2.1.3.1 L'éloge de Simon 14,4—15

Que l'époque de Simon fut de première importance ressort de l'encadrement de l'éloge qui renferme des renseignements relatifs à la politique extérieure : 14,1—3 fait part de l'échec de l'expédition d'Orient de Démétrios II[4];

---

[1] Voir 3,56 qui fait écho à *Dt* 20,5—9. Cf. 1 QM XV, 7 où le prêtre ayant passé les troupes en revue dit aux soldats: והיו לבני חיל; le I M 3,58 γίνεσθε εἰς υἱοὺς δυνατούς est très proche.
[2] Cf. 4,10.

[1] Burney 1919—20, 319—325.
[2] L'expression εὐοδώθη κτλ. trahit le caractère sommaire du texte, voir 14,36 et 16,2. Les épisodes mentionnés à l'avance sont développés dans la suite, voir Neuhaus 1974, 192—97.
[3] Voir 5,62 et 9,21.
[4] Will 1982 (II), 407s. — Abel 1949, 248 donne d'autres exemples d'un synchronisme d'histoire générale du même type.

14,16—20 raconte le renouvellement de l'alliance conclue jadis avec Sparte et Rome. C'est un cadre approprié non seulement à l'éloge mais aussi à l'acte de naissance de la dynastie asmonéenne, le point culminant du récit du ch. 14 (voir v. 47).

DÉLIMITATION. L'horizon change au v. 4 : l'auteur se concentre désormais sur la situation à l'intérieur du pays au temps de Simon, période qui est explicitement nommée tout au début et caractérisée par ses conséquences bénéfiques pour le pays jouissant du « repos »[5]. Les actants sont Simon lui-même et les habitants du pays. Le texte est bien serré du point de vue formel et il contient nombre d'allusions bibliques, deux traits qui le font ressortir nettement du reste du récit.

LIENS SIGNIFICATIFS. Il y a des liens avec le contexte discursif: Simon est loué pour ses explits précédemment racontés[6]. Certains énoncés sont de nature à transcender la narration : ce sont ceux qui ont pour fonction de caractériser le bien-être dont jouit alors le pays; ils le font en se servant des Psaumes et des paroles des Prophètes. A l'aide de ces allusions, la signification de l'ère de paix acquise au début de la période asmonéenne est rehaussée au point de devenir le signe d'un temps de salut.

FONCTION. Il y a lieu de voir dans cet éloge le sommet thématique de I M, car l'éloge traduit les espérances en train de s'accomplir[7]. L'éloge exprime en images suggestives une conception du salut « messianique » dont Simon serait le réalisateur et le garant[8]. C'est un texte de propagande sans doute, mais avant tout un texte idéologique par lequel nous touchons au nerf des activités asmonéennes : la restitution de l'ordre de l'Alliance (voir v. 14).

---

[5] Cf. *Idt* 16,25 οὐκ ἦν ἔτι ὁ ἐκφοβῶν τοὺς υἱοὺς Ισραηλ κτλ. (voir dans l'éloge, v. 12). HAAG 1963, 60, commentant le livre de *Judith*, se réfère à *Jg* 3,11 (voir la note de TOB *ad loc*) qui porte selon la LXX καὶ ἡσύχησεν ἡ γῆ (au temps d'Otniel) : « Dadurch wird das Geschehen des Buches Judith in Parallele gesetzt zu diesen grossen Rettungstaten Jahwes in der Vergangenheit seines Volkes, womit Jahwe von Zeit zu Zeit in Israel dauernd manifestiertes Königtum gegenüber seinen und seines Volkes Feinden machtvoll offenbarte. » Ceci est applicable aussi à I M — dans les deux cas, il ne s'agit donc pas d'une imitation du style mais d'un assentiment à une conception totale.

[6] Joppé : 12,33; Gazara : 13,43; Bethsour : 11,65 et Akra : 13,49.

[7] Le point le plus bas serait les lamentations descriptives; le même genre d'expressions globales ici et là : πρεσβύτεροι-νεανίσκοι; là πένθος, ici εὐφροσύνη; ici, on reste assis, là on doit s'enfuir, etc.

[8] Sur le « messianisme » de I M, voir ARENHOEVEL 1967, 64—65 : son intention est historique plutôt qu'eschatologique. — Simon est vu sous un autre jour par un certain Pampras, travaillant à la construction du palais de Simon à Gezer; il a laissé les graffiti suivants : « Que le feu tombe sur le palais de Simon! » CIJ II 1952, n° 1184 (là traduit).

2.1.4 Passages hymniques

La phrase sous forme d'hymne de *4,24*, qui est subordonnée aux deux verbes ὕμνουν et εὐλόγουν achève le récit de la victoire remportée par Judas — victoire couronnée par le pillage du camp ennemi (4,23). *4,25* est une formule concluante d'un type cher à l'auteur lorsqu'il veut signaler la portée d'une victoire[1]. Le temps des verbes (imparfait) semble indiquer que le retour triomphal des soldats à leurs quartiers était accompagné d'un chant de louange[2]. La phrase est un refrain connu: ὅτι καλόν, ὅτι εἰς τὸν αἰῶνα τὸ ἔλεος αὐτοῦ[3]; cette phrase se retrouve, également dans un contexte guerrier, dans II *Par* 20,21 où l'on note que le chant de louange précède la bataille[4]. Le refrain avec la phrase concluante qui le suit exprime la conviction que c'est Dieu qui, fidèle à son alliance, a accordé la victoire[5].

En *13,47*, il est raconté que Simon, ayant « purifié » la ville de Gazara, y entre faisant monter des hymnes. L'auteur ne dit rien de leur contenu. La prise de possession de la Citadelle est donnée comme un exploit de Simon, mais l'entrée dans l'Akra, entreprise collective, est célébrée par un chant de louange également collectif en *13,51*. Le contenu sommaire, le motif même des louanges — ὅτι συνετρίβη ἐχθρὸς μέγας — renvoie à 1,36 (lamentation descriptive sur Jérusualem) où une expression allégorique semblable sert à décrier la population de l'Akra, en particulier les Juifs ayant consenti à s'y établir[6].

En *4,55*, dans le cadre de la reprise du culte sacrificiel, il est rapporté que toute la foule présente au Temple « fait monter la louange vers le Ciel », τὸν εὐοδώσαντα αὐτοῖς, expression participiale qui fait écho à une formule de clôture qui revient en plusieurs endroits[7]. Le distique *9,21* qui fait partie des

---

[1] Elle est remployée en 4,58.

[2] Le syntagme prépositionnel εἰς οὐρανόν joint à εὐλόγουν exige un commentaire. Quand οὐρανός figure en tant que périphrase du nom de Dieu, le mot est toujours pourvu d'une préposition (3,18; 12,15 et 16,3) : il semble que οὐρανός garde partiellement son sens concret d'espace. On pourrait dire que la précaution qui s'exprime dans le choix d'une périphrase est deux fois marquée; à noter que dans cette fonction οὐρανός ne prend pas l'article, cf. S.-B. I, 862 et voir JOHANNESSOHN 1925, 295, n.l. La phrase est reprise dans 4,55 et ailleurs. ABEL 1949, *ad* 4,55 qualifie εἰς οὐρανόν de complément circonstanciel, en4,24, l'A. voit dans la même expression un datif (cf. HELBING 1928,20). — Nous sommes convaincue que c'est à cause des préoccupations théologiques que l'auteur s'exprime ainsi : un προσεύχεσθαι, προσκυνεῖσθαι ou ὑμνεῖν n'est jamais suivi du complément d'objet attendu; le αὐτός qui se réfère à Dieu n'entre jamais dans cette fonction. La phrase courante βοᾶν/κράζειν εἰς οὐρ. a probablement influé sur l'expression (voir I M 3,50 et III M 6,17).

[3] Voir *Ps* 117(118) et 135(136).

[4] Voir VON RAD 1951, 80s.

[5] JAUBERT 1963, 80.

[6] Voir *supra* 2.1.1.2, note 5.

[7] 3,6, 14,36 et 16,2 ont tous le verbe εὐοδοῦν comme noyau.

22

funérailles de Judas, est une imitation du refrain de l'élégie de David sur Saül et Jonathan tombés en plein combat.

FONCTION. Les phrases sous forme d'hymne ont des traits contextuels communs. Elles sont intégrées à la fin des épisodes pour les clore. Mis à part le chant de louange de 4,55 qui se rattache à la Dédicace du Temple, les passages hymniques colorent la narration de sorte que celle-ci soit unanimement acceptée comme le récit d'une « guerre sainte ».

La citation raccourcie de *Ps 78(79),3* en 7,17 est d'une autre nature. Le texte est appliqué au forfait d'Alkime, le grand-prêtre désigné par les Séleucides. Celui est explicitement déprécié en 7,9 où il est appelé ἀσεβής et implicitement déjà en 7,5 où il se compromet, ne refusant pas de recevoir chez lui des gens « sans foi ni loi ». Selon 7,16 Alkime fait assassiner perfidement une soixantaine de scribes. La citation est *délimitée* d'un côté par la formule appropriée[8], de l'autre côté par la réaction unanime du peuple, constatant que toute justice est foulée aux pieds. Le crime d'Alkime est mis au même rang que le carnage commis à Jérusalem par les « nations » qui y sont intruses selon *Ps 78(79), 1*. Les *liens significatifs* sont les suivants : la mise à mort, la place du meurtre et avant tout les victimes, les « pieux », avec qui Alkime contraste violemment. La citation a pour *fonction* de dramatiser le récit; or c'est là une tragédie d'ordre religieux avant tout : le peuple est atteint de l'intérieur par une catastrophe égale à celle qui jadis lui a été infligée de l'extérieur, par le monde païen.

2.1.5 Prières

1. La lamentation collective de 3,50—53

Le contexte narratif qui précède la prière s'avère non seulement complexe mais aussi important pour la compréhension du texte, ce qui nous oblige à une étude plus détaillée. Le fil du récit est le suivant. Judas et ses frères se sont déclarés prêts à prendre la tête du combat contre les Séleucides qui menacent le peuple juif de « destruction radicale » (v. 42). La communauté se rassemble pour se préparer à la guerre et pour prier[1]. La prière ne peut avoir lieu à Jérusalem dans les circonstances données : c'est cette irrégularité qui est le

---

[8] κατὰ τὸν λόγον ὃν ἔγραψεν αὐτόν n'est pas comme le dit GOLDSTEIN 1976 *ad loc* « impossible Greek », voir BDR §297,1; le sujet de ἔγραψεν est impersonnel, voir VITEAU 1896, 74—77; *Dan* 9,13 (Th) a aussi la formule.

[1] Strictement dit, on ne prie pas, car 3,50—53 ne contient aucune demande explicite de secours. Mais on s'adresse virtuellement à Dieu, voir les pronoms personnels et les déterminants possessifs. WESTERMANN (1954) 1977, 160 : « ein Gebet . . . das nur aus Klage besteht ».

motif de la lamentation descriptive de 3,45 qu'il faut juxtaposer à celle de 1,36—40. Au v. 46 on trouve reprise la mention de la réunion du peuple et le nom du lieu — Maspha, où le peuple d'Israël selon le même verset est venu prier jadis[2]. La prière est précédée d'un jeûne accompagné des gestes conventionnels. On peut donc déterminer la situation contextuelle : une cérémonie pénitentielle[3]. De tels rites pénitentiels doivent aovir lieu près d'un sanctuaire mais ne peuvent en cette occurrence, comme nous l'avons dit, se produire à Jérusalem. Ceci suscite une lamentation «mimée» : on apporte selon le v. 49 ce qui appartient au culte régulier du Temple. On pourrait y joindre le v. 48. 2 R 19,14 est un exemple semblable. Mais ceci présuppose que le livre de la Loi soit comparable aux habits sacerdotaux et autres objets sacrés énumérés au verset suivant; pourtant, la leçon préférable du texte ne le rend guère possible[4]. Il faut plutôt voir dans I M 3,48 un cas voisin de *Jg* 20. L'assemblée convoquée à Miçpa y jeûne et consulte le Seigneur, c'est-à-dire l'arche de l'alliance de Dieu. Le livre de la Loi de I M 3,48 serait alors sur ce point l'équivalent de l'arche de l'alliance. Selon II M 8,23 c'est en lisant le livre de la Loi qu'on obtient le mot d'ordre pour le combat. A notre avis, c'est en rapprochant I M 3,48 de II M 8,23 et de *Jg* 20, récit qui de toute évidence sert de modèle, que l'on arrive à une compréhension plausible du texte.

DÉLIMITATION. La prière est introduite au v. 50 par le verbe ἐβόησαν repris au v. 54 qui signale que la prière est achevée[5].

LIENS SIGNIFICATIFS. La lamentation est bien intégrée dans le contexte narratif. Le v. 50b renvoie nettement — il y a des pronoms démonstratifs au v. 49, la lamentation sans paroles. Le v. 51 se rattache au v. 45 par le thème commun. Le v. 52 reprend la situation de guerre, actuelle dès 3,38.

FONCTION. La lamentation est un élément essentiel d'un ensemble narratif qui veut montrer que la nation entière se rallie aux Maccabées (vv. 43s.) et que le combat sous leurs ordres continue les traditions de la « guerre sainte »[6]. La prière est le dernier pas d'une gradation : lamentation descriptive, complainte de l'initiateur de la rébellion, lamentation collective explicite.

---

[2] τόπος προσευχῆς — cf. *Jg* 20,18 et voir DAVIES 1972; le I M emploie οἶκος πρ. pour le temple de Jérusalem. L'auteur veut probablement éviter de donner l'impression qu'il y eût aux temps anciens un sanctuaire national en dehors de Jérusalem. Sur le siono-centrisme des Maccabées, voir BAUMBACH 1979,35.

[3] GUNKEL-BEGRICH 1933, 118s; cf. 1 S 7,5.

[4] La transmission divergente du texte atteste ces deux possibilités d'interprétation, voir l'apparat ciritique de KAPPLER.

[5] Le verbe βοᾶν est fréquemment employé dans l'AT pour rendre l'appel ardent suscité par une situation critique.

[6] Voir GUNKEL-BEGRICH 1933, 118. — *Jg* 20 est un témoin ancien de cette tradtion. Pour les trompettes, cf. I QM X,7.

2. La prière de 7,37—38 portant sur le Temple

DÉLIMITATION. Le v. 36 nous renseigne sur le lieu de la prière et l'état dans lequel les prêtres s'adressent à Dieu[1]. La prière elle-même est introduite par un simple εἶπον. En 7,39 reprend la narration, centrée sur l'action de l'ennemi avec Nikanôr à sa tête[2].

LIENS SIGNIFICATIFS. La prière contient des pronoms démonstratifs qui la rattachent étroitement au contexte précédent: 1. τὸν οἶκον τοῦτον renvoie à la menace de Nikanôr (v. 35); la reprise de l'expression τὸν οἶκον τοῦτον fait partie d'un contraste dont le noyau est ἐξελέξω, acte absolument contradictoire à la mise à feu annoncée par le général séleucide; 2. dans la *petitio* (v. 38), c'est à Nikanôr même que se réfèrent les prêtres; plus loin, ce sont les outrages du peuple ennemi qui constituent l'objet de la demande, ce qui veut dire que la situation narrative est généralisée[3]. Le souhait πεσάτωσαν se réalise au v. 46 — la défaite s'avère des plus complètes.

FONCTION. La prière sert à dramatiser le récit et pas seulement littérairement car le drame est aussi et avant tout religieux : la menace terrible de Nikanôr met en question l'acte divin d'élection.

3. Les prières précédant une bataille

Deux des quatre prières de ce type sont prononcées par Judas (4,30—33; 7,41s). Les deux autres font partie d'une exhortation à prier : la prière de 4,10—11 et de 9,46. Dans le premier cas c'est Judas qui exhorte, dans le dernier c'est Jonathan. La deuxième prière prononcée par Judas, 7,41s., se retrouve à proximité de la prière que nous avons présentée ci-dessus. La narration qui les sépare décrit sommairement la situation militaire. La prière est *délimitée* d'un côté par le double προσηύξατο -εἶπεν, de l'autre par le renseignement sur le progrès des opérations militaires : καὶ συνῆψαν. Les *liens signficatifs* sont les suivants : la phrase οἱ παρὰ βασιλέως ἐδυσφήμησαν (v. 41) renvoie aux blasphèmes proférés par Nikanôr selon vv. 34s., incident introduit dans la prière qui suit (v. 38) sous un aspect général. Le κακῶς ἐλάλησεν (v. 42) s'y réfère également. Mais la phrase a une portée plus vaste, étant donné qu'elle est un écho de 2 R 19,6 où figurent les serviteurs de Sennakérib, les blasphémateurs, et du v. 35, l'ange exterminateur. Le paradigme

---

[1] BARTLETT 1973 *ad loc* cite *Jl* 2,17 en témoin d'une situation pareille.
[2] Après toutes les prières sauf la lamentation collective de 3,50—53, on passe à l'action de l'ennemi.
[3] Cf. BICKERMANN 1937, 30 : « Mit diesen allgemeine Ausdrücken, die sie schlechterdings zu 'Heiden' machen, bezeichnet also das Buch die Gegner der Makkabäer. »

porte surtout sur la punition : un blasphème comme celui qui est proféré par Nikanôr doit aboutir à la mise hors de combat de l'ennemi. A l'impératif σύντριψον (v. 42) correspond logiquement un συνετρίβη, la victime étant l'armée ennemie avec son commandant.

Les autres prières sont toutes précédées d'une observation faite sur l'avance de l'ennemi; de même les discours de combat comme nous l'avons noté[1]. Elles sont suivies d'un συνῆψαν ou d'un verbe équivalent après quoi on est renseigné sur la victoire remportée par les Juifs, toujours décrite par son aspect néfaste pour l'ennemi.

La prière de *4,10—11* est largement construite sur le paradigme introduit dans le discours qui la précède immédiatement, la transition entre les deux étant l'exhortation à crier « vers le Ciel » : les termes importants de πατέρες et de σώζειν sont repris. Le rappel de la traversée de la mer Rouge crée pour la prière un climat de confiance. En *4,30—33*, c'est sans doute la nombreuse armée ennemie de la situation narrative qui décide le choix du paradigme. Le fait que c'est Judas qui prie est probablement important aussi — on attendrait quelque identification aux chefs exemplaires David et Jonathan dans le paradigme. Mais dans la *petitio* c'est le peuple d'Israël qui est l'acteur.

FONCTION COMMUNE. Les prières prononcées au seuil d'une bataille veulent confirmer l'expérience de l'ancien Israël : la victoire relève de Dieu qui s'engage pour son peuple. Étant donné que ce sont les Maccabées qui exhortent à prier ou qui prient eux-mêmes, les prières de combat confirment pour l'avenir que c'étaient bien ces hommes-là « auxquels il était donné de sauver Israël » (5,62).

2.1.6 Conclusion

Les textes intermédiaires ont des traits contextuels communs qui sont importants à noter afin de saisir leur fonction littéraire. Ils servent à marquer le début et la fin d'une période, trait frappant dans les discours, les exhortations au combat exceptées[1]. De la lamentation collective de 3,50—53 on peut dire aussi qu'elle marque un début, à savoir la part prise par le peuple dans les préparatifs de la guerre. Mais elle le fait en tant qu'un élément parmi d'autres d'un ensemble narratif qui veut présenter l'armée sur le pied de guerre. Les textes intermédiaires servent aussi à dramatiser, voir la lamentation de Matta-

---

[1] La prière de 4,10—11 et le discours auquel elle est jointe réfèrent à une seule description de l'ennemi (4,7).

[1] Le discours d'adieu de 2,49—70, le discours programme de 13,2—6 (Simon) et le dernier discours de Simon en 16,2—3.

thias, la citation du *Ps* 78(79) et la prière de 7,37—38. En dehors de ces différentes formes d'une *fonction de composition*, on peut attribuer à des textes intermédiaires une *fonction de communication* : 1. Le discours d'adieu de Mattathias veut faire comprendre que l'obéissance aux préceptes de l'alliance sera rémunérée et le discours exhorte à agir ainsi (2,61). 2. Plusieurs textes ont pour fonction de convaincre le lecteur que seuls les Maccabées étaient les chefs capables de sauver le peuple en temps de crise. 3. Les discours d'exhortation au combat non moins que les prières veulent inspirer la confiance aux destinataires, tant ceux qui sont compris dans le récit que ceux qui liront le livre, à condition que ces derniers s'identifient avec les personnages du récit et qu'ils comprennent le langage religieux des textes. La *fonction interprétative* est pourtant plus accentuée que les autres. C'est surtout au moyen de paradigmes et en général grâce aux associations qu'évoquent les expressions choisies que l'auteur exprime sa conception du cours des événements qu'il raconte[2]. Il en signale le moment le plus critique à l'aide de lamentations descriptives et le moment le plus heureux au moyen de l'éloge de Simon (14,4—15), si riche en associations bibliques. Les prières aident également à interpréter la situation présente en signalant ce qu'on peut attendre de Dieu dans des circonstances pareilles.

Les textes intermédiaires qui se rattachent le plus étroitement au contexte narratif sont les prières collectives : la lamentation du peuple et la prière de 7,37—38. Nonobstant leur dépendance des modèles vétéro-testamentaires, elles donnent l'impression de surgir du flux de la narration. Elles sont bien encadrées par le récit qui leur prépare le chemin : avant 3,50—53 les gestes appropriés, avant 7,37—38 l'attitude prise par les prêtres, conforme à la situation donnée. Dans le dernier cas, toute la situation est suffisamment transparente pour actualiser un texte source, la prière d'Ézékias à la nouvelle du blasphème de Sennakérib. Il est probable que l'auteur oublie ici son métier de chroniste et qu'il s'identifie clairement avec son peuple avec lequel il partage une histoire pleine de sens.

Nous avons vu que les prières comme les autres textes intermédiaires se rattachent aux modèles vétéro-testamentaires. Le vocabulaire des prières vu dans le détail, s'avère-t-il également traditionnel ou présente-t-il des nouveautés occasionnées par les circonstances historiques? Ou bien le vocabulaire, a-t-il des traits linguistiques ou conceptuels que les prières de notre recueil possèdent aussi? Nous nous attacherons bientôt à répondre à ces questions. Ensuite, il faudra voir si les prières ont un style qui les distingue de celui de la narration. De plus, on aura intérêt à voir si les prières, si dépendantes à première vue des modèles anciens ont une organisation suffisamment cohérente pour suggérer qu'elles reposent sur un usage constant.

---

[2] Janssen 1971, 195 : « Das erste Makkabäerbuch schildert allein die Gegenwart. Die Vergangenheit, das heisst die alte Geschichte des Volkes, wird nur in den Reden und Gebeten der Makkabäer herangezogen ».

2.2 Vocabulaire

2.2.0 Introduction

Dans le vocabulaire des prières de I M, les expressions du type discours répété abondent. Les prières de II M n'en possèdent que peu d'exemples tandis que certains textes de notre recueil en emploient à profusion, voir par exemple la prière d'Azarya et la grande prière de I Clem. La dimension que prend le discours répété dans I M est néanmoins extraordinaire et ceci pour plusieurs raisons : 1. il s'agit d'une traduction de l'hébreu en grec[1]; 2. le style du livre est archaïsant : l'auteur de I M imite délibérément les grands textes de son patrimoine spirituel — la poésie de l'AT est par définition « formulaic » comme disent les Anglais[2]; 3. le discours répété de I M porte sur des faits historiques qui ont sensiblement influencé la réflexion théologique et au moins autant la liturgie[3]; de plus, c'est, disons, le véhicule des idées fondamentales telle que le concept d'élection. S'il est justifié de qualifier le langage de prière de « langage sacré »[4], c'est bien au sujet du discours répété qu'on peut le faire, lui qui est « une survivance de la diachronie dans la synchronie »[5]. La prédominance du discours répété dans I M est donc une donnée dont notre étude doit tirer avantage.

Notre cheminement sera le suivant : 1. les exemples du discours répété dans l'ordre où ils se retrouvent dans I M, à partir de la lamentation collective de 3,50—53; 2. quelques mots individuels dans le même ordre; 3. le vocabulaire concernant les orants.

2.2.1 Discours répété

1. τὰ ἅγια καταπατούμενα

Le verset 3,51 de la lamentation collective contient la locution τὰ ἅγια[1] (σου) καταπεπάτηνται. L'ajout de καὶ βεβήλωνται a une raison stylistique, non

---

[1] Voir BARR 1979, 281 qui caractérise la traduction des Septante : « variations within a basically literal approach ».

[2] WHALLON 1969, 181 : « formulaic »; voir aussi LJUNG 1978.

[3] Lord cité chez LJUNG, *op. cit.*, 11 : « the phrases for the ideas most commonly used become more securely fixed ».

[4] MOHRMANN 1968, 345 : « In den Sakralsprachen wird des öfteren das mehr allgemeine Element der 'Mitteilung' zurückgedrängt zugunsten anderer Elemente, die eine wichtige Rolle in der religiösen Erfahrung spielen. » A la page suivante elle dit : « die traditionelle sprachliche Form ist in diesem Falle Äusserungsmittel einer Gruppe, einer Kollektivität, die innerhalb einer bestimmten Tradition lebt. »

[5] COSERIU 1966, 195.

[1] Le pluriel pour le Temple souvent dans la LXX, voir H.-R.

sans conséquences pour le contenu de καταπεπάτηνται cependant : « profaner » est un aspect du sens de ce verbe, mais *le* sens précis du verbe accolé. Dans I M la locution apparaît trois fois, le verbe seulement à ces endroits. En 3,45, la légère variante de la locution fait partie de la lamentation descriptive qui annonce la lamentation collective comme nous l'avons montré. En 4,60, la locution qui a la forme active avec « les nations » comme sujet est « assouplie » en raison du complément d'objet αὐτά — « ces lieux ». On note que les passage n'est pas purement narratif : la note additionnelle ὡς ἐποίησαν τὸ πρότερον est expressive.

Dans II M il n'y a aucun exemple de la locution[2]. Pour autant, la prière de 8,2—4 a un vocabulaire ressemblant à I M 3,50—53 : βεβηλοῦν pour le Temple et (μέλλουσαν) ἰσόπεδον γίνεσθαι pour la ville. La seule occurrence de la locution à une date antérieure est *Is* 63,18 κατεπάτησαν τὸ ἁγίασμα (σου), élément d'une lamentation collective[3]. La calamité à laquelle l'énoncé fait allusion est discutée — la catastrophe de l'année 587 est probable[4]. La combinaison de blasphème et de destruction est objet de complainte dans *Ps* 78(79), 1 et 73(74),7. Selon *Ps* 78,1, les Gentils ayant envahi le pays ont soullé le Temple. Que le Temple soit détruit n'est pas expressément dit, mais le v. 8c le rend vraisemblable ainsi que le verbe hébreu טמא[5]. Dans *Ps* 73,7 l'expression laisse entendre à la fois la ruine du sanctuaire et la profanation : εἰς τὴν γῆν ἐβεβήλωσαν[6].

On voit donc dans les lamentations collectives une tendance à combiner en un seul acte la destruction et la profanation du Temple. I M 3,50—53 s'y range aussi et il semble que le choix du verbe καταπατεῖν en particulier est dû à un usage établi.

Le vocable de καταπατεῖν/καταπάτημα est devenu au temps des Maccabées un terme courant, presque technique, pour la profanation du Temple et la dévastation de la Ville Sainte[7]. Le choix de ce terme est dû à une actualisation de la catastrophe de l'année 587 tirée des anciennes prophéties sur la Grande affliction qui sont adoptées par la littérature apocalyptique[8]: dans *Dan* 8,13 (O'-texte), la petite corne qui grandit, qui dévaste le Temple et le « foule aux pieds ».

Dans *Ps Sal* 2,2 la profanation du Temple ou précisément de l'autel sacrificiel par les païens (Pompée) est évoquée par le verbe καταπατεῖν. La profana-

---

[2] Une partie de la transmission manuscrite combine καταπατούμενον avec λαόν en 8,2. Nous sommes d'accord avec HANHART pour préférer ici καταπονούμενον.

[3] La traduction grecque du livre d'Ésaïe remonte selon SEELIGMANN 1948, 87s, à 140 av. J.-C. envir.

[4] BENTZEN 1943—44, MCKENZIE 1968 *ad loc.*

[5] Dans 2 R 23,8 il est dit que Josias « souilla » les hauts lieux ce qui équivalait à leur destruction, ANDERSSON 1972 ad *Ps* 79,1.

[6] La construction est prégnante comme en hébreu, GESENIUS-KAUTZSCH § 119gg.

[7] Voir HENGEL 1973, 558.

[8] SEELIGMANN 1948, 87s. voir *Is* 5,5; 22,5 et cf. *Mich* 7,10.

tion est soulignée par des compléments circonstanciels, ἐν ὑποδήμασιν et ἐν ὑπερηφανίᾳ[9]. Dans le cantique 17, au v. 22b. la dévastation est jointe à la profanation : καθαρίσαι (inf. de but) Ιερουσαλημ ἀπὸ ἐθνῶν καταπατούντων ἐν ἀπωλείᾳ. Dans III M 2,18 le grand prêtre prie tourné vers le Temple pour que les Gentils ne disent pas ἡμεῖς κατεπατήσαμεν τὸν οἶκον τοῦ ἁγιασμοῦ[10].

Nous pouvons conclure : le vocable (κατα-)πατεῖν de la locution montre une certaine évolution de sens, qui accentue de plus en plus l'aspect de profanation.

2. τὰ ἔθνη (ἐπι-)συνάγονται (3,51, etc.)

Le « rassemblement des nations » est dans l'AT une expression du thème de l'attaque des Gentils contre Jérusalem[1]. La locution que voici est d'une fermeté considérable; La construction active est très rare et la variante avec βασιλεῖς ne se rencontre que dans les contextes qui l'actualisent. Dans les *Psaumes* le « rassemblement » (des rois) est une expression de louange envers Dieu qui sauve son Messie ou la Ville de Sion (*Ps* 47(48),5 et 2,2). Chez les Prophètes les ennemis sont presque toujours les nations; le « rassemblement » est suivi d'une intervention directe et merveilleuse de Dieu dans le cadre de la Guerre sainte, préambule du jugement sur les nations[2]. On note que dans I M le verbe « rassembler » a comme complément un infinitif de but qui dénote toujours le déracinement du peuple d'Israël, il en est de même dans *Est* F 5[3]. La locution est dans ces deux derniers écrits un élément indépendant, contrairement aux exemples des Psaumes et des Prophètes. Les variations de l'expression dans I M sont significatives : aussi bien dans les actes d'énonciation que dans la narration les peuples son déterminés d'une façon ou d'une autre[4], tandis que dans les discours (3,58; 13,6) et dans la prière (3,50—53) nous rencontrons les « nations » tout court.

Dans *Ac* 4,26 ss. le thème de l'attaque des païens contre Jérusalem est transformé : l'objet de l'assaut est le « saint serviteur » Jésus et parmi les nations assemblées on trouve Israël lui-même[5]. Analogiquement aux détails que nous présente la narration de I M, on trouve Hérode et Pilate nommés dans la prière d'Actes. Cette prière peut très bien illustrer comment les premiers chrétiens, représentés par Luc, ont recueilli des expressions d'un langage de prière établi, qui même transformé — et parfois radicalement — garde une grande valeur pour la réflexion théologique.

[9] Terme qui dans I M caractérise les Séleucides.
[10] C'est un *topos* déjà dans les *Psaumes* que les impies affichent ostensiblement leur orgueil, GUNKEL-BEGRICH 1933, 26.

[1] Pour une vue d'ensemble, voir l'aperçu de BÖCHER 1974.
[2] *Mi* 4,1—11, *Ez* 38—39, *Jl* 4,9—12.
[3] Cf. *Idt* 16,7.
[4] Voir I M 5,9 et 10; 5,15 et 38.
[5] Voir SCHNEIDER 1980, *ad loc.*

3. εἰ/ὅτι θέλει ἡμᾶς (4,10)

Dans les *Psaumes* nous trouvons quelquefois le verbe θέλειν pour חפץ[1]. Le contexte est semblabe : dans *Ps* 17(18), 19 et 21(22), 9 il est dit que Dieu sauve parce qu'il « veut de moi (etc.) ». Dans *Ps* 40(41), 12, l'orant exprime la conviction d'être l'objet de la bienveillance divine parce que l'ennemi « ne crie plus victoire ». Dans 39(40), 14 bienveillance et salut sont également unis mais la première notion s'exprime par εὐδοκεῖν (רצה) qui paraît effectivement être le mot préféré. Notre recueil ne livre aucun exemple de θέλειν employé en locution sauf *Tob* 13,8(BA). I M non seulement a reçu la locution mais assi son entourage : la conclusion hymnique de 4,11 célèbre Dieu qui sauve.

Tandis que la locution dans les *Psaumes* est introduite par ὅτι, εἰ est la conjonction choisie par I M 4,10. Dans *Tob* 13,8 (hymne) il en est de même : τίς γινώσκει εἰ θελήσει ὑμᾶς καὶ ποιήσει ἐλεημοσύνην ὑμῖν; dans les deux cas le εἰ exprime, comme dans *Rm* 1,10, passage apparenté, aussi bien espérance qu'incertitude[2]. — Il est à noter que la citation néo-testamentaire du *Ps* 21(22),9 qui est utilisée par les passants qui se moquent du Crucifié (*Mt* 27,43) a la forme εἰ θέλει. Un ὅτι est bien entendu impossible dans ce cas et il nous semble inutile de chercher les possibilités grammaticales de כי[3]. Les quelques exemples que nous avons cités indiquent clairement que la conjonction jointe à une expression du discours répété est une sorte de pivot d'adaptation. Nous nous souvenons aussi grâce à cette légère variation que le langage de prière juif, même dans le cas du discours répété, n'est pas figé mais flexible.

4. μιμνήσκεται διαθήκης πατέρων (4,10)

Le I M ne donne que ce seul exemple de la locution, mais la prière de 7,37—38 atteste avec une autre expression la même structure de pensée qui est courante dans les prières de notre recueil : une supplication est précédée par le rappel des liens que Dieu a contractés avec son peuple. Dans la prière mentionnée ci-dessus c'est l'élection du Temple qui, à cause de la situation narrative, constitue le rappel; en 4,11 c'est la mention des Pères dans le paradigme, la Traversée de la mer Rouge. Il y a une ressemblance plus substantielle entre les prières dans la mesure où la notion d'élection est présente aussi en 4,10—11 : l'énoncé sur l'Alliance avec les Pères est lié avec εἰ θέλει ἡμᾶς que nous venons de traiter.

Μιμνήσκεται κτλ. n'est pas une expression figée, il s'agit plutôt d'un modèle de pensée solide, auquel on a souvent recours dans les prières, parfois

---

[1] *Dans Ps* 69(70),2 quelques manuscrits (codex Sinaiticus, c. Veronensis) ont choisi θέλησον contre la leçon de la majorité σπεῦσον (εἰς τὸ σῶσαί με), témoignage probable de la fermeté du lien conceptuel « bienviellance » — « salut ».

[2] MICHEL 1978, *ad loc.*

[3] STENDAHL 1954, 140 le fait.

sous une forme raccourcie : la référence aux Pères peut être restreinte à un syntagme prépositionnel régi par διά comme dans *Or As* v. 35 ou Dieu peut être invoqué comme le Dieu des Pères à la manière de la *Prière de Manassé*, ou encore on retrouve les Pères liés à un καθώς emphatique — c'est le cas dans I *Clem* 60,4. *Ps Sal* 9,9ss. est proche d'*Or As* v. 35 mais plus dévéloppé : μὴ ἀποστήσῃς ἔλεός σου (= *Or As* v. 35) ὅτι σὺ ᾑρετίσω τ. σπέρμα Αβρααμ[1].

La relative ampleur de l'expression de I M 4,10 nous semble dépendante du discours qui précède immédiatement la prière. Mais notre recueil offre un exemple dont la teneur est semblable à I M 4,10 : l'eulogie d'*Est* F 9 qui porte κύριε ὁ μνησθεὶς τῶν διαθήκων τῶν πρὸς πατ.[2]; II M 1,2, souhait ou mieux bénédiction, contient aussi la locution complète : le verset est dans un style plus solennel, influencé des *Psaumes* où le mot διαθήκη est déterminé par un αὐτοῦ, voir *Ps* 105(106), 45 et ailleurs. L'exemple de *Lc* 1,72b—73 est illustratif. Figurant dans un hymne, le mot διαθήκη est pourvu d'une double détermination comme dans II M 1,2[3]. L'évocation de ἔλεος en 1,72 n'est pas fortuite, cf. *Ps Sal* 9,9 et *Or As* v. 35.

La variation d'une part[4], et la forme abrégée de l'autre (διά, κτλ.) sont compréhensibles car la locution a une valeur théologique : « Dieu qui se souvient de son alliance » se rencontre dans le *Pentateuque* et chez les *Prophètes* comme une promesse[5], dans les *Psaumes* comme un élément de louange[6], mais aussi, dans un texte précis, *Exod* 2,24, comme une affirmation suscitée par l'expérience de salut[7].

On pourrait dire qu'aucun appel à Dieu n'a plus de force que celui qui passe par l' « ananmnèse » de l'Alliance avec les Pères.

5. (καὶ) γνώσονται/γνώτωσαν τὰ ἔθνη ὅτι
(énoncé varié sur Dieu)

La locution de I M 4,11 est courante dans les prières, hymnes, discours et autres types de texte non-narratifs de l'AT, y compris les écrits deutérocanoniques. Elle vise la conséquence souhaitée ou prévue d'une intervention de Dieu; il est de règle que la conséquence imaginée ne soit pas restreinte aux ad-

---

[1] Cf. III M 6,3.

[2] Dans la version L (HANHART).

[3] αὐτοῦ et πρὸς Αβρααμ κτλ.

[4] L'expression de *Did* 10,5 μνήσθητι, κύριε, τῆς ἐκκλησίας σου τοῦ ῥύσασ. nous paraît une réalisation particulière de ce modèle de pensée. AUDET 1958, 394 la qualifie à bon droit d' « anamnèse nouvelle ».

[5] *Deut* 4,31 et *Ier* 27,5 (TM 50,5).

[6] *Ps* 104 (105),8.

[7] Cf. I M 4,9—10.

versaires précis dont parle l'auteur dans le contexte[1], mais qu'un horizon plus vaste soit ouvert par le sujet de la locution[2].

En 4,11 la locution se rapporte à la défaite de l'ennemi. I *Regn* 17,46 (discours) est un cas voisin, car le cadre est le même : la Guerre sainte[3]. Le contexte comporte une exagération analogue : la lutte où se sont impliqués David et le Philistin est vue dans la perspective d'une reconnaissance universelle de son issue merveilleuse. Plus motivé serait la locution avec καὶ βασιλεῖαι τῆς γῆς dans IV *Regn* 19,19[4]. Mais tout ce raisonnement est aberrant, car le poids est toujours sur l'objet de la reconnaissance, le seul Dieu, auquel les autres dieux ne peuvent être comparés[5]. Son intervention prodigieuse en est la preuve manifeste.

La grande prière de I *Clem* emploie en 59,4 la locution dans un contexte plus général, disons moins extraordinaire aussi : l'intercession pour les accablés, malades, prisonniers et indigents s'achève par « Que toutes les nations sachent que tu es le seul Dieu »[6]. La prière présente la même structure que bien d'autres prières : un ou plusieurs impératifs à la 2ᵉ personne sont suivis d'un impératif à la 3ᵉ personne, souvent justement un γνώτωσαν[7]. Si dans I M 4,11 il s'agit d'une finale, I *Clem* 59,4 est très proche, car la locution constitue la fin de l'intercession. A partir de 60,1 la prière change de caractère[8]; la prière reprise et transformée s'achève par une doxologie (61,3). Dans *Or As* nous avons un cas analogue : la locution du v. 45a tourne au v. 45b en doxologie, terme final de la prière. Il nous semble que l'on peut qualifier cet exemple de discours répété de doxologie préparatoire ou de doxologie « cognitive ».

6. ἐξελέξατο τὸν οἶκον (καὶ τὴν πόλιν) avec fonction indiquée

Nous avons dans la phrase ἐξελέξατο κτλ. de I M 7,37 un exemple éminent de discours répété : l'expression ne change pas beaucoup (voir H.-R.). Le verbe est toujours l'aoriste de ἐκλεγέσθαι, et le Temple seul ou avec la Ville Sainte, objets d'élection, sont toujours pourvus d'une raison d'être qui est intimement liée avec la présence de Dieu (Nom, demeure). Deuxièmement, il

---

[1] Dans *Ps* 58(59),14 le sujet de la locution est l'ennemi visé dans la supplication. Cependant, l'horizon est élargi dans l'énoncé sur Dieu : sa souveraineté s'étend jusqu'aux extrémités de la terre. Il en est de même dans *Or As* v. 45.

[2] L'élargissement de l'horizon est moindre dans I M 7,42 qui fait écho à la formule.

[3] Voir Zimmerli 1954, 54s.

[4] Cf. *Ps Sal* 2,10.

[5] Voir Zimmerli, *op. cit., passim*.

[6] Amplification christologique et ecclésiale.

[7] II *Regn* 8,60; IV *Regn* 19,19; II M 1,27, *Or As* v. 45, etc.

[8] La *laudatio* (60,1) ressemble à II M 1,24—25.

s'agit d'un document qui témoigne d'une conviction fondamentale : la valeur sans égale du Temple pour la communication entre Dieu et son peuple. On note que l'accent est mis ici sur la prière, témoin de la situation exilique ou post-exilique, et plus concrètement, indice d'un texte source particulier, la Grande prière de Salomon[1]. La dépendance très nette de III *Regn* 8 que manifestent I M 7,37—38 et II M 14,35—36, présentant le seul exemple du livre du terme οἶκος pour le Temple, peut s'expliquer par la référence à une situation rituelle : la fête annuelle de la Dédicace du Temple (I M 4,59 et II M 10,8). Tandis que le Temple en tant qu'objet d'élection est dans l'AT le plus souvent mentionné avec la Ville, dans I M 7,37 comme dans III *Regn* 8 c'est le Temple seul qui figure dans la locution. Dans *Ps* 131(132),13 il en est de même sauf que là c'est le nom Sion qui est choisi pour le Temple[2].

La persistance de cette expression doit tenir à un usage liturgique.

7. εὐλογητὸς εἶ, κτλ.

La locution est des plus courantes dans langage de prière juif. Cependant, vu le nombre d'études consacrées à la bénédiction juive[1], nous ne considérons que quelques-uns de ses aspects. L'intérêt de l'eulogie de I M 4,30 est premièrement sa forme : la 2ᵉ personne est un développement relativement tardif de la formule de bénédiction si consistante dans l'AT : *bārûk YHWH*[2]. Au contraire, le *bārûk'attâ* est très souvent employè par le judaïsme post-biblique[3]. W. Sibley Towner, étudiant les eulogies de l'AT, qualifie cette forme de « cultuelle »[4]. Nous pouvons rappeler que la prière de I M 4,30—33 est la plus complète du livre en ce sens qu'elle est la seule à commencer et à finir par la louange. Mais la formule « Tu es béni, sauveur d'Israël, toi qui as brisé. . . » est en même temps spécifique, moins générale que *Tob* 3,11, *Or As* v. 26 et l'eulogie étendue de *Cant Tr Puer*[5]. Comme l'eulogie à la 3ᵉ personne, la plus courante dans les hymnes[6], celle-ci ouvre la prière[7]. Il

---

[1] Voir LEVENSON 1981, 164—66 et SCHREINER, 1963, 146s.
[2] Le *Sitz im Leben* de ce Psaume est selon GUNKEL-BEGRICH 1933, 142 la fête liturgique commémorative de la fondation du Temple.

[1] Par ex. LEDOGAR 1968, HEINEMANN 1977, GIRAUDO 1981. Parmi les articles : BIKERMAN 1962, BORNKAMM 1964, TOWNER 1968. εὐλογητός et εὐλογήμενος sont synonymes; l'oscillation des manuscrits le prouve, BIKERMAN, *art. cit.*
[2] TOWNER 1968,3 91 : les seuls exemples de l'AT (hébreu) sont 1 *Ch* 19,10 et *Ps* 119,12. L'A. les attribue aux « latest strata of the tradition ».
[3] Voir HEINEMANN 1977.
[4] TOWNER, *art. cit.*, 391.
[5] La *Tefilla* est également spécifique, mais les énoncés compris dans les bénédictions expriment ce qui se passe en tout temps.
[6] BIKERMAN 1962, 530s. Tous les exemples de εὐλογητός dans le NT sont de ce type.
[7] TOWNER, *art. cit.*, 392 : « Although the evidence is scanty, the direct blessing of YHWH appears to continue to have this stereotyped function as a formal opening or closing remark. »
— Un exemple de notre recueil de la dernière fonction : *Test Sal* C, 1,4. Cf. la *Tefilla*.

y a plusieurs prières intertestamentaires qui sont introduites ainsi[8].

Le II M nous offre deux eulogies (3ᵉ pers.) autonomes, 1,17 et 15,34, qui se rattachent, comme une exclamation spontanée, à une expérience de délivrance. Quant à I M 4,30, on peut dire que la délivrance est attendue par les suppliants avec confiance, car la construction participiale liée à l'eulogie donne un exemple précis de délivrance.

Nous voulons signaler enfin un trait qui a des chances d'être typique et qui réunit les exemples de II M 1,17, 15,34 et I *Par* 29,10 : au moyen d'une eulogie on reconnaît publiquement le salut opéré par Dieu[9].

8. μνήσϑητι τῶν δυσφημιῶν αὐτῶν (7,38)

La dernière locution à traiter se trouve à la fin de la prière dont l'occasion est le blasphème de Nikanôr. Deux autres textes peuvent éclairer le passage : *Ps* 136(137),7 qui a μνήσϑητι comme noyau et *Lam* 1,20—22 qui contient une phrase équivalente, à savoir εἰσέλϑοι πᾶσα κακία αὐτῶν κατὰ πρόσωπ. σου; les contextes s'avèrent semblables : il s'agit de blasphème ou de raillerie du côté des adversaires; la supplication du « souvenir » est suivie d'une autre qui souhaite la vengeance. Pour ce qui est du verbe μνήσϑητι dans un entourage de ce type, il doit, calqué sur l'hébreu זכר, revenir à « agis sur »[1]. Le terme est probablement juridique[2].

L'expression est lâche par rapport aux autres exemples de discours répété, mais de nouveau nous observons un ensemble d'éléments conceptuels qu'actualise une situation de détresse rendue typique selon les conventions établies par le langage de prière.

2.2.2 Autre vocabulaire

Les vocables que nous avons choisi d'étudier ici s'ouvrent tous vers la catégorie de discours répété : συντρίβειν se lie dans des expressions de louange avec un complément devenu traditionnel et σώζειν avec Ισραηλ peut être qualifié de « document théologique ». Mais il faut les traiter aussi comme des mots individuels, car leur distribution en général est significative.

---

[8] ZEITLIN 1946, en cite plusieurs.
[9] II M 1,17 : κατὰ πάντα; II M 15,34 : οἱ δὲ πάντες; I *Par* 29,10 ἐνώπιον τ. ἐκκλησ.; LEDOGAR 1968, 83.

[1] ANDERSSON 1972, *ad Ps* 78(79),8. Cf. GIRAUDO 1981. Le μνησϑῆναι dans II M 8,4 est une autre chose.
[2] BOECKER 1964, 110.

1. συντρίβειν et παραδιδόναι

On trouve le verbe συντρίβειν dans toutes les prières précédant une bataille que nous avons considérées jusqu'ici. Autrement, le mot se retrouve dans la phrase hymnique de 13,51, συνετρίβη ἐχϑρὸς μέγας ἐξ Ισρ. et dans l'exhortation au combat de 3,18—22. La traduction des Septante en général (H.-R.) utilise le verbe συνετρίβησαν pour désigner la défaite des ennemis d'Israël sans dire directement que c'est Dieu qui l'a opérée[1]. L'auteur de I M suit les Septante aussi sur un autre point : les Israélites, ayant subi une défaite, « s'enfuient » (6,47)[2]. συντρίβειν a donc la valeur d'un terme technique d'emploi dans les récits de guerre. Le terme va de pair avec l'expression παραδιδόναι εἰς χεῖρας qui est attestée dans les livres historiques de Josué jusqu'au Premier livre des Rois[3]. Le I M fait usage pour signaler la qualité d'une victoire gagnée — la notion qu'il veut transmettre est celle de la Guerre sainte[4].

Il y a une phrase courante qu'il nous faut signaler en particulier : συντρίβων πολέμους, élément du cantique de délivrance par excellence, celui de l'*Exode* 15[5]. La locution est reprise dans *Idt* 9,7 et 16,2, elle se trouve transformée mais encore reconnaissable dans II M 12,28. Il n'y a pas de doute : la locution que voici est un élément courant de la louange liée à la guerre. Le témoignage de Qumran l'atteste (I *QM* XII,12; XIX,4).

2. σῴζειν

« Israël » est le complément qui le plus souvent accompagne le verbe σῴζειν dans I M. Ceci nous ramène vers le livere des Juges où nous trouvons la combinaison employée sept fois, à comparer les trois occurrences dans 1—2 Rois[1]. Ceci illustre bien la tendance de I M d'évoquer la notion d'un « an-

---

[1] L'expression la plus directe est celle de *Gen* 49,24 διὰ χειρὸς Ιακωβ et voir l'exemple plus liturgique de II *Par* 14,12 ἐνώπιον κυρίου.

[2] Il y a dans la LXX une exception qui confirme la règle — l'oracle de jugement de *Ier* 14,17 où une défaite de guerre est prévue pour Israël.

[3] VON RAD 1951, 72.

[4] La théorie relative à la Guerre sainte d'Israël a été discutée depuis l'exposé classique de von Rad en 1951. WEIPPERT 1972 : il vaut mieux éviter le terme. JONES 1975 : il faut distinguer entre le *fait* d'une guerre de YHWH et la *rédaction* d'un récit dans un tel cadre. — Ce n'est pas le seul emploi de παραδιδόναι dans les prières, voir *Or As* v. 32 et *Est* C 17 qui joint la locution à une confession de péchés.

[5] Il y a d'autres traces d'influence d'*Exod* 15 sur les prières de notre recueil, voir *infra*, 3B:4.3.3.

[1] Attestation des prières : *Est* C 2; cf. C 6 : σωτήρ avec Ισρ. — Pour les juges comme modèles, voir *Iud* 3,9 : ἤγειρεν κύριος σωτ. τῷ Ισρ (Otniel) et cf. I M 5,62, 9,21 et 16,2 (ῥύσασϑαι). On note l'expression indirecte dans I M : la plus directe 9,21 est une nette allusion et la désignation σωτήρ est réservée à Dieu (4,30).

cien Israël restauré »[2]. On ne s'étonne pas de rencontrer le groupe de mots dans les deux prières qui sont le plus marquées par la notion de la Guerre sainte, 4,10—11 et 4,30—33[3]. Dans le dernier cas c'est un *nomen actionis,* σωτήρ, qui régit « Israël »; l'expression ressort fortement en raison de sa position à la tête de l'eulogie mais aussi à cause des exemples illustratifs qui mettent la désignation en évidence. En 4,11 σῴζων est combiné avec λυτρούμενος; on trouve les deux verbes combinés dans *Ps* 105(106),10. Nous sommes encline à voir dans les deux participes de I M 4,11 quelque chose comme un aperçu de l'histoire de salut d'Israël. La teneur de *Lc* 1,68 et 69 ne le contredit pas[4].

2.2.3 Vocabulaire concernant les orants

Le vocabulaire employé concerne exclusivement les orants en tant que communauté. Nous allons voir dans notre chapitre 3B que le I M, à la différence de II M, utilise le mot λαός amplement et dans tous les types de texte représentés. On observe cependant que les textes intermédiaires en font un emploi spécifique : la lamentation de 2,7—13 témoigne d'une solidarité profonde entre Mattathias et *son* peuple. Dans son discours d'adieu, il exhorte ses fils à assurer « la vengeance de *votre* peuple », cf. le discours de mobilisation, 3,43 et le discours programme de Simon en 13,6 (ἔθνος). L'éloge de Judas 3,3—8 donne deux exemples de la même chose : λαὸς αὐτοῦ. 14,30, un passage narratif qui, marquant la fin d'une période de l'histoire des Maccabées, dit de Jonathan qu'il « alla rejoindre son peuple » (*Gen* 49,29)[1]. Dans les prières, λαός n'est pas le peuple guidé par les Maccabées, mais le souverain peuple de Dieu. La prière de 7,37—38 donne λαός σου, la prière de 4,30—33 joint Ισραηλ à la même combinaison. Dans ces cas, le λαός est lié à un énoncé qui atteste l'engagement de Dieu pour son peuple : 7,37 le Temple, signe d'élection, en 4,31 le rôle d'intermédiaire (David dans le paradigme), à la disposition du peuple. L'expression λαός σου est donc le véhicule d'une confiance. Ce n'est probablement pas par hasard que le terme fasse défaut dans la lamentation collective. Il y a deux phrases participiales dont il faut tenir compte vu qu'elles reviennent dans d'autres prières : le οἱ ἀγαπῶντες en 4,33 et οἱ εἰδότες τὸ ὄνομά σου en ce même verset. La première phrase est une expression de confiance courante[2]. D'autres phrases présentent la même fonction de prêter de l'insistance à une supplication en rappelant la situation des orants

---

[2] ARENHOEVEL 1967, 28 et *passim.*
[3] 7,41—42 est marquée par le blasphème de Nikanôr.
[4] Voir S.-B. I, 70 et IV, 861.

[1] Sur la formule, voir THAT II, 296 (Hulst).
[2] Déjà *Iud* 5,31. Voir aussi *Ps* 68(69),36, *Ps Sal* 4,25 et *Rm* 8,28, 1 *Co* 2,9.

devant Dieu; nous pouvons signaler *Idt* 6,19 ἐπίβλεψον ἐπὶ τὸ πρόσωπ. τῶν ἡγιασμένων σοι et *Est* C10 μὴ ἀφανίσῃς στόμα αἰνούντων σοι. *Ps Sal* 6,6 (eulogie) et *Bel-et-Dr* v. 38 emploient « ceux qui aiment Dieu » en connexion avec l'exaucement.

Même si ces deux phrases participiales de I M 4,33 appartiennent nettement à un langage liturgique établi, on ne peut exclure qu'elles ont une signification particulière liée à la situation du récit. Un autre texte, *Dn* 11,37 (Th) le suggère; ici sont mis en contraste « le peuple de ceux qui connaissent leur Dieu » et « les profanateurs de l'Alliance ». Mattathias, dans son discours d'adieu, rassure ses fils et avec eux tous ceux qui ont le zèle de la Loi que « tous ceux qui espèrent en Lui ne faibliront pas » (2,61). L'Alliance, l'enjeu de la rébellion, implique pour les défenseurs la reconnaissance de leur situation pleine d'espoir devant Dieu. C'est ce que le langage de prière, dans lequel ils sont versés, leur remet constamment à l'esprit.

2.2.4 Conclusion

Les proportions que prennent les expressions du type discours répété sont considérables. Elles sont révélatrices d'un langage de prière qui est moulé selon les normes des genres littéraires de l'AT sans devenir un langage figé. Nous voulons suggérer que la variation et la fermeté des locutions que comporte ce langage de prière sont des données significatives; quand une expression montre beaucoup de variations, nous avons affaire à une idée fondamentale qui porte les fidèles à la prière. On aurait tort d'y voir un thème autonome; au contraire, il s'agit d'une structure de pensée (2.2.1.4). Des expressions qui montrent un haut degré de fermeté relèvent soit d'un usage liturgique (2.2.1.6), soit d'une expérience radicale de la communauté, non sans liens avec la liturgie (2.2.1.1). Un terme qui lie d'une façon singulière une prière avec son contexte narratif est συντρίβειν. C'est un mot-clé de I M qui révèle l'optique dans laquelle l'auteur a conçu son œuvre : la rébellion des Maccabées a la portée d'une Guerre sainte. Le terme a une position de prédilection dans la poésie martiale, ici en ferme combinaison avec πολέμους.

Notre étude nous incite à croire que le I M témoigne d'un langage de prière effectivement employé par la communauté juive palestinienne à un moment crucial de son histoire. Les expressions que nous avons étudiées sont suffisamment typiques pour nous en donner une idée : les références aux autres textes, les prières d'*Est*, de *Idt*, les *Psaumes de Salomon*, etc., l'ont prouvé.

2.3 Style

Nous étudions les textes de prière pour en déterminer les traits caractéristiques les prenant dans l'ordre où ils se présentent dans le récit. Nous groupons cependant les prières de guerre sous une seule rubrique. Les abréviations entre parenthèses se réfèrent aux aspects de style comme présenté dans notre introduction (1.2.3).

1. La lamentation collective de 3,50—53

(VALEUR et FRÉQ/POS.). La prière n'a que deux expressions d'un sens affectif évident, les exemples du discours répété que nous avons étudiés ci-dessus : v. 51 τὰ ἅγια καταπατούμενα et au v. 52 τὰ ἔθνη συνάγονται. Le verbe βεβηλοῦν adjoint à la première locution sert à souligner la signification « insulter » que revêt le verbe καταπατεῖν. Ce verbe est le plus lourd d'associations — son emploi dans I M le manifeste, car l'expression dont il est le noyau représente une réflexion théologique et non une simple description. Le mot ἔθνη en soi est dans I M chargé de connotations négatives, ceci souvent et dans des types de texte différents, voir l'exemple du v. 48. En 3,52, le substantif τὰ ἔθνη qui était au v. 51 l'actant second non-exprimé de καταπεπάτηνται et βεβήλωνται[1], actes abominables, ressort fortement : 1. par sa position — la particule d'attention καὶ ἰδού le précède immédiatement; 2. « les Gentils » sont cette fois l'actant exprimé d'une action des plus menaçantes.

(RHÉT). Nous notons les questions mises en parallèle au v. 50b qui constituent un léger chiasme; la phrase entière en aura une certaine allure poétique[2]. Le choix de syntagmes prépositionnels en fonction de prédicat au v. 51b a pour résultat une phraséologie variée, adoucissant quelque peu la construction uniforme du verset entier (nom possessif suivi d'un double prédicat).

(FRÉQ/POS.). Dans le verset 52 la menace contre les orants est trois fois exprimée; pour une accumulation de fléaux semblable, voir *Ps* 82(83), probablement actualisé. Le σύ dans 52b est expressif par sa position : il est introduit abruptement et domine la suite jusqu'à la fin de la prière. Il en est de même dans 7,37—38.

Vue d'ensemble. Au moyen de pronoms démonstratifs en 3,50, le premier point d'accusation véhiculé par l'acte illocutoire d'interroger devient complè-

---

[1] Nous utilisons la terminologie de TESNIÈRE 1959,1 05.
[2] Il est à noter que l'auteur emploie πένθος/πενθεῖν seulement dans les parties du livre ayant un style plus élevé.

tement dépendant du contexte narratif du v. 49 (les gestes; cf. la deixis dans 7,37—38)[3]. Cette dépendance donne à la prière une impression de vivacité et de spontanéité et souligne avec les questions τί et ποῦ en même temps le désespoir des orants. La prière entière est d'ailleurs riche en questions, trait typique du genre « lamentation collective ».

(ATT.). L'usage extensif de pronoms démonstratifs et interrogatifs révèle l'attitude d'engagement de la part de l'auteur s'identifiant avec les acteurs de son récit. (RYTHME). Si le rythme est régulier dans les versets 50 à 51, les versets 52 et 53 n'ont pas trace de rythme, ils ont un caractère de discours familier par rapport au commencement de la prière.

2.3.2 Les prières précédant une bataille

1. 4,10—11

Il s'agit d'une exhortation à prier suivie d'une prière partiellement résumée. (FRÉQ/POS.). Le style résumé du v. 10 est dominé par trois verbes dont le sujet commun doit être οὐρανός (= Dieu) pris de l'expression βοήσωμεν εἰς οὐρανόν qui marque la transition du discours d'exhortation (vv. 8 et 9) à la prière[1]. Le troisième groupe verbal est d'une ampleur considérable par rapport aux deux premiers : nous trouvons ici adjointes trois expressions deictiques dont la troisième σήμερον est courante dans le langage de prière en général[2]. Le καί qui introduit le verset 11 sans le lier vraiment au texte précédent est consécutif, vu qu'il suit un συντρίψει éloquent[3]. Il en est de même en 4,33 et 7,42. (RHÉT.). Le verset 11 est d'une valeur stylistique plus poétique à cause de l'exemple de discours répété qu'il contient mais aussi à cause des deux participes synonymes de poids λυτρούμενος et σῴζων qui y sont employés[4].

---

[3] Nous employons la classification des actes de paroles de J.L. Austin, voir la présentation de Ducrot-Todorov 1972, 428 (Ducrot).

[1] B.-G. 1926, 314 n. 1 nous renseigne à propos de la désignation : « Am konsequentesten ist der Sprachgebrauch in den Makkabäerbüchern durchgeführt ».

[2] Schleusner s.v. donne aussi le sens *nunc* ce qui convient à l'usage dans les prières, voir *Bar* 3,8, *Or As* v. 37 et II *Esdr* 19,36 (= Ne 9,36), tous les trois exemples appartenant à la situation de détresse décrite; dans une demande : I M 7,42, III M 6,13 et cf. *Idt* 13,7 — le sens « aujourd'hui » est impossible : Judith frappe aussitôt! On note que dans ces exemples de *petitio* l'adverbe est toujours le terme final.

[3] Voir 7,42.

[4] Voir *supra* 2.2.2.2.

2. 4,30—33

La prière est la seule pourvue d'un exorde, ou plus précisément, d'une eulogie, introduction souvent employée au début d'une action de grâces[1]. (VALEUR). Les deux verbes de la *laudatio,* συντρίβειν et παραδιδόναι sont les mots-clé de la conception de la guerre des Maccabées selon I M[2]. Les deux allusions à des situations différentes de l'histoire de salut nous montrent combien le texte repose sur une connaissance que partage l'auteur avec le lecteur[3]. (ATT.). Le sujet de verbe αἰσχύνεσθαι dans la *petitio* n'est pas exprimé. Il ne s'impose pas puisque le verbe est une sorte de terme technique pour désigner la mise hors de combat de l'ennemi que souhaitent fermement les orants[4]. Il y a aussi une explication interne : la détermination et non-détermination des acteurs humains dans les versets 31—33 est cohérente. Les orants sont trois fois définis (vv. 31 et 33) tandis que l'ennemi menaçant est simplement les αὐτοί, ce qui témoigne nettement d'une attitude d'éloignement. (RYTHME). La redondance régulière d'expressions aussi bien dans la *laudatio* que dans la *petitio* avec sa finale triomphale αἰνεσάτωσαν fait que le rythme prédominant est celui d'un progrès tranquille qui arrive à son terme.

3. 7,41—42

(VALEUR). Le paradigme de 7,41 est en style prosaïque. Il est d'un caractère encore plus allusif que celui de 4,30, étant donné que l'énoncé est entièrement privé de noms propres et d'adjectifs qualificatifs qui auraient pu faciliter l'identification des actants. Ici le seul βασιλεύς dans le syntagme οἱ παρὰ τ. βασιλέως est éclairci par la combinaison ὁ ἄγγελός σου — ἐπάταξεν et par le nombre des ennemis tombés : cent quatre vingt-cinq mille[1]. Le sens affectif de cette allusion est dû en premier lieu au fait qu'il s'agit d'un blasphème dans le paradigme comme dans la situation narrative[2]. (FRÉQ/POS.). La position du sujet de la subordonnée avant la conjonction, ordre des mots peu usuel, met en relief les οἱ παρὰ τ. βασιλέως. Une étude sur l'emploi de paradigmes semblables met en évidence que l'auteur place avec prédilection en tête de la phrase les personnages du texte source — il s'agit là d'un trait typique de style homilétique d'usage dans la synagogue, que ce soit en langue sémi-

---

[1] GUNKEL-BEGRICH 1933, 40.
[2] Voir *supra* sous *vocabulaire.*
[3] Nous visons en particulier le qualificatif δυνατός sans nom régissant.
[4] Voir H.-R., surtout les citations des Psaumes. BULTMANN, *TWNT* I, 189 : « meist bezeichnet αἰσχύνεσθαι die Erfahrung des Gerichtes Gottes ».

[1] Cf. *infra* la prière de II M 15,22—24 (3B:2.4.6, n. 4).
[2] ἐδυσφήμησαν au v. 41 reprend le δυσφημίαι de la prière 7,37—38 (v. 38) qui dénote l'acte du v. 35. De plus, le blasphème est entré dans la *petitio* en tant que motif d'intervention. Pour les termes βλασφημεῖν et δυσφημεῖν voir WACKERNAGEL 1953 (I) 741—44.

tique ou en grec[3]. (VALEUR). Tandis que dans 2 R 19 le blasphémateur est le roi Sennakérib lui-même[4], le blasphème est ici collectif, ce qui fait ressortir de l'énoncé le caractère de châtiment de la défaite. (FRÉQ/POS.). Au verset 42 les expressions deictiques abondent, de même genre et introduites dans le même ordre qu'en 4,11. (VALEUR). L'expression γνώτωσαν κτλ. dans ce même verset fait probablement écho à la locution apparentée, exemple de discours répété que nous avons traité ci-dessus (2.2.1.4)[5]. L'usage liturgique de la locution apporte à la prière une finale de poids. L'impératif κρῖνον avec compléments a le caractère d'un ajout prosaïque à une finale plus appropriée. L'énoncé rend explicite ce qui est virtuellement demandé par la locution[6].

2.3.3 La prière de 7,37—38 portant sur le Temple

On pourrait croire que la seule prière proférée par les prêtres présente des traits liturgiques. Il n'en est rien : la situation narrative pressante exerce son emprise sur le style. (VALEUR). L'affirmation que Dieu a choisi lui-même le Temple pour être le lieu de sa prédilection (v. 37) revêt un sens affectif : le fait de l'élection est rappelé comme en reproche. Le brusque σύ d'invocation souligne le ton d'accusation de l'énoncé[1]. Les pronoms démonstratifs du v. 37 et du v. 38 rendent très fort l'appel à Dieu qui marque la prière, dans laquelle rien n'est dit en longueur, si ce n'est le double déterminatif προσευχῆς καὶ δεήσεως[2]. (RHÉT.). Les deux impératifs du v. 38 sont introduits sous le rapport d'asyndète et (RYTHME) la suite de deux impératifs à la 2e et 3e personne au v. 38a n'est pas répétée au v. 38b (cf. 4,30—33). De même que la prière n'a pas d'exorde, de même elle n'a pas de finale.

---

[3] Voir Haefeli 1932, 8s. qui donne plusieurs exemples tirés des homélies d'Aphrahat de ce type d'emphase. — Il nous semble que le début du verset 41 est à rapprocher du discours d'adieu de Mattathias et que ce rapprochement est d'une vaste portée. Dans le discours, les paradigmes bibliques sont régulièrement introduits par des noms propres au point de former toute une chaine. Chez Thyen 1955, 76 on trouve plusieurs exemples de ce phénomène, tirés des textes témoins des homélies judéo-hellénistiques, parmi lesquelles il compte d'ailleurs aussi le discours de Mattathias. Cf. I Clem 7,5ss. La construction syntaxique de 7,41 et de 2,53 se ressemble aussi pour ce qui concerne la position de la phrase de complément circonstanciel de temps. Nous concluons qu'il y avait dans la tradition homilétique de la synagogue non seulement une coutume d'énumérer des paradigmes (Thyen) mais aussi une tendance à mentionner en premier les personnages engagés dans les paradigmes.

[4] Cf. cependant Es 37,24; la prière se sert probablement des deux textes, ou mieux encore, la tradition continue s'en sert sans distinction.

[5] Le substantif lié au verbe n'est pas l'usuel ἔθνη et la proposition introduite par ὅτι ne comporte pas d'affirmation sur Dieu.

[6] Le v. 42 a un style mixte. Le κακῶς ἐλάλησεν est également prosaïque. On pourrait dire que la note de langage familier de certaines de ces expressions rend la prière plus instante. Cf. le passage de la situation de détresse à la *demande* dans certains *Psaumes* qui souvent implique un changement de style analogue.

---

[1] Cf. le σύ du v. 52 de la lamentation collective de 3,50—53.

[2] Il s'agit d'une locution bien attestée, Abel 1949, *ad loc.*

2.3.4 Conclusion

Nous avions formulé cinq questions afin de trouver les caractéristiques stylistiques des prières. Une question est celle du sens affectif, « le système d'associations évoquées par les expressions », actualisé sous le titre de *valeur* (2.1.3). Nous en avons trouvé une manifestation particulièrement intéressante dans les exemples de discours répété. Les expressions de ce genre sont de nature à établir un rapport de solidarité entre l'auteur et le récepteur de texte à cause de la valeur socioculturelle dont elles sont porteuses. Dans I M il n'y a pas de prière sans de telles locutions; il en est de même des paradigmes. L'effet sur le lecteur à la rencontre du discours répété ou des pradigmes est qu'il se reconnaît en tant qu'héritier du même patrimoine spirituel que l'auteur. De plus, il est porté à regarder l'histoire que raconte l'auteur à la lumière des anciens événements de salut évoqués dans les prières insérées dans le récit. D'autres expressions ont un sens affectif très fort à cause du fait qu'elles sont acquises par l'usage. Nous visons les questions réitérées de la lamentation collective de 3,50—53 et la prédilection pour une désignation collective de l'ennemi sans distinction — les adversaires sont tout court les αὐτοί. Le lecteur y voit les traits typiques du genre littéraire « lamentation collective » ou « supplication nationale ». L'effet de reconnaissance s'accroît avec le rattachement de la prière à une situation narrative également typique — le blasphème pour la prière de 7,37—38, la perte du Temple pour la lamentation collective. Les modèles reproduits sont cependant adaptés au contexte discursif : les deictiques des prières de I M ressortent d'autant plus fortement qu'ils s'ajoutent à un paradigme. On est frappé par le caractère prosaïque des prières. On y cherche en vain les images ou métaphores des lamentations descriptives et des éloges. Les prières ne sont pas riches en figures de *rhétorique*. Le parallélisme de membres, si typique des *Psaumes* et principe conducteur de l'agencement des lamentations descriptives de I M, ne prédomine pas dans les prières. Dans le cas de 4,30, on peut parler d'une correspondance de sens et dans 4,31—33 d'un parallélisme de structure. La supplication de 4,30—33 est d'ailleurs la prière la plus liturgique du livre. C'est aussi la prière qui contient le plus de vocabulaire relatif à la guerre, la Guerre sainte notamment. Le parallélisme préféré est la connexion de deux mots équivalents, voir 3,51 (deux exemples) 4,11 et 7,37. Mais ceci n'est pas restreint aux prières : on en retrouve des exemples aussi dans le récit, voir 2,44. Il est conforme à la nature liturgique que la prière 4,30—33 ait un *rythme* régulier tandis que dans d'autres prières on ne ressent pas de rythme ou bien on perçoit une rupture de rythme. La *fréquence* et la *position* des mots soulignent le caractère prosaïque des prières dont l'ouverture peut donner l'impression d'un discours — voir 7,37 et 7,41. La prédominance de question ou de deictiques ainsi que le renvoi par thème répété au péril décrit rehausse l'élément dramatique du récit et témoigne en même temps de *l'attitude* d'engagement de l'auteur vis-à-vis de la situation narrative.

Ayant considéré les prières de I M à l'aide des questions heuristiques données nous pouvons affirmer : l'auteur a normalement choisi de ne pas élaborer les prières mais de les « peindre sur le vif ». Il les a concentrées sur l'essentiel : l'appel à Dieu pour qu'il intervienne. Il nous faut étudier maintenant quels éléments de structure ou de thèmes contribuent à donner aux prières leur caractère d'appel si intense.

2.4 Organisation

2.4.1 La lamentation collective de 3,50—53

AGENCEMENT. Le texte se divise en deux parties : vv. 50b à 51 et 52 à 53. La particule καὶ ἰδού marque le passage à la deuxième section qui constitue une unité syntaxique en raison du pronom αὐτῶν (v. 53) qui reprend le ἔθνη du verset précédent. Le texte forme tout de même une unité cohérente à cause des trois questions introduites au début et à la fin : τί et ποῦ au v. 50b et πῶς au v. 53. Comme nous avons dit, la prédominance des questions est typique pour le genre littéraire auquel le texte appartient[1]. Cependant, τί, ποῦ, πῶς ne sont pas ce que l'on trouve normalement dans une lamentation collective (Psautier, Prophètes, Lamentations), où un « pourquoi » ou un « jusqu'à quand » sont les questions classiques[2]. La prière ne contient pas non plus de plainte directe sous forme d'assertion[3]. A la différence d'autres prières inter-testamentaires, celle-ci ne contient pas de confession des péchés et il lui manque également la reconnaissance du Dieu juste[4], contextes où une expression de plainte se trouve souvent insérée ou auxquels elle peut être adjointe. Sur ce point il nous semble que la prière témoigne de l'attitude, exprimée dans tout I M, qui consiste à ne pas intérioriser les événements[5].

THÉMATIQUE. Dans la première partie, la plainte relative au Temple, les καί introductifs du v. 51 embrouillent quelque peu le texte. Le premier καί (v. 51) pourrait être explicatif et dans ce cas le v. 51 donnerait la raison pour laquelle il fallait se demander où emmener les naziréens, etc.[6]. Mais le deuxième καί s'y prête moins naturellement, à moins de ne pas comprendre :

---

[1] Gunkel-Begrich 1933, 127. Voir par ex. un texte si tardif que le 4e *Livre d'Esdras*.

[2] *Ibid.*

[3] Cf. *Jr* 4,10; Westermann (1954) 1977, p. 155 dit sur l'histoire tardive de la lamentation : « *Die Anklage Gottes* in reiner Form begegnet hier niemals mehr ».

[4] Westermann, *ibid.*, Lipiński 1979, 88.

[5] Ceci ne veut pas dire qu'il manque dans I M d'interprétation théologique des événements : la colère de Dieu est une notion importante des premiers chapitres, voir 1,64.

[6] Ainsi Grimm 1853, Westermann (1954) 1977, 160 et Neuhaus 1974, 43. Par contre, le premier καί n'est pas traduit chez Abel 1949 et Goldstein 1976.

« les prêtres ne peuvent plus servir ». Si par contre, le premier καί du v. 51 est un simple additif dont nous avons des exemples justement dans les lamentations intertestamentaires[7], les questions du v. 50b auront pour fonction d'introduire la suite et elles seront plutôt rhétoriques. Le deuxième καί du v. 51b indique sans doute que les complaintes du v. 51 font un tout : nous y retrouvons le thème du deuil des prêtres lors de la profanation du Temple[8].

Au v. 52 de la deuxième partie on perçoit deux unités de sens : le « motif »[9] de l'assaut des peuples unis contre Israël (52a) sert ici à qualifier la situation de détresse. Dans le rappel sur ce que Dieu connaît l'intention de l'ennemi s'exprime un appel au Seigneur à porter secours. En effet le même contenu se retrouve au *Ps* 82(83), 4s. mais dans l'ordre inverse, indice probable qu'il s'agit ici d'une relecture de ce Psaume[10]. La différence de contenu va de pair avec la différence de style que nous avons constatée. Cependant, le caractère de lamentation demeure, voir la forme interrogative du v. 53. En effet, on peut discerner dans la prière une gradation dans les questions posées par laquelle l'appel fait à Dieu devient de plus en plus intense.

ACTION-ACTEURS. Comme dans la lamentation classique (Psaumes, etc.), dans notre texte c'est Dieu qui est l'acteur dominant[11]. Au v. 50b Dieu est implicitement rendu responsable de la situation décrite où les règles de culte ne peuvent plus être observées. Dans le v. 51, ce sont *son* Temple et *ses* prêtres qui sont les éléments de la situation de détresse. Au v. 52 est dit qu'il *connaît* les intentions de l'ennemi et il s'ensuit au verset final que chaque action des suppliants doit échouer si lui n'intervient pas. Si Dieu est le personnage dynamique, les suppliants eux sont statiques[12]. Le rôle de l'ennemi est de faire le contrepoids de suppliants : action massive et menaçante qui les paralyse.

Nous pouvons conclure : l'ossature du texte relève du genre littéraire auquel il appartient.

---

[7] Voir IV *Esdr* 4,23s.
[8] Voir WESTERMANN, *op. cit.*, 131.
[9] On pourrait employer le terme « motif » selon la définition de GUNKEL 1910, XX, n. 1 : « ein elementarer, in sich einheitlicher Teil eines poetischen Stoffes ». Mais la remarque de RICHTER 1971, 99s. est pertinente et applicable dans notre cas : « Was manche Forscher als 'Motiv' oder 'Topos' ansehen, entpuppt sich oft als geprägte Wendung oder Formel. »
[10] Seidel cité chez WEISS 1961, 278s. : « Wenn eine Bibelstelle eine Wendung einer anderen Bibelstelle wieder aufnimmt, so bringt sie sie stets chiastisch, indem sie den zweiten Teil der Wendung dem ersten vorangestellt. » — Voir aussi WESTERMANN, *op. cit.*, 133 et *infra* la prière prochaine.
[11] Les trois acteurs Dieu, les suppliants, l'ennemi constituent le principe organisateur d'une lamentation collective selon WESTERMANN, *op. cit.*, 128 et 160. A la page 129 l'A. dit : « das Geschehen der Klage ist seinem Wesen nach dreigliedrig ».
[12] Pour l'opposition personnage dynamique — statique, voir DUCROT-TODOROV 1972, 289 (Todorov).

2.4.2 Les prières précédant une bataille

1. 4,10—11

AGENCEMENT. Les deux versets constituent deux sections différentes. Le v. 10 contient en style indirect trois phrases courtes qui ne sont pas équivalentes[1]. Si on les compare avec d'autres prières, il est évident que les deux premières phrases sont virtuellement une introduction assertive à la demande dont elles servent de motif. La troisième phrase, la *petitio* (cf. 7,42) est plus longue : on y trouve une suite de deictiques et le terme technique de συντρίβειν avec un complément d'objet caractéristique. Le v. 11 par contre est formulé en style direct : la phrase en tant que telle sert de finale, voir *Ps* 82(83), 19, là également introduite après la demande sur la défaite de l'ennemi[2].

THÉMATIQUE. Les unités de sens du v. 10 sont bien serrées : la « bienveillance » (θελήσει) est liée à la demande d'écraser l'armée ennemie comme tout acte de salut (voir v. 11) présuppose la bienveillance divine; ce lien thématique se manifeste souvent dans les *Psaumes*[3]. Le rapport entre « se souvenir de l'Alliance des Pères » et l'acte de délivrance est très étroit aussi[4]. L'énoncé sur la bienveillance et celui sur l'Alliance des Pères sont réunis à l'aide du lien référentiel entre ἡμᾶς, objet de bienveillance, et le peuple d'Alliance acquis et revendiqué; ce lien est suggéré déjà dans le paradigme fondamental du discours d'exhortation dont la thématique s'accorde d'ailleurs avec celle de la prière.

ACTION-ACTEURS. Comme le v. 11 est mis au discours direct, les deux énoncés qu'il contient ressortent fortement et avec eux le rôle de l'ennemi : celui-ci, vaincu, va répandre le message adressé au monde qu'Israël ne combat pas seul, Dieu combat pour son peuple. C'est alors le message de la Guerre sainte, convenablement exprimé par la première prière de guerre du récit. Le rapport entre le locutif et l'allocutif s'avère des plus étroits (voir *infra ad* II M 15,22—24).

---

[1] Comme βοᾶν a le sens d'« invoquer » et d'« implorer », le verbe peut se construire avec εἰ voir ABEL 1949 *ad loc,* MICHEL 1978 *ad Rm* 1,10 et BDR § 375.

[2] Voir aussi la finale très proche de *Ps* 57(58), 12 et *Idt* 9,14 : οὐκ ἔστιν ἄλλος ὑπερασπίζων τοῦ γένους Ισρ. εἰ μὴ σύ.

[3] Voir *Ps* 17(18), 19 et 21(22), 9 et 69(70), 2 où cependant la transmission manuscrite est divisée.

[4] Au sujet des *Psaumes de Salomon,* SCHÜPPHAUS 1977, 113 : « Gottes Hilfe wird allein aufgrund von Gottes Bundes erwartet. »; voir l'expression raccourcie de *Lc* 1,54b μνησθῆναι ἐλέους. — Cf. *Ps* 73(74),2 et voir I M 4,11.

2. 4,30—33

AGENCEMENT. La prière a deux sections : *laudatio* (v. 30b) et *petitio* (vv. 31—33). La *laudatio* commence par une eulogie qui dit εὐλογητὸς εἶ, ὁ σωτὴρ Ισραηλ[1]. La louange porte sur deux grandes victoires remportées dans le passé grâce à la présence secourable de Dieu. La louange narrative dont il s'agit ici donne d'une part la raison de l'eulogie[2], d'autre part elle devient le mobile de l'intervention demandée par la suite. On pourrait dire que ὁ συντρίψας est plus nettement laudatif que ne l'est l'assertion παρέδωκας en rapport d'anacoluthe. Que la phrase dont παρέδωκας est le noyau renvoie à ce qui précède est évident : le mot παρεμβολή est repris en 4,31 et l'action suggérée dans les deux versets se produit grâce au secours de Dieu[3]. La *petitio* a une structure bi-partite deux fois reprise : le premier demi-verset contient la demande, le second le résultat souhaité qui en 4,31—32 équivaut à la défaite de l'ennemi, en 4,33 à la louange de la part des fidèles[4]. Les trois demandes sont introduites sans liaison avec ce qui précède (asyndète). Elles sont toutes assez développées, mais bien équilibrées.

Nous avons dans cette prière un mouvement circulaire en ce sens qu'elle commence et finit par la louange.

THÉMATIQUE. Le thème de la *laudatio* « Dieu triomphe sur l'ennemi » en agissant par et avec les hommes est continué dans la *petitio*. Cependant, dans la demande ce sont les ennemis qui constituent le point central du matériau thématique. Le suppliant souhaite leur anéantissement. Les références au passé dans la *laudatio* prépare en quelque sorte les malédictions de la *petitio*, car la défaite de l'ennemi qui est évoquée a la portée d'un jugement divin[5]. L'accent porté sur la force de l'ennemi est un lieu commun qui se manifeste dans les prières contemporaines : les mots δύναμις, ἰσχύς, ἵππος se retrouvent tous dans la prière de *Idt* 9,2—14[6]. Que la défaite de l'ennemi soit caractérisée comme un avilissement est également schématique, modelé sur les Psaumes (*Ps* 82(83), 18) et d'un usage continu (*Or As*, v. 44)[7].

ACTION-ACTEURS. Le suppliant fait partie d'un peuple qui sait par expérience qu'en face de l'ennemi, quelque prodigieuse et effrayante que soit sa

---

[1] Sur la forme, voir HEINEMANN 1977, 86—89.
[2] Selon WESTERMANN (1968) 1977, 25, « berichtendes Lob ».
[3] Quelques manuscrits lient les deux sections par un οὗτως. Influence de 7,42?
[4] C'est-à-dire « Lobgelübde », WESTERMANN, *op. cit.*, p. 39 et *passim*.
[5] GUNKEL-BEGRICH 1933, 131 : « Häufig werden der Verwünschung der Feinde . . . Beispiele schrecklicher Gottesgerichte aus der Vergangenheit hinzugefügt ».
[6] Dans *Or As*, v. 44 : δύναμις, δυναστεία, ἰσχύς.
[7] ABEL 1949 donne une interprétation aberrante prétendant que le sens du passage serait « qu'ils rougissent d'un tel déploiement de forces en face d'une si petite troupe » (note *ad* 4,31); la traduction de SCHUNCK 1980 se base sur une acception correcte de la proposition : « damit sie mit ihrer Heeresmacht und ihrer Reiterei zuschanden werden ». Voir aussi *supra* 2.3.2.2, n. 4.

force, des hommes peuvent sortir victorieux en tant qu'intermédiaires choisis de la puissance de Dieu. Si la relation Dieu-homme, qui repose sur un choix, se manifeste dans la fonction d'intermédiaire, la relation homme-Dieu, celle d'amour et de connaissance (v. 33) s'exprime dans la louange. — Dans cette prière, c'est l'ennemi qui est menacé en face des « alliés » manifestement et depuis longtemps liés l'un avec l'autre, Dieu et son peuple.

3. 7,41—42

AGENCEMENT. Les quatre petites unités à distinguer sont 1. *paradigme* (v. 41), l'unité la plus longue; il sert explicitement de base pour 2. la première *demande* (οὕτως) du v. 42a — le paradigme est donc virtuellement un appel à Dieu pour qu'il intervienne de nouveau; 3. la *conséquence* souhaitée de l'intervention qu'on espère (42b) et 4. la *demande* (42c), étroitement liée au contexte discursif. Les unités 2—4 pourraient aussi bien être prises en bloc sous le titre *petitio*, mais quant à leur sens, elles sont assez distinctes pour justifier un traitement à part. On note que la demande de 42a correspond exactement à 4,10c, sauf pour le discours indirect employé. L'expression de la *conséquence* ajoutée à la demande paraît apparentée à 4,11. La différence en est que 7,42b a une portée plus restreinte due au fait que l'énoncé se rattache au contexte discursif.

THÉMATIQUE. La pointe du paradigme est « châtiment sur ceux qui blasphèment », thème qui s'exprime aussi dans la demande de 42b et c. L'anéantissement de l'ennemi demandé au v. 42a est expressément joint à 41b qui porte sur le carnage des soldats de Sennakérib par l'ange exterminateur. « Blasphème » et « châtiment » se trouvent donc en rapport de chiasme. Le v. 42c rend explicite que la défaite de l'armée équivaut au jugement de Dieu sur le blasphème commis.

ACTION-ACTEURS. Analogiquement à 4,30—33, l'accent est porté sur l'ennemi. Cependant, celui-ci est heurté non pas par un front massif d'alliés, à savoir le rapport très étroit entre le locutif et l'allocutif, mais il est contrarié par une structure d'action cohérente et univoque.

2.4.3 La prière de 7,37—38

AGENCEMENT. La *petitio* du verset 38 est dominée par deux sollicitations en rapport d'asyndète : l'une est suivie d'un impératif à la 3e personne se rapportant à l'ennemi, l'autre d'une demande directe qui donne de l'insistance à la sollicitation principale. Le v. 37 est une *assertion* autonome par rapport à la *petitio* qui commence sans transition : le sujet grammatical commun est le seul élément qui noue les deux sections.

THÉMATIQUE. L'assertion qui porte sur l'élection du Temple en tant que lieu de prière pour le peuple d'Israël n'est pas une *laudatio* abrégée à l'instar de celle de III M 2,9—20. La phrase ἔκλαυσαν καὶ εἶπον qui précède immédiatement la supplication en est un net indice; il faut plutôt voir dans l'assertion un « Kontrastmotiv » d'une complainte sousentendue de la teneur : « et maintenant le Temple est objet d'injures » ou quelque chose d'approchant[1]. La dernière phrase de la *petitio* καὶ μὴ δῷς αὐτοῖς μονήν doit signifier « et ne leur accorde pas de sursis » (TOB)[2], car la phrase μνήσθητι à laquelle la dernière demande est effectivement subordonnée, équivaut à « agis sur »[3]. Cette acception peut être confirmée par la prière proche : 7,41—42 se rapporte à 7,37—38 comme un supplément exigé par le contexte discursif — nous l'avons vu — et la prière finit par un prompt κρῖνον αὐτόν, c'est dire l'impératif affirmatif correspondant[4]. Dans la *petitio*, également, on note un glissement de pensée : on y passe de la punition individuelle (Nikanôr) à la punition collective sans intermédiaire. Il y a d'autres supplications qui font le même passage[5].

ACTION-ACTEURS. Tout le poids est ici sur l'allocutif dont on implore l'action pour des raisons intimement liées à Lui-même : le Temple est la manifestation persistante de son acte de choix; son Nom est uni au sanctuaire — c'est donc Dieu lui-même qui est atteint par le blasphème.

2.4.4 Conclusion

L'*agencement* de certaines prières est identique sur un point précis : les impératifs à la 2ᵉ personne qui expriment la demande sont énumérés sans mots de liaison. Plusieurs supplications de notre recueil sont organisées de la même manière, au moins partiellement, voir *Idt* 9,2—14 et *Est* C 2—10. Les impératifs à la 3ᵉ personne qui portent soit sur le destin des adversaires soit sur la reconnaissance universelle de Dieu en rapport plus ou moins consécutif avec ce qui précède. La suite impératifs directs — indirects est courante, cf. *Or As* vv. 42—45. La *thématique* montre plus d'unité dans les prières qui commencent par un paradigme. C'est dans les prières de 3,50—53 et de 7,37—38 que la thématique est la moins cohérente. C'est là où l'appel à Dieu ressort le plus fortement. Sous le titre *action - acteurs* nous avons éclairé différents types de dominance. L'allocutif, Dieu, domine en 3,50—53 par son absence pourrait-on dire. Il en est de même en 7,37—38, car l'action menaçante ne concerne

---

[1] WESTERMANN (1963) 1977, 166, voir IV *Esdr* 5,23—27.
[2] Contre ABEL 1949 et SCHUNCK 1980.
[3] Voir ci-dessus sous *vocabulaire*.
[4] Cf. *Ps Sal* 2,25.
[5] Voir *Or As* et *Ps Sal* 2.

pas seulement le Temple mais en vérité Dieu lui-même, ce qui est souligné par la teneur du texte (ὄνομα). Les prières 4,10—11 et 4,30—33 sont fortement marquées par le rapport étroit qui subsiste entre l'allocutif et le locutif. Ces différents types de dominance s'accordent pour faire ressortir clairement l'appel à Dieu que constituent essentiellement les courtes prières de I M.

2.5 Vue d'ensemble

Il n'est pas déplacé de présenter à ce stade de travail quelques-unes des données qui se rapportent à la question principale de savoir comment les prières se détachent sur l'horizon que constitue le I M. Nous avons choisi de réunir sous la rubrique de Thématique et de Caractéristique générale les résultats de notre recherhce.

2.5.1 Thématique

1. Le peuple de Dieu

L'unité du peuple d'Israël est fortement soulignée : qu'il suffise de mentionner les phrases répétees qui signalent l'étendue du deuil causé par la mort des Maccabées[1]. C'est une unité idéale dans la mesure où les ἄνομοι, Juifs héllenisants ne sont pas considérés comme membres du peuple[2]. Le schisme entre les 'Ασιδαῖοι et les Maccabées que laisse entrevoir le passage de 7,12—18 ne compte pas non plus; Israël demeure une unité, voir l'énoncé explicite de 14,7 (éloge de Simon) : οὐκ ἦν ὁ ἀντικείμενος. La colère divine qui pèse sur Israël est détournée grâce au zèle de Judas contre les ἄνομοι et les ἀσεβεῖς (3,8)[3]. Dans la suite, aucun malheur n'est interprété à l'aide du concept de colère de Dieu. Analogiquement, dans les prières, il s'agit d'Israël en opposition aux « nations » et à leur armée et non pas aux compatriotes « impies ». Israël est envisagé comme restauré d'après le modèle du temps des Juges[4].

Le peuple d'Israël a une *identité* qui s'exprime surtout dans les prières : il se connaît comme peuple de Dieu; nous pouvons rappeler la détermination ὁ λαός σου et la déclaration de οἱ εἰδότες/ἀγαπῶντες. La description des adversaires renforce par contraste cette identité : ceux-ci sont ou bien les αὐτοί tout court, ou bien τὰ ἔθνη présentés en bloc ou désignés par leur force de combat déployée[5].

---

[1] Voir par ex. 9,20.
[2] Voir 1,11—15 et 9,58.
[3] BICKERMANN 1937,31 : dans le livre de *Daniel* la colère de Dieu est détournée par le moyen de la pénitence et de la prière, dans II M par le moyen du sang des martyrs.
[4] Voir 14,4 et cf. *Iud* 3,11 etc. et ci-dessus 2.1.3.1, n. 5.
[5] Ceci est surtout vrai pour les textes intermédiaires.

Israël est surtout une *continuité*, à noter non seulement les expressions explicites telles que οἱ πατέρες ἡμῶν ou la locution μιμνήσκεται διαθήκης πατ. mais aussi l'emploi du syntagme prépositionnel ἐφ'ἡμᾶς lié au « document théologique » de τὰ ἔθνη συνῆκται.

2. *Les Maccabées*

Bien que les Maccabées soient les chefs, ceux qui unissent le peuple et le « sauvent » à l'instar des Juges (9,21)[6], ils ne marquent pas de leur empreinte personnelle le contenu des prières, lors même que le paradigme aurait pu l'entraîner : en 4,30—33 Judas qui guide la prière demeure membre intégré du peuple. Seulement le fait qu'un σύντριψον dans la demande d'une prière précédant la bataille est suivi d'un συνετρίβη/συνετρίβησαν laisse entrevoir le rôle d'intermédiaires choisis[7].

3. *La situation de détresse*

Nous avons déjà suggéré que les tribulations qu'éprouve le peuple juif viennent de l'extérieur : le malheur ne devient guère un problème pour la relation du peuple avec Dieu. La complainte collective, précédée d'un jeûne, « essentiellement un rite de pénitence »[8], ne dit rien de relatif à un état de péchés. La « honte » du peuple selon 1,28 est univoque : elle est le résultat du sacrilège précédemment raconté. Par conséquent, il est constaté en 4,58 dans le cadre de la Dédicace du Temple : καὶ ἀπεστράφη ὀνειδισμός. Le comble de la détresse est la profanation du Temple et « l'assemblée des nations contre Israël », les deux calamités — il faut le noter — rendues typiques.

Ayant constaté le manque d'intériorisation du malheur, nous devons rappeler que les prières ont leur place dans un cadre d'événements de guerre : « En fait, le livre presque entièrement est une histoire militaire »[9]. De plus, le caractère apologétique du livre, la partialité de l'auteur en faveur des Asmonéens, est un facteur décisif. L'intention de les honorer est plus facile à réaliser si la faute est mise exclusivement sur le compte des ἄνομοι.

[6] Les Maccabées assemblent les dispersés de leur peuple, voir 3,9 et 14,7; ARENHOEVEL 1967, 47—50 : « Das Richterschema ».

[7] Cf. HENGEL 1981 à propos du passage 2,27ss., l'appel de Mattathias à ses compatriotes : « This 'charismatic' call to follow the leader in a war of liberation waged for the sacred possessions of the people is linked with the demand to give up *safety* and *possessions* for the sake of God's cause. »

[8] HERMISSON 1965,78.

[9] ARENHOEVEL, *op. cit.*, 57 : « In der Tat besteht fast das ganze Buch aus Kriegsgeschichte ».

4. L'image de Dieu : absence et présence

Le problème est complexe. Il est frappant d'abord, que le nom θεός ou κύριος soit remplacé par οὐρανός, mot qui garde cependant un peu de son sens local, précédé comme il est toujours d'une préposition. En 4,22 (discours) et 2,61 (discours) est utilisé un simple αὐτός; le premier cas, αὐτὸς συντρίψει, appartient au langage traditionnel[10], et le second est une phrase d'allure liturgique, voir Ps 145(146),5 et 146(147),11[11]. A noter aussi le langage évasif de la prière de 4,10—11 : on a seulement la terminaison des verbes[12]. Les verbes qui signalent la prière dans le récit ne sont jamais pourvus de compléments d'objet — le II M est radicalement différent comme nous allons le voir; ceci renforce l'impression sinon d'une absence, au moins d'une distance de Dieu.

Il est tout aussi vrai que les demandes adressées à Dieu sont très directes et concrètes. Une prière est suffisamment directe pour donner un σύ emphatique[13], la prière de 7,37—38. Pourquoi le σύ, est-il permis ici? La catastrophe ne peut être pire : Dieu lui-même est menacé. Il faut tenir compte du fait que ceux qui adressent la prière sont les prêtres, c'est-à-dire les membres d'une institution. Le rôle des institutions est important dans I M : le Temple et la Loi[14]. Si Dieu peut être dit absent parce que son nom ne s'exprime pas, il faut se souvenir qu'il est présent par sa Loi, voir 3,48 que nous avons commenté (2.1.5.1). Inséré dans la lettre adressée aux Spartiates dans le but de renouveler avec eux « l'amitié et l'alliance » se trouve un passage révélateur à cet égard : παράκλησιν ἔχοντες τὰ βιβλία τὰ ἐν χερσὶν ἡμῶν (12,9)[15]. La Loi est donc à la fois une source de révélation et une source spirituelle[16]. Le livre fait état d'une théologie de « tâtonnements » — nous nous trouvons dans une période qui ne dispose d'aucun prophète (9,27) mais qui en attend un (4,46 et 14,41).

2.5.2 Caractéristique générale : un écho du passé

L'auteur a inséré des prières et des discours qui correspondent à son intention à prêcher. Son but principal n'est pas d'expliquer ce qui se passe mais d'inscrire les événements dans l'histoire biblique — il veut apporter à ses lecteurs

---

[10] Voir *supra* 2.2.2.1.

[11] Aussi *Sus*, v. 60 (Th).

[12] Cf. STEGEMANN 1978, 201 : à Qumran, on omet souvent « Dieu » dans une citation biblique quand le nom suit immédiatement un verbe défini.

[13] Les σύ de la lamentation collective sont d'une autre nature; nous croyons que celui de 3,52b vient du *Ps* 93(94), 7 et 11; le σύ du v. 53 est dû au genre littéraire : Dieu, nous, les nations sont des éléments structurants d'une lamentation collective.

[14] Voir LEFÈVRES, DBS V, 604.

[15] GOLDSTEIN 1976 *ad loc* : « It is clear from the context that the noun means, not the 'comfort' given to the grieved, but a 'source of courage' for men at war ».

[16] Cf. le passage de 12,15 : ἔχομεν γὰρ τὴν ἐξ οὐρανοῦ βοήθειαν βοηθοῦσαν ἡμῖν.

un réconfort et il veut les édifier. En même temps il ne cache pas qu'il est le défenseur de la cause asmonéenne. Il évoque le passé à l'aide des moyens suivants :

(1) par l'insertion des prières dans des situations typiques où les lecteurs, héritiers d'un patrimoine spirituel, se retrouvent, qu'il s'agisse du Temple menacé ou de l'avance massive d'une armée ennemie.

(2) par le style employé dans le livre entier — il ressemble au style que l'on trouve dans le livre des Juges ou 1—2 Rois — la dénomination archaïsante des peuples qui entourent la Judée est révélatrice à cet égard[17];

(3) par le choix de thèmes particuliers comme le « rassemblement des nations » et l'ensemble thématique de Dieu guerrier; de plus, les thèmes sont stéréotypés — le discours répété est pour lui une source intarissable;

(4) par l'emploi d'un langage représentatif et liturgique; il en résulte que le temps actuel fait écho à un passé régulièrement actualisé et pour cette raison toujours valable;

Tous ces moyens convergent pour créer une conscience d'appartenir à une vivante histoire de salut.

[17] PFEIFFER 1949, 486.

3 Deuxième livre des Maccabées

3.0 Introduction

A la différence du Premier livre des Maccabées, le Deuxième a été composé en grec[1]. Le vocabulaire et le style ont leurs correspondants dans l'historiographie de l'époque[2]. Mais il y a des sections du livre qui échappent à cette ressemblance générale. L'exemple le plus frappant est la partie du livre qui précède la préface en 2,19—23 : les deux lettres festivales sont sinon traduites de l'hébreu, du moins très influencées par cette langue. Leur origine indépendante ressort aussi du fait que l'abréviateur, en introduisant son résumé de l'œuvre jasonique[3], ne fait aucun cas du préambule épistolaire de 1,1—2,18. Une origine sémitique a été suggérée aussi pour le ch. 7[4], récit du martyre des sept frères. Bien que le II M ne soit pas un ouvrage homogène, il garde dans son ensemble une affinité considérable avec l'histoire narrative contemporaine. On a souvent vu dans le résumé de Jason un exemple du genre littéraire dit histoire pathétique[5], rhétorique[6] ou tragique[7]; manifestement le narrateur de II M veut inspirer à ses lecteurs la pitié et la crainte[8]. Conformément aussi au goût de son temps il apprécie les prodiges, nous donnant un récit haut en couleur des apparitions célestes[9].

---

[1] Notre étude est basée sur le texte de HANHART dans la Septante de Göttingen (IX:2), 2ᵉ éd., 1976.

[2] ABEL 1949 se réfère souvent à Polybe; PALM 1955 compare II M à l'œuvre de Diodore de Sicile et constate (p. 199) : « In II Macch. haben wir im grossen und ganzen ein Gegenstück zu der Prosa des DS. »

[3] Le seul fait qu'il s'agit d'un abrégé d'une histoire plus développée lie II M à la mode littéraire hellénistique, voir PRÉAUX 1978 (I), 88 s.

— Nous parlerons dans la suite de l'*auteur* de II M sans tenter d'attribuer tel passage ou telle idée à Jason ou à son abréviateur. Un essai de la sorte a été fait par BUNGE (1971) qui veut restreindre beaucoup le rôle de Jason (voir en particulier ses pages 314s.). Vu la préface, ce résultat est un peu étonnant. — Tout indique qu'il faut compter aussi avec un rédacteur postérieur. Pour des raisons de facilité, nous les appelons tous les trois « auteur », en précisant quelquefois dans les notes.

[4] Voir HABICHT 1979, 171.

[5] MOMIGLIANO 1978, 8 : « In the third and second centuries B.C. a technique of 'pathetic' over-dramatizations of events was in favor with some historians, such as Phylarchus. . . and the author of the II Maccabees. »

[6] NIESE 1900, 301; HABICHT 1979 : pathétique et rhétorique (p. 189).

[7] Le terme fut employé pour le première fois par É. Will en 1914 d'après ZEGERS 1959, 3, n. 1.

[8] BICKERMANN *PW* 14:1 (1928), 792. Cf. les exemples tirés de Douris de Samos et de Phylarche chez ZEGERS, *op. cit.*, 11—14. A l'instar de Douris de Samos (ZEGERS, *op. cit.*, 19s.), l'auteur de II M donne des exemples de péripétie, du changement de bonheur en malheur — voir le jeu de mots sur les morphèmes *eu-* et *dys-* en 5,6, 5,20 et 6,29.

[9] Voir en particulier II M 2,21; à ce sujet : MOMIGLIANO 1975, 86 et surtout DORAN 1981.

Plutôt que de livrer une chronique à l'instar de I M, l'auteur de II M spécule sur la signification de l'histoire, le pourquoi des calamités[10]. Il a trouvé des réponses : la notion de rétribution[11], la conviction d'une expiation des péchés et l'espérance en la résurrection des morts. De plus, la place des fêtes et à plus forte raison du Temple est prédominante : les fêtes sont des événements importants dans tout le livre[12]. Il y a lieu de croire que l'abréviateur anonyme a travaillé son épitomé dans un esprit conforme à l'intention de la première lettre festivale qui invite les Juifs d'Égypte à célébrer « la fête des Tentes du mois de Kisleu » (TOB). La date donnée à la fin de la première lettre (1,10a), à savoir 124 av. J.-C., est considérée par nombre de chercheurs comme la date du résumé lui-même[13]. La première lettre festivale serait donc quelque chose comme un *Begleitschreiben*, joint à un « dossier »[14], explication que nous aussi trouvons la meilleure. Une autre différence par rapport à I M, c'est que le rôle des héros maccabéens est sensiblement réduit. Dans II M c'est le peuple qui joue le rôle principal, notamment à titre de modèle de foi[15].

Les nombreuses prières rapportées dans II M témoignent de la valeur donnée à la pitié juive exemplaire. Cependant deux prières seulement sont rapportées textuellement; les autres le sont, syntaxiquement, en tant que subordonnées à des verbes comme ἐπικαλεῖσθαι et de plus, elles sont d'habitude très brèves. Ceci nous pousse à disposer différemment notre étude : nous devons donner plus d'attention aux traits contextuels par rapport à I M; quant au vocabulaire, il nous invite à une étude comparative assez étendue; par contre, les questions d'organisation sont moins importantes. Ainsi les questions posées sont les mêmes, mais l'ordre dans lequel elles sont étudiées est différent : les observations stylistiques suivent immédiatement l'analyse du contexte, laissant la dernière place à l'inventaire du vocabulaire.

Tenant compte des particularités du préambule (1, 1—2,18), nous divisons ce chapitre 3 en deux : 3A est consacré au préambule et 3B au résumé. Dans la première section (3A), il n'y a pas d'inconvénient à appliquer l'ordre d'étude suivi dans notre chapitre précédent.

---

[10] BICKERMAN 1949 voit dans les livres des *Chroniques* une visée analogue (p. 79).

[11] Voir *ibid.*; dans une autre perspective : HENGEL 1973, 179.

[12] SCHUNCK 1954, 121. Torrey, cité chez OESTERLEY 1915, 487s., non seulement constate l'importance donnée aux fêtes dans le livre mais en donne une explication historique : la fête de Nikanôr et la Dédicace étaient « *the two Maccabean feasts*, by the observance of which the Jews of the Diaspora could share, as in no other outward way, in the national glory of that struggle. » (p. 488).

[13] Voir HABICHT 1979, 174.

[14] BUNGE 1971, ch. 9; à ce sujet voir aussi MOMIGLIANO 1978, 19 qui fait la remarque suivante : « The Greeks gave historical explanations of festivals (Callimachus followed by Ovid), but do not seem to have written historical books to recommend the celebration of festivals ». Déjà NIESE 1900, 279 signale nombre de rapports entre le préambule et le résumé.

[15] Voir II M 2,21 et 6,6.

3A. Le préambule

3A:1 Contexte

1. Les vœux de la première lettre, 1,2—5

La première lettre festivale 1,1—10a[1], qui a été traduite de l'hébreu ou de l'araméen[2], contient des vœux adressés aux Juifs d'Égypte par les Juifs de Jérusalem.

Les raisons pour lesquelles nous allons nous arrêter à ces vœux sont les suivantes : 1. le v. 6 doit être considéré comme une phrase concluante à cause de l'expression καὶ νῦν et du verbe προσεύχεσθαι qui est en outre à la forme périphrastique du présent[3]; en conséquence l'intercession des Juifs de Jérusalem pour leurs frères (v. 6) a pour objet un contenu qui ressemble sinon à celui de tous les versets précédents, du moins à celui du v. 5[4]; 2. la terminologie du passage de vœux est celle que nous rencontrons dans les prières[5]. 3. Ces deux observations confirment la constatation globale que vœu (dans le sens de souhait) et prière sont phénoménologiquement des expressions très proches l'une de l'autre; la limite entre les deux n'est pas facile à déterminer[6].

LIENS SIGNIFICATIFS. Le point de repère le plus important est la salutation du v. 1, notamment εἰρήνην ἀγαθήν[7], à laquelle nous rattachons l'expression εἰρήνην ποιῆσαι[8] du v. 4, ainsi que l'optatif ἀγαθοποιῆσαι[9] du v. 2. Le verset 5 est lié au contexte subséquent par la référence commune à une situation de trouble[10].

---

[1] Pour la question d'une ou de plusieurs lettres dans 1,1—2,18 voir BUNGE 1971, 34.

[2] Voir HANHART 1961, 28—31 pour une discussion sur la langue originale de 1,1—2,18.

[3] Selon l'opinion de WEHOFER, 1901, 25 la lettre se divise en deux paragraphes dont le premier se termine par le verset 6; l'A. souligne à juste titre le καὶ νῦν des vv. 6 et 9 : « offenbar absichtlich gesetzt . . . ein wichtiges äusseres Zeichen der Strophierung ».

[4] BICKERMANN (1933) 1980, 152 traduit : « Demgemäss pflegen auch wir für euch zu beten. »

[5] Les membres de la phrase, dont καρδία est le noyau (v. 3), ont leurs parallèles dans des textes de prière, ABEL 1949, ad. loc., et BICKERMANN, art. cit., 153.

[6] MAUSS (1909)1968, 413s; pour le proche rapport vœu — prière, notamment prière d'intercession comme c'est le cas ici, cf. 1 Th 5,23ss.

[7] Sur la salutation de paix dans l'épistolographie araméenne, voir FITZMYER 1974, 214—17. — Nous entendons ἀγαθήν comme un renforcement de εἰρήνην suivant GRIMM 1857, ad loc.

[8] GRIMM 1857, ad 1,2 : « möge Wohlergehen bewirken », se référant à Is 45,7 où ὁ ποιῶν εἰρήνην est suivi de κτίζων κακά voir aussi FITZMYER, art. cit., 214.

[9] Optativus cupitivus : « Brief- und Gebetsstil », ANLAUF 1960, 75.

[10] BICKERMANN (1933)1980, 155s. nous renseigne sur les difficultés auxquelles les Juifs et les autres habitants d'Égypte devaient alors faire face : dès l'année 145 av. J.-C. une guerre civile sévit dans le pays.

Un contexte situationnel de culte? Comme la lettre se termine par une exhortation aux destinataires à célébrer la fête des Tentes du mois de Kisleu, c'est-à-dire la Dédicace[11], il se peut que les thèmes évoqués dans ce passage soient dépendants de ce cadre de référence. On sait à partir des sources que pendant la fête des Tentes, à la fin d'un cycle sabbatique, avait lieu une lecture solennelle de la Loi, comme il est prescrit en *Dt* 31, 10—13. La lecture comportait des passages sélectionnés du *Deutéronome*, notamment 6,4—9 et 11,13—21[12]; à notre avis, c'est ce que laisse entendre déjà un passage des *Antiquités Judaïques*[13]. Que cette lecture ait été accompagnée de prières n'a rien d'étonnant, vu l'usage, réglé à une date par ailleurs difficile à fixer[14], de prononcer conjointement à la profession de foi un certain nombre de bénédictions[15]. Dans une prière liée à la lecture de la Torah, demander la grâce d'accomplir les préceptes d'un cœur libre et généreux est parfaitement à sa place. De toute manière, ce que nous voulons faire ressortir c'est que les vœux exprimés dans ce texte sont influencés par la lecture du Deutéronome, qui avait lieu lors de la fête des Tentes. Un passage de la *Mishnah Sotah* (VII 8b) où le roi Agrippa monte à la tribune pour libre la Loi[16], nous laisse supposer que la lecture solennelle par le roi était devenue l'usage sous les Hasmonéens[17], qui étaient à la fois prêtres et rois. Nous pensons que cette lecture de la Loi revêtit une signification particulière à partir de l'apparition des Hasmonéens dans cette fonction.

FONCTION. *Au niveau sémantique* : à cause du rôle important du mot εἰρήνη au v. 1, on pourrait dire que le passage, où s'expriment les vœux des Juifs de Jérusalem, découle de la salutation dont il souligne le caractère profondément spirituel. *Au regard de la situation de communication*, comme le signale le mot ἀδελφοί deux fois employé dans l'adresse, notre passage à pour fonction de renforcer la communauté qui existe entre expéditeurs et destinataires. Que cette communauté soit de par sa nature une communauté de foi est ainsi rendu explicite. Que cette communauté de foi ait aussi en commun

---

[11] Que la Dédicace du Temple ait été qualifiée de fête de *Sukkot* s'explique si l'on lit II *Par* 7,7—10 et II *Esdr* 3,1—4; pour la connection, voir VAN GOUDOEVER 1959, 30—35 et BUNGE 1971, 489—514.

[12] PERROT 1973,275s; ses sources sont la *Mishnah Sotah* VII et Fl. Josèphe, AJ IV,209. Selon M. *Sotah* VII 8c les passages étaient *Dt* 1—6,9; 11,13—21; 14,22—29; 26,12—15; 27,1—26 et 28,1—29, éd. BIETENHARD 1950,123.

[13] Ayant parlé de la lecture de la Loi, Fl. Josèphe dit, AJ IV, 210 καλὸν γὰρ ταῖς ψυχαῖς ἐγγραφέντας καὶ τῇ μνήμῃ φυλαχϑῆναι μηδέποτε ἐξαλειφϑῆναι δυναμένους.

Nous voulons voir ici des allusions à *Deut* 11,18 et 6,2; *Deut* 6,4 et le *Papyrus Nash* (hébr.) laissent entendre un usage liturgique du texte : SCHÄFER 1973,402s., à savoir une récitation régulière du *Shema*; sur le *Papyrus Nash*, WÜRTHWEIN 1973,37 : le temps des Maccabées serait une date possible.

[14] HEINEMANN 1977,13—36.

[15] *Op. cit.,* 29 et 33.

[16] Agrippa Ier selon JEREMIAS 1958 II,206.

[17] RIESENFELD 1947,28.

une expérience cultuelle, c'est ce que notre exposé a voulu suggérer. Nous y voyons plus : c'est dans l'expérience commune de la prière — et très précisément grâce à la notion d'exaucement — que s'unissent les expéditeurs et les destinataires. Cet exaucement est déjà un fait pour les premiers (v. 8) : pour les derniers c'est encore un souhait plein d'espérance (v. 5).

3A:1.2 L'action de grâces et l'eulogie
de la deuxième lettre : 1,11—12 et 17

En 1,10b commence une seconde lettre[1], adressée aux mêmes destinataires que la première, mais cette fois un homme d'autorité est nommé parmi eux, à savoir Aristobule, « conseiller du roi Ptolémée »[2]. Ce dignitaire a ses correspondants du côté des expéditeurs : Judas[3] et le conseil des anciens. La salutation de la lettre est suivie d'une action de grâces (1,11—12)[4], à laquelle est lié un récit de la mort d'Antiochos Épiphane[5].

DÉLIMITATION. Le verbe εὐχαριστοῦμεν au v. 11 donne le ton du passage. Le changement de sujet au v. 13 signale le début de la narration.

LIENS SIGNIFICATIFS. Il n'y a pas de liens apparents entre le passage et le texte qui l'entoure sauf pour la phrase ἐκ μεγάλων κινδύνων κτλ. qui cependant pose des problèmes quant à sa référence. Elle peut apparemment (γάρ au v. 13) renvoyer au récit suivant sur la mort d'Antiochos; la mort de celui-ci serait par conséquent interprétée comme une « défaite » infligée par Dieu, « toujours prêt à le combattre » (v. 11)[6]. Cependant le v. 12 n'est pas

---

[1] La lettre s'étend de 1,10b à 2,18 selon la plupart des chercheurs (le v. 10a chez HANHART = v. 9 chez RAHLFS); l'*inclusio*, qui se produit en 2,17—18 au moyen de nombreuses allusions à 1,11—12 et à 1,24—29, souligne le caractère autonome de la lettre et constitue une démarcation très nette.

[2] Voir ABEL 1949, *ad loc.*

[3] Avec toute vraisemblance Judas Maccabée, HABICHT 1979, ad loc; d'autres personnages ont été proposés, ABEL 1949, *ad loc.*

[4] Voir BICKERMANN (1933)1980, 136s : χαίρειν καὶ ὑγιαίνειν est un indice de falsification, car la formule n'était pas en usage à la date prétendue, 164 av. J.-C. WACHOLDER 1978, 95s. n'accepte pas cet argument; il a cependant mal lu celui qu'il critique : Bickermann ne date pas la lettre du temps d'Auguste mais des environs de 60 av. J.-C., *art. cit.*, 137.

[5] Il y a des divergences apparentes entre ce récit et celui de II M 9, voir HABICHT 1979, 244 n. 5a; la nouvelle de la mort d'Antiochos Épiphane et de la célébration imminente de la Dédicace (1,18), sont des données difficilement conciliables, *ibid.* — Pour les hypothèses de datation, voir HABICHT 1979, 176.

[6] Nous lisons παρατασσομένῳ avec HABICHT 1979 et ABEL 1949. Ils se réfèrent à la correction proposée par Bruston (1890); à cette expression nous voulons comparer la conception analogue qui s'exprime dans *Or Sib* III,705 : « Lui-même, en effet, et à lui seul, il les protégera en les assistant de toute sa grandeur et en les environnant comme d'un rempart de feu ardent » (trad. Nikiprowetzky).

facile à concilier avec une telle lecture du v. 11. Nous suggérons que ce verset a une autre référence que celle proposée pour le verset 11; ceci parce que l'acte désigné par le verbe ἐκβράζειν au v. 12 ne peut être qu'un véritable expulsion[7]. Si nous tenons compte de la conquête de l'Akra, la citadelle où s'étaient installés les étrangers, le choix de ce mot paraît pertinent. Le I M nous raconte (13,50—52) que la prise de possession de l'Akra a eu lieu sous des formes solennelles et qu'elle a été célébrée chaque année. Nous risquons l'hypothèse que cette fête nous présente le *Sitz* du v. 12 et aussi du v. 11, partiellement, c'est-à-dire sans la phrase qui se réfère à la mort du roi séleucide; cette phrase, à partir de ὡς, est secondaire, ajoutée dans le but d'accommoder le passage au contexte discursif donné. Ainsi nous pouvons rendre justice aux deux γάρ des vv. 12 et 13, en sorte que le premier γάρ nous présente la raison pour laquelle il est juste de remercier Dieu; le second (v. 13) nous donne la raison pour laquelle on peut dire que Dieu est toujours prêt à combattre le roi, car ce dernier, à lire le récit suivant, ne peut sauver sa vie même à l'étranger. Nous voudrions faire valoir que la louange exprimée au v. 17 pourrait se référer elle aussi à la célébration de la prise de possession de l'Akra, car la phrase « il livra les impies » serait très bien en situation; ce serait peut-être le refrain d'un hymne chanté alors? Nous ne pouvons que faire des suppositions. Cependant le v. 17 se comprend aussi sans cette référence comme une eulogie spontanée : l'auteur commente ainsi la mort d'un des sacrilèges les plus impies et en signale la valeur de punition divine[8].

FONCTION. Par cet encadrement allusif, le récit de la mort d'Antiochos Épiphane lors d'un sacrilège commis à l'étranger obtient la signification d'une punition pour les sacrilèges commis à Jérusalem. Il en résulte qu'au moyen de l'action de grâces et de l'eulogie insérées dans le récit, les lecteurs comprendront ce même récit comme un témoignage de la puissance de Dieu.

3A:1.3 La prière de 1,24—29

Cette prière est insérée dans une légende étiologique qui semble avoir pour fonction de souligner le rôle important qu'a joué le feu, au jugement de l'auteur, dans le culte voué au Temple purifié[1]; d'après les indications de 1,18 et 2,16 les expéditeurs fictifs vont célébrer ce culte[2]. La prière est placée à un moment où le sacrifice, allumé miraculeusement, est en train de se consumer,

---

[7] ABEL 1949, *ad loc.*
[8] Voir GUILLET 1969, 197ss.

[1] Le genre de renseignements donnés au v. 36 est typique d'une légende étiologique.
[2] Nous rappelons que nous regardons la lettre comme un faux, voir nos notes 4 et 5 du texte précédent.

trait contextuel qui évoque la question du rapport historique de la prière et du culte sacrificiel[3].

DÉLIMITATION. La prière est pourvue d'un double cadre littéraire : le terme προσευχή figure aussi bien au v. 23 qu'au v. 24a. Le premier cadre nous présente la situation descriptive, y compris les acteurs : prêtres, assemblée et certains personnages nommés[4]. Le second cadre est purement formel. Le v. 30 signale l'achèvement de la prière par le verbe ἐπιψάλλειν.

LIENS SIGNIFICATIFS. Les rattachements du texte à ce qui précède sont peu nombreux. Au verset 21 il est question d'une offrande; le v. 26 de la prière s'y réfère, pourtant pas nettement, car il n'y a pas de démonstratif; la prière entière est d'ailleurs pauvre en deictiques concrets.

Un contexte situationnel de culte? Le peu de références à la situation narrative et le jugement des commentateurs sur le caractère liturgique de la prière nous invitent à nous demander si l'on peut retrouver une situation de culte appropriée. La suite de l'examen va montrer que le caractère du texte est trop complexe pour qu'on puisse l'attribuer à un *Sitz* singulier; or, il nous semble que le texte dans son ensemble reflète un cadre liturgique déterminé : la fête des Tentes qui fut célébrée solennellement, le Temple étant purifié et un certain calme régnant dans le pays. L'association de la célébration du Temple purifié à la fête de *Sukkot* est d'ailleurs explicite en 1,18[5]. C'est une fête nationale dont il est question, le πάντες dans le cadre (v. 23) et le πᾶς ὁ λαὸς Ισρ. dans le texte (v. 26) convergent pour le signaler. Pendant la fête des Tentes on présentait un grand nombre d'offrandes[6]. La fête fut « accrochée » à un événement de salut, à savoir l'exode[7], auquel il n'est pas trop hardi de voir une référence dans la phrase ὁ διασῴζων τὸν Ισραηλ ἐκ παντὸς κακοῦ. D'ailleurs, le v. 29 contient une citation d'*Exod* 15,17.

FONCTION. C'est dans le cadre de la situation de communication que cette prière acqiert une fonction particulière. Le verset 1,18 invite les destinataires à célébrer eux aussi la fête. La recommandation est reprise en 2,16[8]. Nous

---

[3] GRIMM 1857, *ad* 1,23 : « Unsere Stelle enthält den einzigen Fall einer von öffentlichem feierlichem Gebet begleiteten Opferhandlung »; sur le rapport de la prière synagogale aux heures des offrandes, voir l'article suggestif de HOENIG 1979, 448—76; cf. *Dn* 6,10 et 9,21 et voir aussi, *infra*, 3A:2.3.2.

[4] Outre Néhémie est mentionné un maître de chœur nommé Jonathan, selon certains le Jonathan de *Ne* 12,11, selon d'autres un inconnu.

[5] Le texte est difficile mais ne nécessite pas d'être corrigé, HANHART 1961, 29s; sur le sens du verbe ἄγειν voir BUNGE 1971, 82.

[6] *Nb* 29, 12—34.

[7] *Lv* 23,43; voir sur ce sujet DE VAUX 1960(II), 406; textes targumiques cités chez GOUDOEVER 1959, 33.

[8] WELLES 1934, 71 : « The expression is the regular 'please' of official and of private letters (. . .) a convenient way to give orders courteously. »

savons que les Juifs de la *diaspora* ne voulaient pas consentir à célébrer la fête qui est devenue, à une date difficile à fixer[9], la fête de *Hanoukkah*. Celle-ci n'a pas de fondements bibliques. Les prophètes qui auraient pu l'autoriser n'existaient plus. Il est clair que l'auteur de la seconde lettre se concentre sur le symbole du feu : non seulement la qualité du feu[10], mais sa connection avec Moïse, David, Jérémie et Néhémie (2,1—5) doit avoir pour objectif de légitimer la fête de la *Dédicace-Hanoukkah*[11]. Peut-être l'auteur se trouvait-il en outre chargé d'une mission, à savoir de rehausser l'importance du temple de Jérusalem : il existait en effet en Égypte le temple de Léontopolis. Il n'est pas exclu qu'on doive lire le v. 29 de la prière dans cette optique[12].

3A:2 Vocabulaire

2.0 Introduction

Nous limiterons maintenant notre étude à II M 1,24—29, car ce texte est indubitablement une prière; en comparaison, les passages compris dans notre analyse précédente ne font que se rapporter plus ou moins à la prière. De plus, le texte a le propre mérite d'inviter à une étude détaillée, tant de son vocabulaire que de son style, à cause de l'abondance de ses attaches liturgiques : dans II M on cherchera en vain son égal. C'est le texte qui paraît le plus étroitement lié à une coutume, soit du Temple, soit de la synagogue[1]. Pour ces raisons, nous nous permettons d'omettre le peu qui reste dans le préambule

---

[9] BUNGE 1971, 508; RANKIN 1930, 54.

[10] Y a-t-il quelque rapport entre ce feu et la lampe du rituel de la *Hanoukkah*? Sur les différentes interprétations de la lampe, voir BUNGE 1971, 516—26 et RANKIN 1930, 54s. et 59—88, les deux sans aucune suggestion dans ce sens; voir cependant ABEL 1949, 421.

[11] Cf. dans le *Livre des Jubilées* 6,19, à propos de la fête des Semaines : « But Abraham alone kept it. And Isaac and Jacob and his sons kept it », et 6,20 : « And you (Moïse), command the children of Israel so that they might keep this feast in all of their generations » (trad. Wintermute dans CHARLESWORTH II).

[12] Que la lettre exprime une attitude négative à l'égard du temple de Léontopolis a été suggéré par GRIMM 1857, 24s., et d'autres. Fl. Josèphe, AJ XIII,65—71 s'y réfère au moyen d'une correspondance fictive entre Onias et Ptolémée Philomètôr; s'agit-il d'Onias III ou d'Onias IV? — cela est très discuté; HENGEL 1973, 20 et ailleurs, opte pour le dernier, ce qui semble être l'opinion commune actuellement. Sur le passage de Josèphe, voir ROBERT 1938, 235 : « L'emploi de ϑρησκεία suffit à montrer que le faux n'est pas antérieur à l'époque d'Auguste. »; la « correspondance » serait donc proche dans le temps de la seconde lettre festivale. Le temple de Léontopolis subsista jusqu'en 73 ap. J.-C. — sur son rôle, voir SCHÜRER 1909 (III), 144—48; sur le site de *Tell-el-Yahoudiyé*, voir MESNIL DU BUISSON 1935, 59—71. — On doit rappeler aussi le fait politique : expéditeurs et destinataires étaient soumis à des pouvoirs politiques différents; BICKERMAN 1949, 100 caractérise la situation ainsi : « suspicion on the loyalty of the Jews under the dominion of the other ».

[1] ABEL 1949, *ad* 1,24 : « une coutume du temple de Jérusalem »; HEILER 1920, 423 dit que la prière de II M 1,24—29, bien qu'elle soit une composition littéraire, reflète cependant la prière de l'assemblée du Temple et de la synagogue.

(1,1—2,18) de vocabulaire et de traits stylistiques importants. Au point de vue de l'organisation, il n'y a pas de question : 1,24—29 est la seule prière rapportée textuellement.

Comme auparavant nous regroupons les expressions qui feront l'objet de notre analyse en trois catégories différentes : 1. Vocabulaire appliqué à Dieu; 2. Vocabulaire concernant les orants et 3. Autre vocabulaire; sous ce dernier titre nous classons des faits d'expression qui sont constitutifs du langage de prière et qui sont d'une portée particulière à cause de leur aptitude à mettre en relation les deux autres catégories.

En rangeant ainsi notre matière, nous prenons les éléments du vocabulaire dans l'ordre où ils se trouvent dans le texte. Avant de commencer, il nous faut faire cependant deux remarques de précaution : 1. Au regard de l'état du texte : qu'il soit rappelé que la prière est insérée dans une lettre vraisemblablement fictive dont le caractère linguistique laisse entendre un substrat sémitique et dont la date est difficile à fixer; la date plausible doit se placer entre 124 av. J.-C., date probable de l'épitomé, et 70 ap. J.-C., cessation du culte sacrificiel que la prière suppose en vigueur. 2. En ce qui concerne le sens des expressions que nous nous proposons de déterminer, il faut admettre que c'est là une tâche délicate à cause du caractère liturgique du texte; quand abondent les expressions de louange, la précision fléchit nécessairement[2]. Malgré la résistance d'un texte de prière à cet égard, nous sommes en droit d'en analyser les expressions en dehors de leur contexte, puisque nous regardons ces textes, surtout à cette étape de notre étude, comme des réalisations particulières d'une compétence, à savoir le langage de prière.

3A:2.1 Vocabulaire appliqué à Dieu

1. κύριε ὁ θεός

L'adresse de la prière comprend κύριε[1], κύριε ὁ θεός. La combinaison du vocatif κύριε et du nominatif ὁ θεός dans la même fonction est très fréquente dans la LXX (H.-R.)[2]. D'habitude, cependant, un pronom personnel au gé-

---

[2] Voir BERTRAM 1939, 95.

[1] Pour ce qui concerne le problème complexe de savoir quand, dans l'histoire de la Septante, κύριος fut introduit pour remplacer le tetragramme, voir ROBERTS 1951, 173s. — Pour l'arrièrefond dans l'histoire religieuse et politique de ce titre, qu'il nous suffise de mentionner ici l'œuvre magistrale de BAUDISSIN, publiée *post mortem* par Eissfeldt en 1929 et la *Habilitationsschrift* de STEGEMANN 1969 (inédite); riche en matériaux est aussi CERFAUX 1922 et 1954.
[2] Il n'y a pas de doute qu'il faille prendre κύριε, κύριε ὁ θεός comme l'adresse, bien que, grammaticalement, ὁ θ. puisse être une apposition : WACKERNAGEL (1912) 1953 (II), 976 donne plusieurs exemples d'un vocatif suivi d'un nominatif avec article en tant que nom apposé. Mais le vocatif est très rare aussi bien en général (LSJ) que dans la LXX, tandis que κύριε ὁ θεός s'y retrouve souvent (H.-R.).

nitif y est conjoint[3], ce qui vaut aussi pour les prières de notre recueil où l'on retrouve le groupe de mots κύριε ὁ θεός τῶν πατέρων ἡμῶν etc. Les seuls cas du recueil d'un κύριε ὁ θεός sans pronom personnel-possessif sont *Sus* 35a (O' - texte) κύριε ὁ θεὸς ὁ αἰώνιος et *Jos As* 12,2 (texte court) κύριε ὁ θεὸς τῶν αἰώνων[4]; dans les *Psaumes*, il n'y a aucun exemple d'une telle invocation, mais on doit faire attention au mode d'expression du *Ps* 67(68),19 : κύριε ὁ θεὸς εὐλογητός. Il est probable que II M 1,24 et les cas analogues du recueil constituent un modèle d'invocation selon lequel, en s'adressant à Dieu, on le célèbre pour ce qu'il est en lui-même. Le syntagme κύριε ὁ θεός a certainement aussi la valeur d'une déclaration de foi[5].

Il semble que le titre κύριος ὁ θεός[6] ait eu un emploi spécifique dans le culte synagogal qui doit être considéré comme facteur d'action possible sur le langage de prière : son association avec la lecture scripturaire[7]. Les deux occurrences de l'expression dans le résumé se retrouvent en effet dans des passages d'allure biblique : II M 7,6 qui introduit une citation de *Deut* 32,36 et II M 9,5 κύριος ὁ θεὸς τοῦ Ισραηλ (cf. *Lc* 1,68). Fl. Josèphe, qui d'ailleurs préfère largement δεσπότης à κύριος[8], cite *Is* 19,19 d'une façon révélatrice à cet égard : au lieu du seul κυρίῳ de la LXX le texte est : ἔσται θυσιαστήριον ἐν Αἰγύπτῳ κυρίῳ τῷ θεῷ[9]. La leçon paraît indiquer soit une manière de lire publiquement le texte biblique, soit une façon de s'y référer pendant l'explication qu'on en donne.

2. ὁ πάντων κτίστης

Après l'adresse, ce qui est dit de Dieu en premier, c'est qu'il est ὁ πάντων κτίστης. Dieu n'est pas introduit comme créateur dans les autres prières du livre, mais bien dans d'autres textes : en 13,14, réflexion d'auteur, et en 7,23, discours de la mère des sept frères[1]. Dans les prières du recueil, le thème de

---

[3] Les cas où un σύ ou un σου figurent dans l'entourage sont pareils, voir à plusieurs reprises dans les *Psaumes de Salomon* (sur ce sujet BAUDISSIN 1929 II,144); *Ps* 9,33(10,12) ἀνάστηθι, κύριε ὁ θεός n'est pas différent.

[4] Var. δικαίων voir l'edition de PHILONENKO.

[5] Voir II M 7,6.

[6] Nous écartons ici les cas de correspondance où un κύριος ὁ θεός rend par ex. *YHWH Elohim* et aussi l'expression ὁ θεός σου qui, selon STEGEMANN 1969, 349, était habituellement prononcée κύριος ὁ θεός σου.

[7] STEGEMANN 1969, 348s. à propos de l'expression κύριος ὁ θεός : « ihre Entstehung gerade in der *Frühzeit* der Verwendung von (ὁ) κύριος anstelle des Gottesnamens bei der Schriftlesung (war) insofern recht naheliegend, als keine andere Ausdrucksweise so trefflich wie die erläutende Hinzufügung ὁ θεός dem zunächst noch blassen und mehr chiffrenhaft gebrauchten κύριος den rechten Gehalt zu geben vermochte. »

[8] SCHLATTER 1910, 9s; cf. dans I *Clem* : δεσπότης souvent pour Dieu parce que le titre κύριος est réservé au Christ.

[9] Le passage fait partie d'une lettre, dite d'Onias (de Léontopolis); il s'agit de AJ XIII, 68.

[1] Les deux fois avec un déterminatif : τοῦ κόσμου.

création, s'il est introduit, est toujours développé; la prière présente par contre, ne fait que l'évoquer. L'expression donnée a son parallèle le plus proche dans les déclarations de foi, telles les phrases de IV M 11,5 τὸν πάντων κτίστην εὐσεβοῦμεν et Lettre d'Aristée (16) πάντων ἐπόπτην καὶ κτίστην θεὸν σέβονται[2].

Nous n'avons trouvé qu'à deux endroits dans notre recueil la désignation κτίστης : Idt 9,12, locution singulière[3], et dans la prière d'origine juive de Const Ap VII[4]; le mot est rare par ailleurs dans la LXX (H.-R.)[5]. Le Nouveau Testament en donne un exemple, 1 P 4,19 et I Clem en donne deux, 19,2 et 62,2.

Nous voulons avancer deux raisons pour expliquer la rareté de κτίστης dans les prières : 1. la tradition vétérotestamentaire d'après laquelle c'est au moyen de phrases verbales que l'on parle de la création[6]; 2. la volonté évidente dans un cadre liturgique de se répandre sur l'œuvre créatrice de Dieu : ceci se fait moins aisément au moyen d'un *nomen actionis* que par des expressions verbales. Que le thème de création ait trouvé en effet un ample développement, l'expression un peu difficile de 1 P 4,19 en est un indice : la combinaison πιστὸς κτίστης se comprend mieux si on la compare à I Clem 60,1 (prière) σύ, κύριε, τὴν οἰκουμένην ἔκτισας, ὁ πιστὸς ἐν πάσαις ταῖς γενεαῖς — nous voulons regarder 1 P 4,19 comme un « résumé » d'un développement analogue, qu'il soit liturgique ou théologique proprement dit[7].

---

[2] Voir DALBERT 1952, 94 et HENGEL 1973, 481 : « Hier erklärt der angebliche Schreiber des Briefes dem König Ptolemaios II. Philadelphos die universale jüdische Gottesvorstellung »; cf. le *Livre des Jubilées* : « the Creator of all blessed it » (1,31, etc.) — la désignation a trait d'un titre. Voir à ce propos B.-G. 1926, 359s.

[3] *Idt* 9,12 : κτίστα τῶν ὑδάτων — voir cependant *Const Ap* VIII, 29,3 : quelque rapport à la 2ème Bénédiction dite *Bir. Geburôt?* — voir KOHLER 1924, 395s. et BOUSSET (1915)1979, 281, n. 2a.

[4] *Const Ap* VII,35,1 : κτίστα, σωτήρ. 35,10 ὁ δημιουργίας τῆς διὰ μεσίτου κτίστης — FIENSY 1985,180, y voit la main du compilateur.

[5] *Sir* 24,8 dit ὁ κτίστης ἁπάντων; sur l'expression correspondante en hébreu on ne peut rien dire, car un tel texte fait défaut; dans le cas de II *Regn* 22,32 nous pouvons comparer avec l'hébreu — il donne צור « roc » : cette image n'est jamais traduite par les Septante qui préfèrent des interprétations comme φύλαξ ou des épithètes divines d'une portée génerale comme μέγας et κτίστης, BERTRAM 1939; il pourrait s'agir aussi d'une autre leçon dans le cas de II *Regn* 22,32 : c'est ce que propose le vieux SCHLEUSNER, *s.v.* κτίστης « Hic fortasse legerunt יצר *formator* ».

[6] DELLING 1963, 25 : « Dass nicht κτίστης . . . verwendet ist, dürfte Nachwirkung des partizipialen Sprachgebrauch der Septuaginta sein ».

[7] Les commentateurs constatent que κτίστης n'est attesté qu'ici dans le Nouveau Testament; pour la connexion de πιστός et de κτίστης ils ne sont pas d'accord : réflexion d'une théologie de l'Alliance (SELWYN 1947) ou prédominance de l'idée de sécurité du dépôt, confié à un dépositaire, alt. « fidèle dans la mesure où Il protège dans la persécution » (SPICQ 1966); REICKE 1964 y voit les soins du Créateur : « As he is faithful he will not surrender his own unto destruction » (référence à *Lc* 23,46).

3. δίκαιος καὶ ἐλεήμων

Le choix de notre objet d'étude, le couple δίκαιος καὶ ἐλεήμων n'est pas évident; il se peut qu'on doive regarder la série de quatre épithètes, de φοβερός jusqu'à ἐλεήμων[1], comme un seul groupe de mots. *Dan* 9,4 (O' - texte)[2] et son parallèle II *Esdr* 11,5 (*Ne* 9,32) pourrait être un argument. Cependant, si ces deux textes unissent ὁ ἰσχυρὸς καὶ φοβερός à la notion d'Alliance qui s'exprime dans la phrase participiale adjointe[3], τηρῶν τὴν διαθήκην καὶ τὸ ἔλεος (*Dan* 9,4), il y a d'autres textes qui ne le font pas — mieux vaut dire, alors, que la locution φοβερὸς καὶ ἰσχυρός est ouverte au point de vue du contexte[4]. Il existe aussi dans le texte même un indice qu'il ne faut pas omettre : le mot δίκαιος revient au v. 25 et il convient d'y voir une démarcation au delà de laquelle les vertus énumérées sont d'une portée générale et universelle, se rapportant à la puissance et à la souveraineté de Dieu, en tant que Dieu.

Le groupe de mots δίκαιος καὶ ἐλεήμων ne se retrouve pas dans le recueil. Par contre, on le rencontre deux fois dans les *Psaumes* (*Ps* 114(116),5 et 111(112),4[5]. Dans les trois cas, les Psaumes et II M 1,24, le concept déterminant doit être la « justice », quoiqu'il ne soit pas facile de dire sous quel aspect la « justice » est entendue[6]. Cela est encore moins clair dans II M 1,24 : il se peut qu'ici le mot δίκαιος revête le sens de « fidèle à son alliance » ce qui entraîne, pour ἐλεήμων « miséricordieux » — la miséricorde étant une manifestation de la fidélité de Dieu à son alliance[7]; mais il peut aussi s'agir de la justice punitive à deux faces comme dans les *Psaumes de Salomon* où, en 2,32 et 10,5ss. « justice » et « miséricorde » figurent dans

---

[1] Des combinaisons avec φοβερός en tant qu'épithète divine sont multiples : *Deut* 10,17 ὁ γὰρ ὁ θεὸς ὑμῶν . . . ὁ θεὸς ὁ μέγας ὁ ἰσχυρὸς καὶ φοβερός, ὅστις οὐ θαυμάζει πρόσωπον. — *Ps* 46(47),3 : « acclamez Dieu par un ban joyeux » (TOB) ὅτι κύριος ὕψιστος φοβερός, βασιλεὺς μέγας κτλ. — *Sir* 43,29 φοβερὸς κύριος καὶ σφόδρα μέγας, καὶ θαυμαστὴ ἡ δυναστεία αὐτοῦ.

[2] *Th* : Κύριε ὁ θεὸς ὁ μέγας καὶ θαυμαστὸς ὁ φυλάσσων κτλ.

[3] Le concept d'« Alliance » est actuel d'un bout à l'autre dans ces prières pénitentielles, car la confession des péchés équivaut à la reconnaissance des actes de transgression, notamment des prescriptions de l'Alliance : voir HARTMAN 1979, 79 sur le genre de *tôdâh*.

[4] Voir la note 1 ci-dessus. Le cas de la première Bénédiction de la *Tefilla* n'est pas très clair.

[5] Pour ce qui est du *Ps* 112 (LXX:111), le sujet, humain ou divin, diffère selon les leçon différentes, KRAUS 1978, *ad* 112,4.

[6] JACOB 1968 se réfère à ce sujet à Martin (1892), qu'il cite aux pages 76—77 : « La justice se dit du Dieu saint qui ne commet pas l'iniquité; elle se dit du Dieu saint qui ne peut laisser le mal impuni, ni le bien ignoré; elle se dit du Dieu miséricordieux et lent à la colère qui, selon l'expression d'Ézéchiel, ne veut pas la mort du pécheur, mais qu'il se repente et qu'il vive. Elle se dit du Dieu amour qui poursuit le salut de son peuple; elle se dit enfin du Dieu amour qui communique sa justice au pécheur et le justifie. »

[7] KRAUS 1978, *ad Ps* 112,4 : « צדקה (bezeichnet) das bundesgemässe Verhalten das sich in Ps 112 in der Furcht Jahwes bewährt und zugleich die Segnungen und Heilzuwendungen in sich und mit sich führt. »

un contexte de jugement[8]. Nous croyons pouvoir proposer l'interprétation « fidèle à son alliance », etc., en nous appuyant sur les arguments suivants : 1. aucune pensée de « jugement » n'est exprimée dans le reste de la prière; 2. la deuxième occurrence de δίκαιος au v. 25, se situe à côté de, et vraisemblablement aussi sur le même niveau que χορηγός[9]; 3. l'usage de διαθήκη au sens religieux est rare chez les auteurs juifs écrivant librement en grec[10] : la théologie de l'Alliance s'est développée largement en dehors du soutien que lui offrait ailleurs le vocable διαθήκη[11].

Pour ce qui concerne le mot δίκαιος employé dans le résumé, il a toujours un sens contextuel bien précis; en II M 12,6 (prière), il qualifie le nom « juge »; dans la phrase hymnique de 12,41, la même combinaison est réalisée morphologiquement par le composé δικαιοκρίτης[12].

4. ὁ μόνος βασιλεὺς καὶ χρηστός

On peut se demander si cette expression implique une opposition au règne soit des Lagides soit des Séleucides[1]. Dans le résumé il y a deux passages où l'opposition est manifeste : en 7,9 Dieu est appelé « le roi du monde », tandis que le roi séleucide, loin d'être dit « roi », est qualifié de « scélérat »; en 13,4 le « Roi des rois » fait d'Antiochos Eupatôr un instrument de sa justice. A part ces deux passages, l'auteur n'emploie pas βασιλεύς pour Dieu : le cause en est que pour lui le βασιλεύς est toujours l'« ennemi » — Antiochos Épiphane et d'autres[2].

Contrastif aussi est le βασιλεὺς βασιλευόντων de la phrase hymnique qui[3], bien intégrée dans le récit, se trouve en III M 5,35. Moins net est *Esth* C 14 : βασιλεὺς σὺ εἶ μόνος — il est possible d'y voir une opposition au roi perse du cadre présupposé[4], mais le rapport à la *seule* Esther (même verset) doit être prédominant.

---

[8] SCHÜPPHAUS 1977, 89 : « Daher wirkt sich die Gerechtigkeit Gottes in seinem jeweiligen Handeln in der Geschichte durchweg als *strafende Gerechtigkeit* aus, und zwar gegenüber den Sündern als *erbarmungslos-strafende* und gegenüber den nicht sündlosen Frommen als *erbarmend-züchtigende* Gerechtigkeit. »

[9] ὁ μόνος χορηγός, ὁ μόνος δίκαιος κτλ.

[10] JAUBERT 1963, 311—15; les deux occurrences dans II M (= le résumé), 7,36 et 8,15, posent des problèmes, voir ARENHOEVEL 1967, 133, n. 4 et surtout PENNA 1965.

[11] JAUBERT, *op. cit.*, 314.

[12] Aussi dans *Or Sib* III, 704; l'accroissement du nombre des mots composés utilisés dans la *koinè* est frappant, voir BAUER 1955, 11—13.

[1] Voir HENGEL 1973, 522s. concernant le culte des souverains.

[2] ARENHOEVEL 1967, 152; voir II M 7,1!

[3] La locution remonte à une date ancienne : « von Hause aus uraltorientalisches Geschmeide wirklicher Grösskönige und auch göttliches Prädikat », DEISSMANN 1923, 310. Le βασιλεὺς βασιλέων (titre christololgique) d'*Ap* 17,4 et 19,16 s'attaque au culte impérial, si développé en Asie Mineure, à en croire PRIGENT 1975.

[4] Le roi Artaxerxes ne figure pas indépendamment d'Esther dans l'appendice dit C (éd. HANHART 1966). MOORE 1977, 210, en interprétant C 14, se réfère à B 1 et dit : « Despite Ar-

Il n'y a pas lieu de croire cependant que βασιλεύς avec son entourage soit polémique cette fois, car 1. le μόνος[5] revient deux fois encore au verset suivant comme déterminatif donné aux autres noms divins; 2. le mot χρηστός se trouve sur la même ligne que χορηγός et ἐλεήμων.

Il y a trois principaux modes d'usage de βασιλεύς dans les prières de l'époque : 1. le mot figure dans l'invocation parmi beaucoup d'autres appellations (*Idt* 9,12; III M 6,2); 2. le (vaste) domaine du Dieu — roi est marqué : *Idt* 9,12 πάσης κτίσεώς σου. *Tob* 13,13 τοῦ οὐρανοῦ, Fl. Josèphe, AJ XIV,24 τῶν ὅλων. — τῶν αἰώνων[6] : *Tob* 13,7; *Hen* 9,4; NT : 1 *TM* 1,17 (doxologie) et *Ap* 15,3 (var.); I *Clem* 61,2, etc; 3. la royauté de Dieu est rehaussée par la comparaison βασιλεύς — βασιλέων, etc.[7]

Au total, βασιλεύς a été, des siècles durant, une désignation des plus chéries par les Israélites glorifiant leur Dieu. Nous la rencontrons non seulement dans les *Psaumes* mais aussi dans les bénédictions qui entourent le *Shema*, le credo de tous les jours[8].

5. (κύριος) παντοκράτωρ

Le κύριος παντοκράτωρ de la LXX (H.-R.) correspond le plus souvent à *YHWH Sabaoth*[1]. Παντοκράτωρ est employé aussi en dehors du judaïsme, mais l'expression verbale équivalente, ὁ πάντα κρατῶν etc., est mieux attestée dans les textes conservés de l'époque[2]. Dans notre recueil de textes, l'ex-

---

taxerxes' claim to being 'the great king' (B = 1), Esther knows better, only YHWH is king ». Référence un peu surprenante vu qu'il a constaté, *supra* p. 166 que l'appendice B n'émane ni du même milieu, ni du même auteur que C!; sur l'importance du concept de « royauté divine » dans Esth grec, voir BROWNLEE 1966.

[5] Voir DELLING 1952, 474 concernant l'expression μόνος θεός, μόνος βασιλεύς etc. : « sie hat . . . den Sinn, in letzter Zuspitzung Gottes Gottsein herauszustellen, seine wesensmässige Besonderheit und seine . . . herrscherliche Souveränität, die einen absoluten Anspruch in sich schliesst »; cf. Const Ap VIII, 5,1—4 : prière juive selon Bousset et Goodenough, FIENSY 1985, 11.

[6] Voir DIBELIUS-CONZELMANN 1966, ad 1 *Tm* 1,17; sur l'expression correspondante en hébreu, très répandue dans les prières juives, voir HEINEMANN 1977, 94s : « It seems reasonable . . . to assume that the introduction of the formula *mäläk hā'ôlām* did not take place before the beginning of the second century C.E. (approximately). I tend to agree with those scholars who have claimed that the mention of God's Kingship was introduced as a protest against Roman emperor-worship. »

[7] DEICHGRÄBER 1967, 97 : « Im Spätjudentum war der Titel . . . sehr beliebt ».

[8] Voir SCHÄFER 1973, 399—404.

[1] Il y a aussi d'autres correspondances, telle que la traduction littérale κύριος τῶν δυνάμεων voir WAMBACQ 1947, 60; il y en a plusieurs exemples dans les *Psaumes*. Mais, un « Maître des puissances » se prêtait probablement à des conceptions mythiques, BERTRAM 1978, 242.

[2] MICHAELIS, *TWNT* III,913s; παγκρατής est bien attesté, voir ROSCHER, *s.v.*, par contre H.-R. ne donne que II M 3,22! — MONTEVECCHI 1957, ayant parcouru les attestations païennes de παντοκράτωρ dit au sujet de la date : « la parola παντοκράτωρ sia nata in ambiente giudeo-

pression κύριος παντοκράτωρ se retrouve dans trois domaines importants :
1. celui de la création, voir III M 6,2 et *Par Ier* 9,6[3]; 2. celui du jugement (et
de la miséricorde) : des prières pénitentielles telle que *Bar* 3,1 et *Or Man* v.
1, comprenant un appel au Dieu tout-puissant[4]; 3. de façon globale, celui de
la liturgie selon l'opinion d'un grand nombre de chercheurs : les *Constitutions apostoliques* en donnent plusieurs exemples[5]; à ce propos, et en dehors
de notre recueil, on peut constater que dans le *Siracide*, deux occurrences sur
trois ont un contexte liturgique (50,14 προσφορά, 50,17 προσκυνῆσαι)[6].
Dans le livre de *Judith* κύριος παντοκράτωρ revient cinq fois : 4,13, dans
un contexte de culte; 15,10 est une bénédiction, 8,13 (discours) se rapporte à
la création; l'hymne du ch. 16 relève pour les deux exemples de l'expression
(vv. 5 et 17) d'un contexte de jugement.

Pour inclure aussi le Nouveau Testament, les exemples de ὁ θεὸς ὁ
παντοκράτωρ dans l'*Apocalypse* sont conformes au style liturgique de bien
des passages du livre[7]. Ils cadrent bien aussi avec les thèmes eschatologiques
traités[8]. La combinaison παντοκράτωρ καὶ αἰώνιος de II M 1,25 a peut-être
son analogue dans cet écrit : la phrase tri-partite ὁ ὤν κτλ. avec ὁ
παντοκράτωρ voir *Ap* 1,8, verset que nous voulons interpréter comme Ernst
Lohmeyer[9]. Cet auteur voit dans l'expression ὁ παντοκράτωρ qui ici est séparée de κύριος ὁ θεός un résumé (*Zusammenfassung*) des énoncés de ce verset. A notre avis, le παντοκράτωρ de II M 1,25 trouve en αἰώνιος un complément grâce auquel les mots s'accordent pour exprimer que la souveraineté de
Dieu s'exerce aussi bien spatialement que temporellement. Nous voyons donc
dans *Ap* 1,8 et II M 1,25, sous des formes différentes, une expression totali-
sante de la souveraineté de Dieu[10].

Il ressort de la comparaison avec l'*Apocalypse* et avec les exemples du recueil que le παντοκράτωρ de II M 1,25 est bien intégré dans le langage liturgique.

---

ellenistico, alessandrino, e proprio per l'esigenza di tradurre il vocabolo ebraico *Sebaoth* »; (p.
406). De plus, elle note que les *nomina agentis* en -ωρ sont rares dans la *koinè*, usage restreint
au langage technique (juridique et sacré), d'une valeur stylistique parfois solennelle. L'élément
compositionnel παντο- par contre, est bien répandu dans le grec hellénistique (407s); sur la signification du terme, elle constate à la page 412 : « παντοκράτωρ è una interpretazione teologica
di (JHWH) *Sebaoth*; e presuppone un concetto universalistico, cosmico della potenza divina ».

[3] Cf. *Aristée* 185 : « Que te comble, ô roi, de tous les biens qu'il a créés, le Dieu tout-
puissant; » (trad. Pelletier); influence stoïcienne selon HOMMEL 1953—54, 338.

[4] Cf. *Ap* 15,3 et 16,7.

[5] BOUSSET (1915) 1979, 242 n. 4 : « wahrscheinlich aus der jüdischen Liturgie in die christli-
che Sprache eingedrungen ».

[6] *Sir* 42,17 se rapporte à la création. — Dans le récit de II M, le (seul) παντοκράτωρ est antithétique (voir H.-R.), La construction τοῦ παντοκράτορος ἐπιφανέντος κυρίου en 3,30 est motivée par le τὸν κύριον εὐλόγουν au début de ce verset.

[7] Voir DELLING 1959, PRIGENT 1964 et JÖRNS 1971. PRIGENT 1981, 21 : « Septuagintisme ».

[8] Cf. *Idt* 16,17.

[9] LOHMEYER 1953, *ad. loc.*

[10] On note un changement de visée après αἰώνιος — invervention de Dieu dans l'histoire.

6. ἐλεήμων, χρηστός, χορηγός

Nous avons déjà étudié le mot ἐλεήμων dans sa combinasion avec δίκαιος (v. 24). Nous avons noté également que χορηγός est juxtaposé à δίκαιος à la reprise de ce mot au v. 25, ce qui nous a servi d'argument pour notre interprétation de δίκαιος καὶ ἐλεήμων.

Or nous allons dès maintenant laisser de côté le fait que la « miséricorde » de notre texte se trouve relatée, par hyponymie, à la « fidélité à l'Alliance » pour regarder ἐλεήμων plutôt dans son rapport d'équivalence avec χρηστός, χορηγός, etc. Ceci implique un changement de niveau : de celui du texte à celui de la « langue » ou de la « compétence ».

Un trait caractéristique du langage de prière juif est l'énumération et la reprise des mots signifiant « bonté/miséricorde » (de Dieu), développement fondé sur l'Ancien Testament[1]. On peut citer plusieurs textes, anciens et récents, pour le montrer; pour ce qui est de notre recueil, I *Clem* 60,1, par exemple, donne une série de quatre mots : ἀγαθός, χρηστός, ἐλεήμων, οἰκτίρμων[2]. La série de quatre termes la plus courante est celle qui contient ἐλεήμων καὶ οἰκτίρμων κ. μακρόθυμος κ. πολυέλεος : la « prière secrète » d'Aséneth en fait usage[3], ainsi que le fait la liturgie des *Constitutions apostoliques* (VII,33,2); la série est réduite à trois termes dans *Or Man* v. 7 : εὔσπλαγχνος, μακρόθυμος καὶ πολυέλεος. Parmi les textes d'une date antérieure et qui devraient avoir influencé les exemples que nous avons donnés[4], nous voulons signaler : *Ioel* 2,13 (exhortation à la conversion), *Ion* 4,2 (prière) et II *Esdr* 19,17 (= *Ne* 9,17,prière) — cf. *Or Man* v. 7. Le *Ps* 85(86),15 répète les mots d'*Exod* 34,6 (avec ἀληθινός comme cinquième terme); dans le *Ps* 144(145),7ss. le psalmiste se répand sur la bonté de Dieu en employant non seulement la formule la plus fréquente mais aussi d'autres mots d'un sens apparenté : ce passage donne pour ainsi dire une présentation complète du champ sémantique « bonté/miséricorde »[5]. La combinaison à deux termes au moyen des morphèmes ἐλε- et οἰκτ- est si fréquente qu'il suffit d'en donner un ou deux exemples : dans les *Psaumes* l'adjectif ἐλεήμων se

---

[1] B.-G. 1926, 382ss.

[2] *Sap* 15,1 présente une autre série de quatre : χρηστὸς καὶ ἀληθὴς καὶ μακρόθυμος καὶ ἐλέει διοικεῖ πάντα à la phrase participiale cf. III M 6,2 (prière) et voir *Aristée*, 254 « . . . Dieu dirige tout l'univers avec clémence, sans la moindre colère » (trad. Pelletier).

[3] Le texte long, éd. BATIFFOL p. 54, lignes 6 à 8, avec l'ajout de ἐπιεικής DELLING 1978, 47 : « die Reihe kann dem Autor von JA aus dem synagogalen Gottesdienst geläufig sein ».

[4] ZOBEL, *TWAT* III, 63 et 64 : « Das was 'Güte Gottes' für Israel bedeutet, hat in zwei liturgischen Formeln einen verdichteten, prägnanten Ausdruck gefunden. » — il se réfère d'une part à *Ex* 34,6 et d'autre part à *Jr* 33,11.

[5] Nous retrouvons dans ce psaume aussi le concept de « fidélité à l'Alliance ». MARMORSTEIN 1927, 197 dit que ce psaume, en particulier son verset 9, a joué un rôle considérable dans la vie spirituelle des Juifs : « repeated daily by Jews, (it) took deep roots in the minds and souls of all believers in God and worshippers in the synagogues ».

combine avec οἰκτίρμων trois fois (H.-R.)[6]. Il y a aussi la combinaison ἔλεος[7] - οἰκτιρμοί, voir Ps 102(103), 4 et I M 3,44 (prière). Les verbes οἰκτεῖραι[8] et ἐλεῆσαι sont unis dans la prière de II M 8,2[9]. Une distinction s'impose cependant : il n'y a, à notre connaissance, aucun exemple de ces deux adjectifs faisant couple qui soit postérieur à *Sir* 2,11, tandis que les verbes et les noms continuent d'être combinés. Nous croyons que cette différence est due à une sorte d'économie ou, en termes positifs : le fait linguistique s'expliquerait sur le fond d'un développement théologique, conditionné par le langage de louange, dans lequel les différents aspects de la miséricorde de Dieu sont évoqués; il y a d'autres couples d'adjectifs qui véhiculent le contenu « bonté/ miséricorde »[10], mais ceux-ci ne regroupent pas de mots totalement équivalents quant à la distribution, comme le sont précisément ἐλεήμων et οἰκτίρμων.

Un autre trait typique de l'usage est le recours à divers moyens pour marquer la richesse de la « miséricorde/bonté » de Dieu. Cette abondance s'exprime au moyen de certaines épithètes, voir le ἀμέτρητον dans *Test Abr* 14,11 (prière) et dans *Or Man* v. 6, où ἀνεξιχνίαστον est encore ajouté, dans les deux cas qualifiant ἔλεος. On trouve également en combinaison avec ἔλεος un nom régnant tel que le πλῆθος de *Ps* 144(145),8 ou πλοῦτος de *Rm* 2,4[11], les deux fois avec χρηστότης. Au niveau des morphèmes, il y a πολυέλεος[12], et aussi, du moins théoriquement, le pluriel οἰκτιρμοί[13]. Une autre façon d'intensifier le sens est le rapprochement de mots équivalents, voir *Ps* 68(69),17 χρηστὸν τὸ ἔλεός σου et *Lc* 1,78 σπλάγχνα ἐλέους et aussi *Const Ap* VII,35,1 ἐλέους χορηγέ. De par les derniers exemples nous pouvons percevoir que ἔλεος est bien le terme vedette de ce champ sémantique.

Une autre manière de marquer l'amplitude de la miséricorde de Dieu est de signaler son extension dans le temps, voir *Lc* 1,50 τὸ ἔλεος αὐτοῦ εἰς γενεὰς καὶ γενεάς (cf. *Ps* 102(103),17 et 135(136) et *Const Ap* VII,38,1[14].

---

[6] Nous ne comptons pas les cas où ces deux mots sont coordonnés avec μακρόθυμος et πολυέλεος.

[7] Le mot est habituellement neutre dans la LXX selon THACKERAY I 1909, 158.

[8] Cf. HELBING 1907, 93.

[9] Les objets de la miséricorde sont : le Temple et la ville de Jérusalem comme dans *Const Ap* VII, 37,1; cf. la 14ème Bénédiction de la *Tefilla* : « Fais miséricorde, Y;, notre Dieu, en tes miséricordes nombreuses, à Israël . . . à Jérusalem . . . à Sion et à ton temple » (trad. Bonsirven); voir aussi *Sir* 33(36),17—19; et KOHLER 1924, 403s.

[10] Dans *Ps Sal* χρηστὸς καὶ ἐλεήμων (5,2), χρηστὸς καὶ ἐπιεικής (5,11); cf. BRAUN 1950—51,3 « Wie allgemein im Spätjudentum ist auch in den Psalmen Gottes Barmherzigkeit zu einem beherrschenden Begriff geworden. »

[11] La plénitude d'expression indique qu'il s'agit d'un langage liturgique: MICHEL 1978, *ad loc.* (n. 3) : « Derartige Häufungen der Eigenschaften Gottes, wie sie Pls in Röm 2,4 verwendet, klingen rhetorisch, weisen aber auf die *Gebetssprache* zurück ».

[12] Un néologisme selon TOV 1981, 586.

[13] BAUER, *s.v.* : le pluriel peut signifier des formes concrètes de l'abstrait; cf. K.-G. II:1,16. Mais il est fort probable que le mot est calqué sur *rahamîm* (BDR § 142) et dans ce cas il s'agit tout simplement d'un mot abstrait, voir NYBERG § 73x.

[14] *Const Ap* VII,38,1 Εὐχαριστοῦμέν σοι περὶ πάντων . . . ὅτι οὐκ ἐγκατέλιπες τᾶ ἐλέη σου καὶ τοὺς οἰκτίρμους σου ἀφ'ἡμῶν, ἀλλὰ καθ'ἑκάστην γενεὰν κ.γεν.σώζεις voir KOHLER 1924, 422 : *Bir. Hôdaah.*

Il nous reste à préciser la différence de distribution entre les mots ἐλεήμων, χρηστός et χορηγός : 1. χρηστός — on note sa position souvent accentuée dans la phrase (voir les références de H.-R.); dans les *Psaumes de Salomon* il est de règle que χρηστός soit le premier, voir par exemple 2,36 et 10,2[15]. On ne peut pas non plus négliger le fait que χρηστός soit membre d'une phrase courante (discours répété) qui dit : ὅτι χρηστὸς κύριος, εἰς τὸν αἰῶνα τὸ ἔλεος αὐτοῦ[16]. En somme, χρηστός dénote la nature propre de Dieu[17]. 2. χορηγός, courant dans la littérature grecque, est un *hapax* dans la LXX (H.-R.); le verbe χορηγεῖν n'y est pas rare, mais restreint à certains écrits[18]. Dans notre recueil nous ne trouvons le substantif χορηγός que dans *Const Ap* VII, 35,1 et 10[19]. Comme le texte de II M 1,25 ne laisse pas entrevoir quels sont les dons que Dieu accorde aux hommes, un coup d'œil sur le contexte de χορηγός chez Philon, peut avoir de l'intérêt. Chez lui, analogiquement à II M 1,25, le mot figure sans déterminatif[20]. Mais le contexte indique que Dieu est χορηγός en tant qu'il subvient aux besoins matériels de l'homme. Dans la *Lettre d'Aristée* le verbe est employé dans ce même sens[21], tandis que pour *Sir* 1,10 et 25 (dans ce cas χορηγεῖν) le don de Dieu est un bien spirituel : la sagesse. 3. ἐλεήμων fait état d'une distribution spécifique : dans *Tob*, *Sir* et II M, celui auquel on s'adresse dans la prière est présenté comme ὁ ἐλεήμων (θεός/κύριος)[22], expression de la conviction que Dieu est celui qui exauce les prières[23].

Ayant dressé ce petit inventaire d'expressions dénotant la « bonté/miséricorde » de Dieu, nous pouvons constater que s'ouvre devant nous un domaine de première importance pour le développement d'un langage de prière et d'une théologie qui s'enrichissent mutuellement[24].

---

[15] Ces passages font écho au *Ps* 144(145),9a; cf. ci-dessus, note 5.

[16] Voir ZOBEL, *TWAT* III,64; dans notre recueil, voir *CantTrPuer* v. 89; I M 4,24 donne une variante : ὅτι καλὸν ὅτι εἰς αἰῶνα τὸ ἔλεος αὐτοῦ.

[17] Cf. ce que dit WEISS, *TWNT* IX,474 : « das Wort χρηστός (findet) seine am meisten charakteristische Verwendung in der anbetenden *Lobpreisung Gottes* ». Pour un appui direct à notre thèse, voir STACHOWIAK 1957, 5 : « sowohl ἀγαθός wie auch χρηστός also beide in Frage kommenden Aequivalente des hebr. טוב kommen Gott κατ' ἐξοχήν zu »; à l'aide de ZIEGLER 1937, 24 on peut y apporter une modification : « Jedoch wird der griechische Leser sicherlich zwischen ἀγαθός und χρηστός geschieden haben; das erste ist mehr im allgemeinem Sinne zu fassen, während χρηστός einen persönlicheren, wärmeren Ton hat. ». L'A. signale, p. 45, que le latin établit la correspondance χρηστός — *suavis*, voir II M 1,24 dans l'ancienne latine (codd. BM) : *solus es rex (et) suavis* (éd. DE BRUYNE).

[18] Il en est de même avec χορηγία H.-R.; dans le NT, χορηγός fait défaut.

[19] Le mot est fréquent chez les Pères, voir LAMPE.

[20] *Spec.* I 180 et 199 et *Her.* 76.

[21] « A considérer, en effet, combien Dieu fait cas de l'espèce humaine, à qui il prodigue santé, bien-être et le reste ». (259, trad. Pelletier). Cf. *Épître à Diognète* 3,4 et 10,6.

[22] *Tob* 3,11 (S); *Sir* 48,20 et 50,19. Dans II M 8,29, 11,9 et 13,12.

[23] BULTMANN, *TWNT* II, 478 : « Sein ἔλεος . . . wird erwartet, erhofft, erbeten. »

[24] Cf. HULTGÅRD, 1977, 172 (les *Test XIIPatr*) : on ne s'exprime pas de façon stéréotypée sur la miséricorde de Dieu.

3A:2.2 Vocabulaire concernant les orants

1. ὁ ποιήσας τοὺς πατέρας ἐκλεκτούς
(κ. ἁγιάσας αὐτούς)

Tandis que les « Pères » figurent souvent dans les prières du recueil[1], nous n'avons pas retrouvé ailleurs l'expression exacte de II M 1,25 : ὁ ποιήσας τοὺς πατέρας ἐκλεκτούς. Quant à la distribution du mot πατέρες, on peut noter qu'il est un constituant de l'ensemble (κύριος) ϑεὸς τῶν πατέρων ἡμῶν, d'usage surtout dans les invocations comme par exemple dans *Or Man* et *Or As*[2]. Un autre contexte important est celui de l'alliance (avec les Pères), évoquée dans la proximité d'une demande de secours; sur ce point, nous pouvons renvoyer le lecteur à notre traitement de la phrase courante « il se souviendra de son Alliance » (*supra* 2.2.1.4).

Dans II *Esdr* 19,7 (*Ne* 9,7), Abraham est introduit comme élu par Dieu à la même place qu'occupent, dans II M 1,25, les pères élus, à savoir au commencement de la prière[3]. De fait, *Ne* 9,7 est le premier texte à parler directement d'une élection d'Abraham[4]. Comparé à d'autres textes de la littérature post-exilique où figurent, en fonction d'objets d'élection, soit Jérusalem et les prêtres, soit les fidèles, ce texte de *Ne* 9 est particulièrement fort : Abraham y est le fidèle idéal — noter au v. 8 εὖρες τὴν καρδίαν αὐτοῦ πιστήν[5]. La dimension historique n'est cependant pas absente, car dans l'ensemble de *Ne* 9,7—31, c'est avec Abraham que commence l'exposé de l'histoire du peuple d'Israël[6].

Le cas de II M 1,25 ne s'inscrit pas dans un exposé de ce genre[7]. Avec la suite καὶ ἁγιάσας il nous paraît évident que le qualificatif ἐκλεκτός désignerait plutôt une catégorie à laquelle appartiennent de préférence les Pères[8], ceci d'autant plus que le concept « les élus » a pris son essor dans la littérature judéo-hellénistique[9]. Il s'ensuit que la construction ποιεῖν ἐκλεκτούς

---

[1] Nous ne discuterons pas la question de savoir quel est, dans chaque cas, le référent de ce mot. La notion de « Pères » est bien ambivalente déjà dans la tradition biblique, Jaubert 1963, 31.

[2] Également dans *Const Ap* VII,33,2 et cf. la première Bénédiction de la *Tefilla*; les deux fois ils sont désignés par leur nom : Abraham, Isaac et Jacob (*Ex* 3,6).

[3] Dans les deux cas, « Abraham l'élu » fait partie de la louange narrative (*berichtendes Lob*) continuant la louange descriptive (*beschreibendes Lob*) pour emprunter la terminologie de Westermann (1968) 1977.

[4] Koch 1955, 225, n. 5.

[5] Koch, *art. cit.*, 225.

[6] Cf. *Ps* 104(105), 6 et 9, *Ne* 9,9 et la remarque de Jaubert 1963, 31 : « L'épopée de la délivrance d'Égypte se trouvait ainsi placée dans la suite naturelle de l'histoire des patriarches. »; la même suit aussi en *Ac* 13,17 — dans II M 1,25 l'ordre est inverse!.

[7] Un tel exposé de l'histoire est un trait typique du genre littéraire de « prière pénitentielle », genre auquel notre prière de II M n'appartient pas. Cf. I *Esdr* 8,72s.

[8] Le sens de ἐκλεκτός est proche de celui de ἅγιος, voir Schrenk, *TWNT* IV, 187.

[9] Dalbert 1954, 137—43.

n'est pas une simple périphrase[10]. Le verbe ποιεῖν devrait plutôt dénoter non une constitution de nature formelle et juridique (cf. ᾿Αθηναῖον π. τινά, LSJ), mais un acte qui est virtuellement une création[11].

Les « Pères » sont donc, dans les prières, aussi bien des modèles de piété que des témoins du fondement historique de la foi d'Israël (*Ex* 3,6). L'aspect « modèle » domine dans *Const Ap* VII,33,2 : θεὸς τῶν ἁγίων κ. ἀμέμπτων πατέρων ἡμῶν τῶν πρὸ ἡμῶν[12].

2. διαφύλαξον τὴν μερίδα σου και καθαγίασον

L'accent sera mis ici sur le mot μερίς qui, comme ses équivalents κλῆρος et κληρονομία, désigne le peuple d'Israël. Nous retrouvons un ou plusieurs de ces mots équivalents dans les prières suivantes : *Idt* 13,5, *Est* C 8—10 (les trois termes) et III M 6,3. Le II M nous offre un exemple de plus, le cas de 14,15 qui s'accorde avec 1,26 sur un point essentiel, la désignation fondamentale et primaire : λαός, suivi de μερίς, qualification qui désigne le peuple de façon encore plus précise comme étant la « part » de Dieu[1]. Il en est de même dans la prière d'*Esther*, C 8—10 (cf. III M 6,3). Μερίς en II M 14,15 et κληρονομία en *Idt* 13,5 sont associés avec le même verbe ἀντιλαμβάνεσθαι[2]. Les phrases de III M 6,3 et *Est* C 9 sont équivalentes : ce qui est dit négativement (μὴ ὑπερίδῃς) dans le premier est dit de façon positive dans le second (ἔπιδε). Dans tous les textes cités, le concept « héritage » concerne immédiatement les orants, car il entre dans une supplication élémentaire, une demande de secours.

Dans II M 1,26, la mention du « peuple d'appartenance » actualise la notion de sainteté[3]. La prière n'est pas la seule qui fasse ce rapprochement — il est patent en III M 6,3 (λαόν) μερίδος ἡγιασμένης. Le *Livre des Jubilées*,

---

[10] Cf. VITEAU 1896, 27 : « Les écrivains bibliques (LXX et NT) aiment à exprimer l'idée par deux mots au lieu d'un : ainsi par une périphrase du verbe simple. . . ». — Dans la *koinè* en général, de telles périphrases ne sont pas rares, voir PALM 1955, 177—79.

[11] PESCH 1976, *ad Mc* 3,14 (ἐποίησεν δώδεκα) propose une alternative « amtstheologisch » ou acte par le « Schöpfer seines Volkes » (cf. *Is* 43,1 ποιήσας σε Ιακωβ); voir aussi I *Regn* 12,6 : κύριος ὁ ποιήσας τὸν Μωυσῆν καὶ τὸν Ααρων; SCHLEUSNER, *s.v.*, traduit « constituit Mosen », etc. Cf. *He* 3,2 ποιήσαντι αὐτόν (Jésus Apôtre et Grand-Prêtre). — Nous croyons donc que dans II M 1,25 il s'agit de deux aspects faisant un tout. La bonne remarque de GRIMM 1857, *ad loc* : « nicht bloss dass er sie erwählt, sondern auch die subjective Befähigung zur ἐκλογή verliehen habe ». — Cf. HELBING 1928, 54s. sur deux accusatifs avec ποιεῖν pour rendre un hifil hébreu.

[12] Voir FIENSY 1985, 132 : l'aspect « modèle » peut-être redevable à l'intervention du compilateur.

---

[1] Voir par ex. WILDBERGER 1960, 17—20.

[2] II M 14,15 a une certaine allure de louange à cause de la construction participiale.

[3] La combinaison des adjectifs « élu » et « saint » pour qualifier le peuple d'Israël n'est pas restreinte à cette période tardive, cf. *Ex* 19,5 et voir JACOB 1968, 166.

en 22,29 (prière) va dans le même sens[4]. Le mot choisi pour dénoter « sanctifier » est rare pourtant : la LXX ne donne qu'un nombre limité d'exemples de καθαγιάζειν. Quel est son sens dans II M 1,26? Vu la répartition de ce verbe dans le reste du livre, il devrait signifier « consacrer » (2,8 et 15,18)[5]. Les exemples de la concordance de H.-R. s'inscrivent dans le même genre de contexte; il s'agit d'animaux ou d'objets de fonction cultuelle : le sens est donc bien « consacrer » comme dans II M 2,8 et 15,18. Dans la *Lettre d'Aristée* (98) il n'est pas différent[6]. Par rapport aux exemples donnés, le complément d'ordre humain impliqué dans II M 1,26 est une exception et le sens du verbe reste encore incertain. Pour résoudre le problème, il faut tenir compte des données suivantes : 1. la valeur du préfixe qui peut être confective[7]; 2. le contexte sacrificiel de la phrase (les deux termes du v. 26 sont πρόσδεξαι τὴν θυσίαν resp. καθαγίασον). Nous en concluons que le sens oscille entre un sens fort de « sanctifier » (cf. le verbe simple à la fin du v. 25 : « les pères sanctifiés ») et « consacrer ». Nous avons trouvé, en fait, un exemple analogue de cette oscillation de sens chez Philon[8]. Il en résulte pour l'estimation de la valeur stylistique de l'expression qu'il s'agit d'un langage métaphorique, à base cultuelle.

Pour reprendre maintenant la comparaison de II M 1,26 avec les textes indiqués plus haut, ayant en vue cette fois leur cadre respectif, nous pouvons dire que ces cadres se ressemblent en ce sens que la nation juive est en danger dans chaque cas (*Est* C 8—10); *Idt* 13,5; III M 6,3 et II M 14,15). Il n'y a pas de cadre pareil pour II M 1, 24—29 qui est une prière d'un caractère littéraire différent. Mais dans la prière elle-même, on peut constater que la supplication qui suit regarde le rassemblement des dispersés. Et la prière « synagogale » de *Sir* 33(36) révèle de par ses versets 13a et 16b (ces versets se suivent) le même enchaînement de pensée. Nous sommes pour cette raison portée à dire que la dimension territoriale de l'héritage n'est pas absente du μερίς de II M 1,26[9]. Il nous reste à étudier le rôle du dit rassemblement dans le langage de prière juif.

---

[4] *Jub* 22,29 : (Abraham bénit Jacob et prie) « . . . so that you might protect him and bless him and sanctify him for a people who belong to your heritage » (trad. Wintermute dans CHARLESWORTH II).

[5] Contre GRIMM 1857, *ad* 1,26 : « nur verstärktes simplex »; GUTBERLET 1927, *ad* 2,8 suggère une meilleure approche.

[6] Le passage d'*Aristée* 98 selon la traduction de Pelletier : « il porte . . . l'inimitable mitre, le diadème sacré » (τὸ καθηγιασμένον βασίλειον).

[7] SCHWYZER II, 476 : « Die Hauptmasse bildet das *konfektive kata* — zur Bezeichnung der Erreichung des Ziels des Verbalinhaltes ».

[8] Philon, *Cher.* 106 : καθιεροῦν et καθαγιάζειν coordonnés, avec un complément humain. La sanctification découle non pas d'un temple terrestre, mais d'un οἶκος intérieur : « Une seule maison est digne de lui (= Dieu), l'âme conforme à sa volonté. » (fin de 99; trad. Gorez).

[9] κληρονομία dans II M 2,17 a une dimension territoriale marquée : ἀποδοὺς κληρονομίαν πᾶσιν καὶ τὸ βασίλειον καὶ τὸ ἱεράτευμα καὶ τὸν ἁγιασμόν (cf. *Ex* 19,5), passage qui se réfère, d'après ABEL 1949, *ad loc.*, à la délivrance de l'oppression et à la purification du Temple. II M 2,17s. reprend plusieurs expressions de la prière de 1,24—29.

3. ἐπισυνάγαγε τὴν διασπορὰν ἡμῶν (v. 27a)

Parmi les textes du recueil, nous en avons trouvé deux qui expriment une aspiration à un rassemblement de la *diaspora*[1] : *Sir* 33(36),13 et *Ps Sal* 8,28, auxquels il faut joindre la dixième Bénédiction de la *Tefilla*. On doit également tenir compte des prières eucharistiques[2] de la *Didachè*, où le thème du rassemblement se retrouve sous une forme transformée et développée comme c'est aussi le cas ailleurs dans l'ancienne littérature chrétienne[3].

Ps Sal 8,28 a συνάγαγε τὴν διασπορὰν Ισραηλ reproduisant ainsi la tournure connue dont il y a des exemples dans *Is* 49,6 (ἐπιστρέψαι), *Ps* 146(147),2 et ailleurs. Il s'agit d'une conviction qui a soutenu les siècles durant l'espérance du peuple juif. Il convient de noter que l'auteur du cantique 8 des *Psaumes de Salomon* envisage le rassemblement comme une manifestation de la miséricorde de Dieu; on peut constater presque la même chose sous une modalité différente dans le cantique 11. *Tob* 13,5 et II M 2,8 et 18 ont la même visée. De fait, 2,18 appartient à un texte qui commente la prière de 1,24—29, expressément donc aussi son verset 27a. Le thème a trouvé dans *Sir* 33(36),13 une expression légèrement différente : συνάγαγε πάσας φύλας Ιακωβ; à ce thème eschatologique se sont associés d'autres, tels que la jouissance de l'héritage promis (cf. ci-dessus) et des manifestations de la miséricorde de Dieu (le contexte donné par l'arrangement du texte dans l'éd. de Ziegler).

A ces textes grecs, il faut comparer la dixième Bénédiction de la *Tefilla* qui dit (trad. Bonsirven) : « Sonnez la grande trompette pour notre liberté et levez l'étendard pour rassembler nos dispersions. »[4], à quoi s'ajoute l'affirmation correspondante, introduite par le typique « Béni sois-tu, Y., qui ». Il importe de noter que dans la bénédiction citée, comme en II M 1,27, un pronom personnel est le déterminatif donné, tandis qu'ailleurs, c'est Israël (cf. *Sir* 33(36),13) qui joue ce rôle, de plus, la « liberté » est évoquée dans la proxi-

---

[1] διασπορά métonymie pour « les dispersés », comme dans *Ps Sal* 8,28 et ailleurs; le mot désigne aussi la région (*Idt* 5,19; *Jn* 7,35) et dénote l'acte même (*Ier* 15,7), voir Bultmann 1950, *ad Jn* 7,35, 233 n. 6.

[2] Pluriel chez Rordorf-Tuilier, 1978 (*SC*, 248), pour des raisons : pp. 38—48; d'autres préfèrent le singulier, voir par ex. Verheul 1979 : la prière eucharistique — trois prières de bénédiction dans les ch. 9 à 10.

[3] Les passages sont : 9,4 (« comme ce pain rompu ») et 10,5 où le rassemblement de l'Église est mis en rapport étroit avec le royaume à venir, « que tu lui as préparé »; cf. le lien signalé entre héritage et rassemblement dans *Sir* 33(36),13s. (sous 2.2.2). Les chercheurs tendent à expliquer ces passages par référence, soit aux textes liturgiques (par ex. Riesenfeld 1956), soit à la tradition johannique (ch. 6 en particulier — Cerfaux 1959, et d'autres). A propos du rassemblement dans le royaume à venir, Clerici 1966, 94—101, préfère y voir un « Bittruf um Endverwirklichung » et non pas une prière pour la mission. — *Did* 9,4 et 10,5 sont tenus pour les *loci classici* de la réflexion sur l'unité de l'Eglise : « die Einigungswirkung der Eucharistie », Congar 1972, 385.

[4] Sonnerie de trompettes, annonce des fins dernières dans *Ps Sal* 11,1 et *Ap* 4,1. Sur le « rassemblement » en tant qu'élément de l'eschatologie juive, voir Volz 1943, 344s; voir aussi *Mc* 13,27 et par.

mité immédiate de « rassemblement » dans ces deux derniers textes[5], indice d'une certaine attitude négative vis-à-vis de la vie de *diaspora*[6].

Le rassemblement eschatologique n'est pas seulement l'objet d'une supplication; selon I M, il se réalise déjà — dans les exploits de Simon Maccabée : συνήγαγε αἰχμαλωσίαν[7] πολλὴν (14,7). II M 2,7, par contre, l'envisage dans un avenir indéterminé. La dixième Bénédiction de la *Tefilla* en fait une vérité théologique, exprimée sous forme de louange (*barûk*) — annexée à la supplication correspondante.

Quoique la *diaspora* en tant que donnée politique des temps hellénistiques ne fût pas, du moins pas principalement, le résultat d'une contrainte[8], la vie dans un milileu païen était parfois considérée comme un net danger. En outre, le fait de ne pas avoir de demeure dans le pays d'Israël était jugé, dans un temps bien antérieur[9], comme la conséquence des péchés commis. Cette opinion avait encore des adhérents à l'époque qui nous occupe, voir *Or As* v. 14, *Bar* 3,8 et cf. *Ne* 1,8.

Il est fort probable qu'une des circonstances qui ont concouru à la formulation d'une prière pour le rassemblement ait été la prise de conscience, parfois aiguë, de la nécessité d'un centre, soit topographique, soit idéologique ou les deux à la fois. Le cadre littéraire de II M 1, 24—29 est bien Jérusalem, et la prière elle-même a des traits qui la lient au Temple (v. 26). Pour ce qui est du passage de *Ps Sal* 8,28, Jérusalem est également à l'horizon[10].

Ces quelques observations sur les différentes expressions de la notion biblique « rassembler les dispersés » ont montré que le langage de prière non seulement est le gardien de la croyance, mais le véhicule de la foi vivante qui doit s'exprimer dans des circonstances toujours nouvelles.

---

[5] Dans la dixième Bénédiction de la *Tefilla*, la liberté est évoquée avant le rassemblement, dans II M 1,27, c'est l'ordre inverse. — sur les Bénédictions X à XIV, voir KOHLER 1924, 400 — il y voit un arrangement de thèmes antérieurs aux temps maccabéens.

[6] Cf. ELBOGEN 1913, 33 : « Erst als während der hellenistischen Bewegung klar zutage trat, wie sehr die Masse der nur griechisch rendenden und denkenden Juden überhand genommen hatte, wurde die Diaspora als eine Gefahr erkannt, wurden die alten Verheissungen der Sammlung der Zerstreuten Gegenstand des Gebets. »

[7] Mot qui est assez souvent choisi pour traduire *gôlâh*, voir H.-R.

[8] SCHÜRER III, 1898, 2s. explique pourquoi une si grande partie du peuple juif se déplace à cette époque, et ceci de plein gré : il faut compter avec 1. le commerce; 2. la volonté des Diadoques de bien consolider leur pouvoir, fondant dans ce but de cités nouvelles en invitant les gens de partout; 3. la situation de la Palestine, en butte aux conflits séleucides-ptolémaïques. — Mais les guerres ont aussi produit des déplacements coercitifs : des prisonniers ont été emmenés, voir le témoignage de la *Lettre d'Aristée*, 12—13 et ailleurs (les textes sont mentionnés et jugés du point de vue de l'histoire dans DUCREY 1968, 85ss.).

[9] Voir *Dt* 28,25 et 30,4.

[10] Le milieu d'origine du recueil dans son ensemble est sinon Jérusalem, ce que HOLM-NIELSEN 1979, 173 trouve vraisemblable, du moins la Palestine. En II M 1,27 il est question d'une localité précise, ce que souligne le préfixe *epi-* et indique également le contexte suivant, surtout la supplication « Implante ton peuple », etc., du verset 29.

4. Les opprimés

Sous ce titre général nous traiterons du vocabulaire des versets 27 et 28. La première expression à fournir matière au thème est le complément de la demande « délivre », la phrase τοὺς δουλεύοντας ἐν τοῖς ἔθνεσιν. Nous ne l'avons pas retrouvée comme telle parmi les textes de prière recueillis, néanmoins, grâce à cette phrase, nous touchons à un thème souvent évoqué dans les prières. Comment faut-il comprendre l'énoncé en tant qu'élément littéraire du Deuxième livre des Maccabées? Félix-Marie Abel (1949) propose de ce verset une interprétation à deux faces — l'une concerne essentiellement la référence, l'autre le sens. Serait-il question des Juifs vendus en esclavage comme le raconte le livre lui-même en 8,10s., soulignant le rôle actif de certaines villes du littoral dans ce commerce? Ou s'agit-il plutôt du point de vue traditionnel et négatif sur la vie en exil? Nous sommes convaincue que c'est la deuxième acception seulement qui est actuelle dans II M 1,27. Non seulement la teneur de la supplication précédente est déterminante, en particulier le terme διασπορά mais aussi l'emploi du verbe choisi δουλεύειν dans la Septante (voir aussi sous *douleia* dans H.-R.) L'« oppression » qui s'exprime ici consiste en premier lieu dans la nécessité de vivre « *alieno imperio subiectus* »[1]. Telle était la situation politique du peuple d'Israël sous les Séleucides[2], et telle était, *mutatis mutandis*, les conditions de vie au temps de l'Exil — δουλεύειν est le mot choisi pour désigner la période selon I *Esdr* 8,77, où en priant Esdras affirme : ἐν τῷ δουλεύειν ἡμᾶς οὐκ ἐγκατελείφθημεν ὑπὸ τοῦ κυρίου ἡμῶν[3].

A l'époque plus reculée encore du séjour en Égypte, les Israélites habitaient une « maison de servitude », οἶκος δουλείας (voir H.-R.). Vivre dans la « servitude », c'est la situation d'être livré aux ennemis, comme dans la prière d'Esther (C 17ss). Quand est évoqué dans une prière l'état d'assujétissement, il n'est pourtant jamais question du seul manque d'autonomie politique. C'est la nécessité de se sousmettre à des païens qui est ressentie comme oppression au vrai sens du mot. La prière de II M 13,11 est claire sur ce point : « qu'il ne laissât pas ce peuple . . . tomber au pouvoir des nations isolentes » (TOB), et celle de III M 6,10 se donne une limite : εἰ δὲ ἀσεβείαις κατὰ τὴν ἀποικίαν[4] ὁ βίος ἡμῶν ἐνέσχηται, ῥυσάμενος ἡμᾶς. C'est en conséquence avec une telle conception que notre texte parlera dans la suite du mépris dont les dispersés font l'objet. Le mépris joue un grand rôle dans la description de la situation des exilés selon la prière de Tobit (*Tb* 3,4) : « voués à être la fa-

---

[1] WAHL 1853, *s.v.*; cf. Eschyle, *Prométhée* 927 (LSJ) : τό τ'ἀρχεῖν καὶ τὸ δουλεύειν δίχα.
[2] Voir I M 8,17s : Judas envoya une députation à Rome 'pour conclure amitié et alliance et faire ôter leur joug, car ils voyaient que le royaume des Grecs réduisait Israël en servitude' (TOB; voir l'apparat critique de KAPPLER, *ad loc.*).
[3] Dans RAHLFS = v. 77; le texte parallèle de II *Esdr* 9,9 donne ἐν τῇ δουλείᾳ ἡμῶν.
[4] Selon H.-R. ce mot traduit souvent *gôlâh*, surtout dans I et II *Esdr*.

ble, la risée, l'objet d'insulte de toutes nations parmi lesquelles tu nous as dispersés » (TOB)[5]. La grande prière de Baruch, en 3,8 contient un passage semblable.

Pour ce qui est de la teneur exacte de II M 1,27b, on peut relever deux détails : le mot ἐξουθενημένος n'est pas rare dans la LXX (H.-R.), mais βδελυκτός ne s'y rencontre que deux autres fois, l'une dans les *Proverbes*, l'autre dans le *Siracide*[6]. L'adjectif est d'ailleurs employé par Symmaque, indice que le mot était usuel[7].

'Υπερηφανία en tant que caractéristique des adversaires est un lieu commun dans les prières de cette époque. Il se retrouve dans I M comme nous l'avons vu, dans *Idt* 9,9 (prière) et comme caractéristique d'une situation en *Sir* 51,10 : « au temps des orgueilleux, où je suis sans secours » (TOB)[8]. Dans III M 2,2—20, l'orant n'est jamais à court d'expressions adéquates au comportement de ces « orgueilleux ». Curieusement, dans *Jos As* 12,7, l'adjectif est introduit en tant que qualificatif attribué à Aséneth, la pénitente[9].

Le thème « orgueil » est traditionnel, il est un élément du langage des *Psaumes*[10], devenu pour les Juifs aux époques hellénistique et romaine un mot-clé[11]. Aussi pouvons-nous lire dans la douzième Bénédiction de la *Tefilla* : « et le royaume d'orgueil, promptement déracine-le en nos jours » (Bonsirven).

5. καταφύτευσον τὸν λαόν σου, κτλ.

Dans la prière de 1,24—29, la locution ἐπισυνάγαγε τὴν διασποράν du v. 27 n'est pas le seul exemple de discours répété. Le verset 29 en comporte un autre[1] : καταφύτευσον τὸν λαόν avec précision du lieu d'installation marqué, ici τὸν τόπον τὸν ἅγιόν σου.

A titre de discours répété, le verbe composé de καταφυτεύειν[2] est pourvu

---

[5] Traduction basée sur la recension S. La prière de Tobit est un produit littéraire de plusieurs éléments traditionnels, surtout dans la partie de confession des péchés, DESELAERS 1982, 76—85.

[6] Voir ZIEGLER 1958[b], 276.

[7] *op. cit.*, p. 287.

[8] Il est communément admis que ce chapitre est un appendice formé de deux psaumes différents dont les versets là 2 constituent une action de grâces, MIDDENDORP, 1972, 114.

[9] Aséneth se dit ἡ σοβαρὰ καὶ ὑπερήφανος; la longue recension insère un πότε devant le premier adjectif, l'annonce du « Einst-Jetzt »-schéma qui est développé dans la suite (BATIFFOL, p. 55, lignes 9 à 16), voir BERGER 1975, 238 et cf. dans le NT, *Ga* 4,8s; sur le sujet TACHAU 1972, et sur ce passage de *Jos As*, voir ses pages 54—56.

[10] KRAUS 1979, 158s.

[11] Cf. KUHN 1950, 20 : « In 1., 2. und 3. Makk kommt diese Wortgruppe (= ὕβρις et ὑπερηφανία) auch rein statistisch ungleich viel häufiger vor als irgendwo sonst im AT oder den at.lichen Apokryphen und Pseudepigraphen. »

---

[1] Un troisième exemple est la phrase γνώτωσαν τὰ ἔθνη, κτλ. — voir notre exposé *supra*, sous 2.2.1.5.

[2] Voir GRIMM 1857, *ad loc.*; le verbe simple fait état d'une distribution différente.

du complément « peuple de Dieu », expressément ou par référence, et l'actant, inutile de le dire, est toujours Dieu. Le lieu choisi pour le séjour fixe et assuré qu'évoque la phrase, qu'il soit l'objet d'une demande (II M 1,29 et *Exod* 15,17) ou d'une promesse, est ou le Temple, ou la Terre Sainte, ou bien les deux à la fois[3]. *Exod* 15,17, II *Regn* 7,10 (I *Par* 17,9), *Am* 9,15 et *Ier* 24,6 sont les principaux témoins de la locution. Dans notre recueil de prières pourtant, nous ne l'avons pas retrouvée. Pour interpréter la phrase de II M 1,29, il faut partir de la tradition biblique, tenant compte aussi des intentions littéraires de la lettre où est insérée la prière. Il s'ensuit que 1. le « lieu saint » désigne le Temple, ne serait-ce qu'à cause du pronom personnel-possesif (σου)[4]; 2. la citation (voir la formule) se réfère à *Exod* 15,17[5], où la Septante, à la différence du texte massorétique[6], donne κατεφύτευσον, c'est dire déjà dans le texte source une supplication; 3. l'auteur de cette section du préambule s'est donc muni d'un argument bien fondé qui puisse soutenir son point de vue, à savoir que la Ville Sainte et le Temple doivent occuper une place prépondérante dans l'esprit des dispersés. Ou pour s'exprimer avec les paroles de Bruno Baentsch sur *Ex* 15,17 : « le pays n'a pas d'importance sans la ville de Dieu au milieu de lui »[7].

3A:2.3 *Autre vocabulaire*

1. ὁ διασῴζων τὸν Ἰσραηλ

Il n'y a pas lieu de s'attarder à la phrase présente au v. 25, seul exemple de II M[1]. Il faut cependant faire quelques remarques relatives à ce v. 25. D'abord, c'est un fait que le verbe σῴζειν ne figure nulle part dans II M qui pour dénoter « sauver « préfère le verbe ῥύεσθαι ainsi que le fait le III M; le IV M l'emploie mais d'une façon spécifique, à savoir en tant qu'antonyme de « mourir ».

Parmi les trois exemples de διασῴζειν qu'apporte le IV M, il y en a un, en 17,22 (discours), qui s'avère très proche de II M 1,25 parce que c'est « Israël » aussi qui est le complément du verbe : ἡ θεία πρόνοια τὸν Ἰσραηλ προκακωθέντα διέσωσεν; ces deux exemples similaires expriment une interprétation théologique de l'histoire, comme le fait plus démonstrativement le

---

[3] BAENTSCH 1903, *ad Ex* 15,17.
[4] Contre ABEL 1949, *ad loc.*, qui suggère « la Terre Sainte ».
[5] Avec NELIS 1975 et contre GRIMM 1857, HABICHT 1979 et d'autres.
[6] Le TM donne נטע à la troisième personne.
[7] BAENTSCH (*ibid.*) : « das Land hat keine Bedeutung ohne die Gottestadt in seiner Mitte ».

[1] Il y a encore quelques cas de διασῴζειν dans le II M, entre autres 8,27, qui s'intègre dans une phrase hymnique. Nous aurons à argumenter pour le sens de « conserver » dans ce cas, voir *infra*, 3B:1.5.

I M avec la phrase correspondante σῴζων τ. Ισραηλ. Mais entre ces trois livres il n'y a, sur ce point, qu'une affinité apparente. Non seulement le sens du verbe διασῴζειν est plus restreint que celui du verbe simple employé en I M[2], mais il y a d'autres facteurs qui agissent sur ces phrases des II et IV M pour réduire leur portée : dans II M, le verbe est accompagné d'un complément circonstanciel (ἐκ παντὸς κακοῦ) qui donne une allure abstraite à la phrase entière; dans IV M, c'est le concept « Israël » qui est important — le côté historique est affadi et la base sociologique est à peine sensible car il s'agit ici plutôt des Israélites fidèles que de la nation d'Israël. A notre avis, ces phrases des II M et IV M révèlent, chacune à sa façon, un principe d'individualisation qui influe sur les croyances juives[3].

2. πρόσδεξαι τὴν ϑυσίαν

La phrase soulève une question importante qui doit ici diriger notre approche : le lien entre prière et sacrifice[1]. Nous avons dans les écrits deutérocanoniques des passages qui attestent ce rapport; dans le livre de *Baruch* nous lisons : « présentez des sacrifices . . . et priez » (1,10s.), et la prière de Judith est pourvue d'un cadre illustratif disant qu'elle pria « au moment même où à Jérusalem on offrait l'encens de ce soir-là *Idt* 9,1; TOB)[2]. La relation prière-sacrifice dont témoignent les textes mentionnés est bien entendu une manifestation particulière du cadre verbal lié à l'offrande dans toutes les religions qui la pratiquent et qui se présente aussi dans l'Ancien Testament : les attaches liturgiques de bien des Psaumes sont des exemples parlants; d'ailleurs, le sacrifice en lui-même est entendu non sans cause comme une prière en action[3]. Et l'apparition de l'institution synagogale avec son accent sur le

---

[2] SCHWYZER II, 1,2, p. 450.
[3] La distribution de σῴζειν en IV M indique la même chose. Cf. VOLZ 1934, 53s., à propos du judaïsme hellénisé : « Das gemeinsame Merkmal der Schriften dieses Zweigs der Judenschaft im Unterschied vom palästinischen besteht allerdings darin, dass mehr das Los des Individuums betrachtet wird als das Los der Nation, und dass die Hoffnung des 'Frommen' die Hoffnung der Nation verdrängt; ».

[1] Le mot ϑυσία de II M 1,26 désigne sans doute un holocauste, car à ce mot est juxtaposé en 2,10 le terme exact ὁλοκαύτωμα, DANIEL 1966, 257; selon CASABONA 1966, 126s. le mot ϑύω dans le grec classique est très général. L'A. tire de son étude (p. 127) : « Comme ϑύω, ϑυσία s'applique à des offrandes de toute nature, et de même que c'est l'objet du verbe qui précise le mode d'offrande, de même, avec le substantif, c'est le génitif adnominal, ou plus souvent le contexte seul. » — sur le terme de ὁλοκαύτωμα, moins fréquent dans la LXX que ne l'est ὁλοκαύτωσις, voir DANIEL, *op. cit.*, 256ss; quelques-uns parmi les livres deutérocanoniques ainsi que Flavius Josèphe et Philon font état d'une certaine retenue devant ce mot technique, « senti comme un terme 'spécial' de la Bible alexandrine » (*op. cit.*, 258).
[2] Cf. HOENIG 1979, 473ss. et surtout sa note 124 : « R. Joshua ben Levi said : The prayers were ordained to be correspondent with the sacrifical offerings (in time). » (*Ber.* 26b).
[3] DE VAUX 1960 (II), 349s. Pour le phénomène, voir l'index de WIDENGREN 1969, *s.v. Gebetsopfer*; sur l'AT il dit, p. 286 : « Von welcher Art der Psalm oder das Gebet auch sein mag, es

côté verbal a probablement eu des répercussions sur le culte du Temple[4].

Il n'est donc guère surprenant que la terminologie soit partiellement la même pour la prière et le sacrifice[5]. Voici quelques données linguistiques qui s'y rapportent : 1. le mot ϑυσία dénote « prière », par exemple dans *Or As* v. 40 où l'orant se réfère, par comparaison justement, à l'offrande « des myriades d'agneaux gras » que dans la situation de misère retracée (v. 38), on ne saurait immoler; *Tob* 12,12 est en raison de son emploi de μνημόσυνον[6], un exemple analogue; 2. en tant que complément au verbe προσδέχεσθαι, noyau de la phrase présente de II M 1,16, figure non ϑυσία mais δέησις ou des mots synonymes : dans *Const Ap* VII, 37,1 il n'est pas demandé comme dans notre prière de II M « agrée ce sacrifice pour ton peuple » mais πρόσδεξαι τὰς διὰ χειλέων δεήσεις τοῦ λαοῦ σου. Nous concluons : les mots ϑυσία et προσδέχεσθαι sont chacun en soit ouverts, alors que leur combinaison — sans déterminatif prêté à ϑυσία — décide le sens ainsi que la préposition ὑπέρ. La phrase telle qu'elle se trouve ici en II M 1,26 se rattache donc au culte du Temple.

3A : 2.3.3 Conclusion

Dans la prière de II M 1,24—29 se rencontrent deux optiques et deux milieux différents. Dans les versets 24 à 25 sont réunies des expressions qui illustrent l'influence alexandrine. Un bon exemple est le syntagme πάντων κτίστης (2.1.2) dont l'usage (*Aristée* et IV M) et la distribution attestent qu'il a été employé comme profession de foi. Quant au mot δίκαιος, répété d'une façon significative (2.1.3), nous avons constaté qu'il revêt le sens de « fidèle à l'Alliance » sans pourtant être associé expressément dans le texte au concept d'Alliance : l'absence d'un διαθήκη ou συνθήκη est symptomatique. Nous avons vu dans l'expression ὁ διασῴζων τὸν Ισραηλ (2.3.1) un certain affaiblissement de la dimension historique qui s'explique plus facilement dans un milieu primordialement hellénistique. Bien que l'abondance des mots dénotant « bonté/miséricorde » soit typique du langage de prière qui nous con-

---

ist in Israel immer gern von einem Opfer begleitet worden. Das ist im Psalter der Fall, wo wir hier und da Hinweise auf die Opferhandlung finden — wir können sie *Gebetsopfer* nennen — die das Rezitieren des Psalms begleitet. »

[4] SAFRAI 1976, 915s.

[5] WENSCHKEWITZ 1932, 18 parle d'une « enge Verbindung und doch prinzipielle Trennung von Gebet und Opfer in der jüdischen Religion »; cf. II M 7,37.

[6] *Tob* 12, 12 ἐγὼ προσήγαγον μνημόσυνον τῆς προσευχῆς ἐνώπιον τοῦ ἁγίου (BA; τῆς δόξης κυρίου, S). — DANIEL 1966, traitant de la correspondance μνημόσυνον-*azkârâh* (pp. 225 à 237), signale à la page 231, n. 23, le verset 10,4 des *Actes des Apôtres* qui relève du langage liturgique; *Jub* 2,22 s'exprime de façon semblable — l'auteur assimile les prières du peuple (probablement) à une offrande d'encens : « And he caused their desires to go up as a pleasing fragrance, which is acceptable before him always. » (trad. Wintermute dans CHARLESWORTH II).

cerne — nous l'avons amplement montré (2.1.6) — il n'empêche que notre texte a probablement subi l'influence des conceptions en vogue dans le monde ambiant : « bonté/miséricorde » était une vertu royale hautement appréciée en Égypte[1]. De ce champ sémantique si développé dans les versets 24 à 25, le mot χορηγός est un représentant éminent. Expression métaphorique[2], d'une distribution analogue dans la *Lettre d'Aristée* et chez Philon, elle désigne la vertu divine qui procure aux hommes de façon libérale les biens matériels dont ils ont besoin. La métaphore a plus de chances d'être inventée comme épithète divine dans un milieu pénétré par la civilisaiton grecque — et dans une cité relativement riche : l'opulence d'Alexandrie était proverbiale[3].

Se rattache au Temple, comme nous l'avons affirmé tout à l'heure, la phrase πρόσδεξαι τὴν θυσίαν du v. 26. La perspective qui domine les versets 26 à 29 est palestinienne; nous avons mis en valeur le sens unique de la pérégrination envisagée : c'est à Jérusualem que doivent s'installer « nos dispersés ». A l'inverse, la vie dans la *diaspora* est qualifiée négativement d'« oppression » (2.2.4). Relevons enfin que le contenu des versets 26 à 29 est différent, et qui plus est, le langage de cette section se distingue en raison de deux exemles importants de discours répété : les versets 24 à 25 ne nous en offrent pas un seul exemple.

Il y a cependant deux facteurs qui réunissent les deux sections : *A*. la vie synagogale dont nous voyons des traces au début et à la fin de la prière : 1. κύριε ὁ θεός (2.1.1) se situe, à en juger par sa distribution, à proximité de l'explication de textes bibliques, si dominante parmi les activités de la synagogue; 2. l'emploi dans un cadre synagogal de la phrase καθὼς εἶπε Μωυσῆς — tout commentaire est inutile[4]; 3. le cas du v. 30 qui est moins sûr, mais il se peut que la notice sommaire sur l'accompagnement de l'offrande par le chant des hymnes soit le reflet d'une organisation du Temple modelée sur le service synagogal (2.3.2). *B*. le langage liturgique soit au Temple soit à la synagogue : 1. l'attribut χρηστός (2.1.6) est un élément indissociable de l'action de grâces; 2. la citation d'*Exod* 15,17 (2.2.5) reflète un emploi liturgique de ce cantique[5].

---

[1] La vertu de miséricorde était hautement appréciée en Égypte d'après SCHWER, *RAC* I, 1201. Concernant II M, il n'est pas sans intérêt de noter que 1. ἐλεήμων faisait partie de la nomenclature lagide — Arsinoë II 'Ελεήμων était titulaire d'une rue d'Alexandrie, FRASER 1972, 35 et la note 276 (tome II, p. 110).

[2] La métaphore est très répandue dans la littérature grecque, voir LAWLER 1951; pour un exemple, voir Polybe II, 44, 3 : ἦν αὐτοῖς οἱονεὶ χορηγὸς καὶ μισθοδότης (Teubner).

[3] Voir FRASER, *op. cit.*, 132—88.

[4] Cf. III M 6,15 et voir SCHÄFER 1973, 391 : « Torahlesung *und* Gebet », les deux éléments principaux de l'office synagogal dès son début. Il nous semble très plausible que la prédominance de la lecture des textes bibliques suivie d'explications ait eu sur la prière liée au même cadre des répercussions formelles et substantielles.

[5] Voir *op. cit.*, 400 et surtout 402 — dans la première et troisième bénédiction qui encadrent le *Shema* il y a plusieurs références à ce cantique.

La prière serait donc le résultat d'une situation d'échanges entre Jérusalem et l'Égypte, mais aussi, nous semble-t-il, le produit de deux cultes en développement parallèle et interdépendant.

Nous reviendrons sur ces données pour les éclaircir ou les mettre mieux en valeur dans la section « style » et dans la section « organisation ».

3A : 3 Style

A. Laudatio

(RHÉT. et RYTHME). La louange (vv. 24 à 25) s'ouvre par une invocation redoublée[1]. Puis c'est l'emploi anaphorique de l'article qui engendre l'agencement clair et consistant de ces versets, d'autant plus que les groupes nominaux qu'introduit le déterminant sont rangés en asyndète[2]. La répétition de groupes nominaux de longueur inégale mais cadencée donne à la prière une note de gravité[3]. Celle-ci s'accentue vers la fin de la *laudatio* (v. 25) grâce aux deux phrases participiales importantes. C'est là un style qui se rapproche de celui des textes égyptiens faisant l'éloge d'un dieu ou d'un souverain, cités par Edouard Norden dans son ouvrage *Agnostos Theos* : des catalogues d'exploits au moyen de participes substantivés[4]. Tout n'est pas participe ici, mais aussi bien les substantifs que la plupart des adjectifs énumérés concernent l'activité de Dieu.

(FRÉQ/POS). Le morphème « *pas* » figure trois fois dans la *laudatio*, le mot μόνος de même; ce sont des traits typiques du style hyperbolique de la poésie hymnique de l'Antiquité grecque[5]. L'hyperbole temporelle y est représentée aussi par αἰώνιος[6].

(VALEUR). Le débordement de termes laudatifs n'est suivi d'aucune motivation; nous avons dans cette absence un écart par rapport à ce qui est fréquent dans les hymnes en général[7]. Le texte n'est pas loin de ces listes de vertus de l'Antiquité, qui cependant concernent les hommes[8]. L'AT au contraire les applique à Dieu. Même le Pseudo-Aristée, auteur si lettré, obéit à ce

---

[1] Voir ci-dessus, 2.1.1.
[2] Sur les effets d'asyndète, voir ABEL 1927, 358.
[3] Cf. WEHOFER 1901, 28.
[4] NORDEN 1923, 223—27.
[5] KEYSSNER 1932, 28.
[6] Cf. à l'égard de ἀεί, *op. cit.*, pp. 39—42.
[7] Voir NORDEN 1923, 157, se référant, entre autres, à des hymnes orphiques.
[8] VÖGTLE 1936, 94.

principe[9]. Notre texte contient d'ailleurs la formule arétalogique la plus répandue dans l'Ancien Testament[10].

Deux aspects du langage religieux d'adoration sont ici actualisés : 1. la louange n'est pas seulement un acte de confession, mais par sa nature même elle est admiration; 2. la phénoménologie donne une explication de l'exubérance d'attributs divins : « celui qui est riche en essence, est riche en puissance »[11].

(VALEUR). Nous avons signalé quelques points de ressemblance entre ce passage et la poésie hymnique de provenance extra-biblique. Un vocable est particulièrement apte à motiver ce rapprochement : le mot χορηγός dont nous avons déjà parlé. Nous n'avons qu'un seul exemple à citer, trouvé par hasard dans un document épigraphique épidaurien[12], mais il a la vertu d'ouvrir une vaste perspective. Cet exemple est significatif dans la mesure où il a la forme d'une invocation — témoin verbal, parmi d'autres bien entendu, de la *Lebensauffassung* qui caractérise ce genre de poésie : l'affirmation claire des virtualités inhérentes à l'existence humaine[13].

B. Petitio

(VALEUR). Nous voulons encore une fois attirer l'attention sur la part considérable du discours répéte dans la *demande* (vv. 26 à 29), si bien que l'ensemble paraît être sorti d'un seul moule biblique.

Du point de vue de la stylistique normative on serait porté à réprouver la finale peu opportune de καθὼς εἶπε Μωυσῆς. Pour un regard plus indulgent, la phrase devient révélatrice d'un esprit de dévotion pour lequel l'Écriture sainte est parole vivante — à la fois matériel et véhicule de la prière.

Conclusion

Les traits stylistiques signalés soutiennent notre thèse, à savoir que le texte a une double provenance : d'une part, une *laudatio* conforme aux préoccupations que l'on peut supposer chez les Juifs vivants dans un milieu cosmopolite et de l'autre, une *petitio* dont la thématique traduit des idées florissant à Jérusalem. Compte tenu du fait que la prière est insérée dans une lettre envoyée par le conseil des anciens de Jérusalem à leurs frères juifs d'Égypte, la diver-

---

[9] ROMILLY 1979, 219.

[10] ὁ φοβερός,κτλ., VÖGTLE, *ibid*.

[11] NEUSTADT 1931, 387 : « wer reich an Wesen ist, ist reich an Macht ».

[12] MAAS 1933, 150 : « χοραγὲ τᾶς ἐφιμέρου καλλ [. . .] κύριε χαῖρε ».

[13] KEYSSNER 1932, 136; quelques exemples (pp. 136 à 154) d'attributions divines : βιοδώτωρ, ζωογόνος, πολυτρόφος, φερόλβιος; cf. l'Hymne de Cléanthe, ligne 28 (*SVF* I, fr. 537); au dire du même Keyssner, 148 : « Leben und Glück stehen im Mittelpunkt des hymnischen Gebetes ».

gence de forme et de contenu paraît intentionelle. Car, si les Juifs d'Égypte doivent se reconnaître aussitôt dans la *laudatio*, par la *petitio* ils seront incités à se voir comme le peuple enraciné à Jérusalem.

Au niveau littéraire, la prière servira alors d'argument probant.

3A:4 Organisation

AGENCEMENT. L'invocation κύριε, κύριε ὁ θεός est suivie d'une louange qui recouvre les versets 24 et 25. L'objet de la louange est de prime abord Dieu selon son « être »[1]. Une série de qualificatifs évoquent les vertus divines de puissance, justice, miséricorde et bonté. Le groupement est dominé par la formule arétalogique « redoutable et fort, juste et miséricordieux »[2] et encadré par deux expressions qui se rapportent au temps : πάντων κτίστης et αἰώνιος[3]. Entre ces deux termes, outre la formule arétalogique vétéro-testamentaire et le titre παντοκράτωρ qui véhicule un sens proche de celui de αἰώνιος, nous trouvons des analogies tirées du monde humain, mais réservées de deux manières : 1. par le μόνος répété; 2. par combinaison — avec le mot χρηστός (dont le sens n'est pas ambigu à cause de son emploi assidu dans la liturgie) et avec « tout-puissant et éternel », expression qui marque la transcendance.

La *laudatio* a jusqu'ici un ton net de profession de foi, impression que le reste du verset 25 confirme : ici est évoquée l'action de Dieu en faveur du peuple d'Israël, son action ininterrompue de délivrance d'abord, puis son acte fondamental d'élection dans le passé. Les versets 25b et 25c constituent un passage de transition car ces deux énoncés servent de motif de confiance pour la *petitio* (vv. 26 à 29). Celle-ci se divise en deux parties : 1. une suite de trois supplications conditionnée par la situation référentielle, à savoir le sacrifice; 2. un enchaînement de trois demandes qui se rapportent à la situation des dispersés, suivies de deux supplications qui, sous des modes différents, visent « les autres », le monde hostile; une demande globale d'abord (« rassemble »), qui à strictement parler rendrait superflus les énoncés qui suivent. L'inconséquence n'est qu'apparente cependant, car la première demande, à

---

[1] Cf. la première Bénédiction de la *Tefilla*. Les attributs de la prière de II M sont cependant plus généraux.

[2] Le nombre quatre pourrait avoir un sens — expression peut-être qui signale la richesse et la perfection de la nature divine : cf. les quatre anges de *pânîm* qui entourent le trône (GRÖZINGER, *TRE* IX, 588). Voir aussi PETERSON 1926, 251.

[3] 1 *Clem* 60,1 s'avère très proche quant au langage conceptuel : le domaine de la *création*, très développé, apparaît d'abord et est suivi des notions de *justice, puissance*, sagesse, *bonté* (Dieu est dit χρηστός envers ceux qui ont confiance en lui) et *miséricorde* — la double expression, voir *Ps* 144(145),8 et ci-dessus 3A:2.1.6. A notre avis, il n'est pas douteux que ce soit le *Ps* 144 (145) qui constitue l'ossature de ce passage de la *Prima Clementis* (en italiques les points communs avec II M 1,24—25).

cause de son accent eschatologique, est un énoncé à part. L'ordre différent de la même combinaison dans la dixième Bénédiction de la *Tefilla* est pourtant significatif : *là* les deux éléments de « rassemblement » et « liberté » font partie d'un schème eschatologique[4], *ici* on ressent que la « liberté » revêt un sens politique concret.

Les autres demandes (vv. 27 et 28) concernent la situation d'affliction des dispersés et débouchent, d'une façon typique, sur une conséquence double pour l'ennemi[5] : la « conversion » universelle d'une part et le châtiment des oppresseurs de l'autre.

La dernière demande (v. 29) de la deuxième section de la *petitio* se rapporte à la première demande de cette même section, car les deux évoquent comme objet d'attente un peuple réuni; la dernière supplication est cependant plus intense puisque ici « nos dispersés » est devenu « ton peuple », enraciné à Jérusalem[6]. La section s'achève par une référence pleine de confiance : « comme l'a dit Moïse »[7], et ceci parce que la liaison entre la demande d'un rassemblement et celle d'une installation pour toujours n'est pas seulement syntaxique ou logique — elle relève d'une structure de pensée persistante dont *Dt* 30,1—5 est un exemple frappant.

THÈMES FONDAMENTAUX. Plutôt que de parler ici d'une thématique déterminée, nous trouvons bon de souligner la force illocutionnaire du texte, exprimant la foi en un seul Dieu et la conviction qu'il a élu un seul peuple. Sur ces bases s'exprime aussi l'espérance en un seul peuple uni dans le lieu qui lui a été promis et qui lui est propre.

ACTION-ACTEURS. Dans cette prière la part que prend l'identification et du locuteur et de l'allocutaire est proéminente. Le locuteur est présenté en tant que constitué par l'allocutaire et pour une existence en rapport étroit avec lui, comme assemblée de culte.

---

[4] *Supra*, 3A:2.2.3; même ordre dans *Ps Sal.* 11,1 qui commence « Sonnez à Sion la trompette de présage pour les saints ».

[5] De même dans I M 4,10—11.

[6] La dix-huitième Bénédiction de la *Tefilla* évoque « Israël — ton peuple » et « nous tous en unité » dans un contexte pareil.

[7] Cf. dans III M 6,15 : καθὼς εἶπας . . . οὕτως ἐπιτέλησον, κύριε (fin de prière).

3B. Le résumé

3B:1 Contexte

Nous prenons ici les prières dans l'ordre où nous les rencontrons dans le récit. Étant donné que le chapitre 3, histoire d'Héliodore, forme une unité littéraire bien délimitée, c'est en une fois que nous étudierons les prières de ce chapitre au point de vue de leur rapport au contexte discursif. Il en sera de même pour ce qui concerne le chapitre 7, le martyre des sept frères.

3B:1.1 Les prières du ch. 3, histoire d'Héliodore

Dans le récit de l'intrusion d'Héliodore[1], premier ministre de Séleucos IV Philopatôr (187—175 av. J.-C.), dans le temple de Jérusalem (3,1—40)[2], sont insérées quatre phrases de prière, parmi lesquelles une phrase hymnique. La prière de 3,15 est prononcée par les prêtres; en 3,22 c'est probablement la foule accourue de toutes parts qui invoque le Seigneur[3], en s'exprimant d'une manière en partie identique à 3,15, le propos de ces deux invocations étant le même : que les biens déposés au sanctuaire soient gardés intacts. La phrase hymnique (3,30) est insérée au moment où Héliodore est frappé de paralysie.

DÉLIMITATION. Les phrases 3,15 et 3,22 sont toutes les deux introduites par le verbe ἐπικαλεῖσθαι, suivi d'un groupe de mots qui présente l'adressé de la prière, et qui au point de la syntaxe sert de sujet à la construction à l'infinif qui constitue dans ces deux cas la phrase de prière[4]. En 3,31, l'adressé de la prière est indiqué par le seul τ. ὕψιστον[5], lié à ἐπικαλεῖσθαι qui est subor-

---

[1] BIKERMAN (1939—44) 1980, 159. Le personnage est attesté par une inscription de Délos, DEISSMANN 1903, 305ss.

[2] Sur les problèmes que pose ce chapitre au point de vue de la critique littéraire, voir l'article fondamental de BIKERMAN citè ci-dessus (pp. 159—191). L'auteur y avance la thèse que deux traditions différentes sont combinées dans le récit de II M, voir surtout ses pages 173s.

[3] Les locuteurs semblent plutôt formels : οἱ μέν en contraste avec l'acteur principal, Héliodore (ὁ δέ) qui, implacable, se met à l'oeuvre (vv. 22 et 23).

[4] Pour ce qui est de l'adressé d'une prière, nous avons trouvé dans le livre les types d'emploi que voici : 1. présentation de l'adressé d'un contenu informatif en dehors de la prière proprement dite, voir 14,34. 2. un énoncé du contenu informatif portant sur l'adressé se rencontre aussi dans les phrases courtes qui ne contiennent qu'une invocation, voir 12,6. 3. Aucune prière développée, avec *petitio*, ne contient une présentation de l'adressé de ce genre. Sur ce point aussi, les prières de 3,15 et de 3,22 sortent de l'ordinaire.

[5] BIKERMAN, *art. cit.*, 183 : « Les compagnons païens d'Héliodore donnent ici au Dieu de Jérusalem le nom qu'il portait officiellement dans les actes grecs ».

donné à ἠξίουν (les Syriens s'empressent de demander au grand-prêtre Onias d'intercéder pour leur chef) et coordonné avec τὸ ζῆν χαρίσασθαι[6]. La phrase hymnique du v. 30 τὸν παραδοξάζοντα τὸν ἑαυτοῦ τόπον est introduite par εὐλόγουν τὸν κύριον. D'après le sens ce sont les Juifs qui bénissent, en contraste avec l'adversaire réduit à l'inaction et au silence, mais grammaticalement le sujet reste imprécis, cf. le cas de 3.22.

LIENS SIGNIFICATIFS. 3,15 et 3,22 sont bien collés au contexte : les deux phrases renvoient au v. 10. Le v. 22 répète l'essentiel du v. 15. En fait, il s'agit d'une *inclusio* : les deux phrases encadrent la description du désarroi répandu dans toute la ville, conséquence de l'action insolente d'Héliodore[7]. Les suppliants du v. 22 contrastent avec l'acteur hardi du v. 23; il est hardi parce qu'il porte atteinte non seulement au promoteur des lois relatives aux dépôts (v. 15)[8], mais au Seigneur tout-puissant. Qu'il en subisse aussi les conséquences est prévu tout de suite dans le texte qui suit par l'introduction d'une épiphanie du « Souverain des Esprits et de toute puissance » (TOB), qui reprend évidemment le τὸν παγκρατῆ κύριον du v. 22. La phrase hymnique de 3,30 contraste également avec son entourage comme nous l'avons déjà dit. Le sacrilège puni, le trésor du Temple indemne, les Juifs ont lieu de bénir celui qui glorifie son saint lieu[9]. En somme, toutes les phrases de prière sont bien liées au contexte, ce qui vaut aussi pour les paroles du scélérat lui-même en 3,35 εὐξάμενος τῷ τὸ ζῆν περιποιήσαντι[10], apparemment « réponse » à l'intercession d'Onias en 3,31.

FONCTION. *Au niveau syntaxique* les phrases de 3,15 et de 3,22 servent d'éléments structurants : en forme d'*inclusio* elles délimitent une partie du récit qui vraisemblablement est moins importante pour l'auteur[11]. *Au niveau sémantique* on note le contraste entre les Juifs et les Séleucides. Les uns prient, les autres agissent de façon menaçante (cf. 15,25s.). Quand ces derniers ne peuvent même pas s'exprimer, les premiers font des louanges. A la fin du récit, celui qui a été ἄφωνος et mis hors d'action, agit pour Dieu en lui rendant son témoignage, et pour le sanctuaire par sa mise en garde contre tout acte d'hostilité vis-à-vis du saint lieu dans l'avenir. Il est donc devenu malgré lui un instrument de protection du temple de Jérusalem.

---

[6] L'énoncé est révélateur et de la croyance dans le pouvoir d'intercession et de l'importance donnée à certains personnages dans ce domaine, voir LE DÉAUT 1970, 35—57. Voir aussi 15,14 où le même Onias (III), *post mortem*, intercède pour son peuple.

[7] Le v. 23 renvoie aussi au v. 13.

[8] Cf. 4,17.

[9] Cf. III M 2,9 καὶ παρεδόξασας (τὸν τόπον) ἐν ἐπιφανείᾳ μεγαλοπρεπεῖ.

[10] Nous prenons l'expression εὔχεσθαι εὐχήν dans le sens de « faire des voeux », voir aussi 9,13; ainsi GRIMM 1857 et NELIS 1975; la TOB; « adresser des prières ».

[11] BIKERMAN, *art.cit.*, 174 : « ce hors d'oeuvre au goût des lecteurs grecs de l'époque hellénistique » (vv. 14—22).

Au regard de la situation de communication : les phrases servent le but propagandiste discernable par ailleurs dans le livre. Il est apparent qu'Héliodore se propose un acte d'injustice : voir au v. 12 le renom universel du Temple, le terme technique de ἀσυλία et au v. 15 τ. νομοθετήσαντα; de plus, le scélérat lui-même est poussé à confesser la puissance merveilleuse du Dieu des Juifs.

3B:1.2 Le passage de prière concluant le récit du martyre des sept frères, 7,37—38

Le récit du martyre des sept frères est une insertion. Déjà 7,1 le signale : une indication sur le lieu du martyre fait défaut[1]. De plus, des données linguistiques laissent entendre un original sémitique[2]. Que le martyre ait lieu devant le roi, on le sait, est un *topos*[3], voir les ressemblances avec *Dn* 3,16—18 pour ce qui concerne aussi bien l'esprit intrépide des martyrs que l'attitude intransigeante du roi (II M 7,2s.)[4]. L'un après l'autre les sept frères (et enfin leur mère) prennent la parole, en expliquant chacun à sa manière la raison de son courage face à la mort. Ces énoncés déclaratifs constituent l'essentiel du récit[5]. Le discours du plus jeune frère (7,30—38) qui souffre son supplice en dernier, reprend et accentue les paroles déjà dites[6]. Son discours se termine par une déclaration selon laquelle il se livre à la mort en priant.

DÉLIMITATION. Ἐπικαλούμενος marque le début et gouverne la construction jusqu'à la fin du passage. Le v. 39 raconte la réaction de colère du roi contre une piété qui ne veut pas se laisser contaminer (cf. v.3).

LIENS SIGNIFICATIFS. Tandis que dans le discours de 7,6 il est dit avec assurance au moyen d'une citation biblique qu'« il aura pitié de ses serviteurs » (*Dt* 32,36), dans la prière il est demandé que Dieu *soit* clément. Même chose

---

[1] Nous suivons l'opinion de HABICHT 1979, 233:ce récit a été joint au résumé par le rédacteur du livre. — Certains chercheurs optent pour Antioche comme lieu du martyre, d'autres proposent Jérusalem. Pour ce qui est d'Antioche il faut constater qu'il n'existe pas de preuves que la persécution y ait causé des martyrs, DOWNEY 1961, 111; *contra* : SCHATKIN 1974 et d'autres. BUNGE 1979, situant le problème dans l'histoire politique du temps, arrive au même résultat que DOWNEY. Jérusalem est le lieu selon IV M (4,23), réutilisation et expansion de ce récit de II M, DUPONT-SOMMER 1939, 26—37.

[2] HABICHT 1979, 233; voir σπέρμα en 7,17.

[3] STEMBERGER 1972, 15 qualifie le récit « typisch legendäre Volkserzählung », voir aussi ABEL 1949, 371.

[4] BICKERMANN 1937, 7 et HABICHT 1979, ad 7,2.

[5] Zeitlin dans TEDESCHE-ZEITLIN 1954, 51 dit à bon droit que l'auteur (selon lui = l'abréviateur) « used the story of the martyrs to illustrate religious ideas through the sufferings of the Jews ».

[6] Voir dans le discours du plus jeune (y compris la prière) 7,35 et 7,37 et cf. 7,17; voir 7,32 et cf. 7,18 et encore voir 7,36 et cf. 7,9 et 7,14.

si l'on met en rapport ce verset 37 de la prière avec l'assertion du v.33 : le βραχέως ἐπώργισται devient un ἵλεως ταχύ. Ce rapport met en lumière que les assertions ne sont pas définitives : elles dépendent de la volonté divine. En 7,17 le Séleucide est averti de l'expérience de « la grande puissance de Dieu » à laquelle il sera exposé dans l'avenir; dans la prière (v.37) un effet de cette expérience est objet de demande : la profession de foi en le seul Dieu.

FONCTION. *Au niveau sémantique* le passage forme un complément essentiel au contexte précédent, en sorte que la situation affligeante des martyrs se transforme en une situation prometteuse pour le peuple entier, voir dans le passage même, le changement de ἔθνος en γένος ἡμῶν. *Pour la situation de communication* ceci entraîne que les destinataires de ce récit s'aperçoivent qu'il y a une intention consolatrice qui se greffe sur l'intention apologétique patente dès le début (voir μανθάνειν au v. 2)[7].

3B:1.3 La prière prononcée au commencement de la résistance, 8,2—4

La mention de Judas et de ses compagnons renvoie à 5,27 où était présentée leur piété irréprochable, leur préparation spirituelle, pourrait-on dire, à l'insurrection racontée seulement ici en 8,1[1]. Ce renseignement est suivi d'une prière de l'assemblée qui équivaut à une mobilisation spirituelle en face de la mobilisation militaire, et dans le cadre du livre, à un programme de résistance. La situation narrative où est insérée cette prière est semblable à celle de I M 3,44 et 52s. Selon ce dernier récit, avant la première grande bataille, l'assemblée est convoquée pour « implorer pitié et miséricorde », ce qui est effectivement le contenu essentiel de II M 8,2—4. Quant à la situation narrative faisant suite à la mobilisation spirituelle dans les deux livres, il y a cependant une différence. Ici la prière est suivie non d'une grande bataille, mais d'un sommaire des actes de vengeance réalisés par Judas et son armée (cf. I M 3,5—9).

DÉLIMITATION. La prière est introduite par ἐπεκαλοῦντο (l'assemblée), qui régit la construction jusqu'à la fin de la prière. Au v. 5, par l'introduction d'un autre sujet, le récit recommence.

---

[7] Nous disons « apologétique » et non pas « propagandiste » parce qu'il nous semble clair que ce récit est une réponse à la critique prêtée aux Juifs de tenir obstinément « aux lois de leurs pères ».

[1] 5,27 sert de transition et prépare le récit de l'installation des cultes païens par Antiochos Épiphane; μολυσμός y sert de mot-agrafe, voir μολῦναι en 6,2. La phrase de clôture de 7,42 marque la fin du récit sur les atrocités commises et sur la persévérance des martyrs; la phrase est vraisemblement déplacée, voir HABICHT 1969, *ad loc.*

LIENS SIGNIFICATIFS. Les faits de la dévastation du Temple et de la ville étaient racontés en 5,13ss. et en 6,1, mais la prière ne s'y réfère que par thème. Le vocabulaire de la prière rappelle plutôt les lamentations descriptives que nous avons rencontrées dans les trois premiers chapitres du I M. Le seul rattachement au contexte immédiat est produit par le οἰκτεῖραι/ἐλεῆσαι de la prière et son correspondant ἔλεος au v.5, notamment dans la phrase τῆς ὀργῆς τοῦ κυρίου εἰς ἔλεον τραπείσης.

FONCTION. *Au niveau sémantique* il y a une nette indication : la phrase citée révèle que la suspension de la colère divine n'est pas premièrement ou essentiellement la conséquence du succès militaire de Judas mais de la miséricorde de Dieu, répondant aux instances du peuple[2].

3B:1.4 Prière d'intercession pour les esclaves, 8,14—15

Cette prière introduite par ἠξίουν est bien liée au contexte immédiat. Le verset 14 en son entier se réfère à la situation de menace décrite en 8,11; c'est là une supplication concrète et précise. Quant au v. 15b, qui renferme une allusion à *Ex* 19,5, il crée un contraste vis-à-vis du contexte discursif puisque la vente des esclaves juifs, qui y est en cause, équivaudrait à la lumière de cette allusion à une dénégation de l'existence fondamentale du peuple, « part personnelle » de Dieu.

FONCTION. Le verset 15 donne le motif de la supplication; la formule en 15a διὰ διαθήκας (voir supra 2.2.1.4) serait un motif valable en toute situation, mais le verset 15b contient un motif concret et absolument adapté à la situation individuelle du récit[1].

3B:1.5 Phrase hymnique et supplication : 8,27 et 29

Au moment du récit où Judas et ses compagnons ont remporté une victoire glorieuse sur Nikanôr, ils se mettent à célébrer le sabbat (v.27) en chantant des chants de louange εὐλογοῦντες καὶ ἐξομολογούμενοι[1].

---

[2] La différence avec la présentation de I M est apparente; la phrase ἀπέστρεψεν ὀργήν y figure parmi d'autres références aux exploits de Judas, énumérés en 3,3—9.

[1] Autrement dit, une partie du contexte discursif est introduite dans la prière de deux façons différentes : 1. le contexte est *repris* en tant qu'objet d'une demande (v.14); 2. il est *éclairé* par la conviction d'être le peuple personnel de Dieu qu'exprime la prière. — L'épisode *avec* sa prière devait avoir une portée plus étendue aussi longtemps que des Juifs étaient vendus comme esclaves. Il y a même lieu de dire que c'est la prière qui indique cette portée globale de récit. — Pour la réalité historique qui se reflète dans le texte, voir DUCREY 1968, 237.

[1] Le jour du sabbat, la louange est le langage approprié, KOHLER 1924, 392 : l'A. cite une bénédiction qui suggère une ambiance apparentée à 8,27 (et 8,29) : « satisfy us with Thy good-

LIENS SIGNIFICATIFS. Quelques difficultés du texte nous obligent à faire deux remarques préliminaires. 1. Nous prenons διασώσαντι dont le régime αὐτούς est à suppléer, dans le sens de « conserver »[2], et nous voyons dans le syntagme εἰς τ. ἡμέραν ταύτην un complément de ce même participe; 2. L'expression ἐλέους τάξαντος, la leçon des meilleurs manuscrits et le texte choisi par Hanhart, fait difficulté — personnellement nous choisissons la solution de Peter Katz qui propose de lire τάξαντι : la leçon τάξαντος serait due à une faute de copiste par adaptation au cas du mot précédent[3]. La phrase hymnique se rapporte étroitement au contexte immédiat. La raison pour laquelle Judas et ses hommes remercient Dieu, c'est qu'il les a fait vivre pour la célébration du sabbat. (A comparer avec la tragédie de leurs compatriotes massacrés le jour de sabbat en 5,25)[4]. L'expression ἀρχὴν ἐλέους se réfère à la victoire sur Nikanôr (cf. εἰς ἔλεον en 8,5), mais celle-ci a trouvé, le jour du sabbat, son sens plein de Zeitenwende.

FONCTION. Que cette phrase hymnique associée à la célébration du sabbat ait pour fonction de signaler la Zeitenwende, cela est souligné par la supplication qui suit au v.29. Celle-ci aurait donc une fonction interprétative vis-à-vis de la phrase hymnique dont elle souligne la signification, non sans, pourtant, la modifier, car εἰς τέλος καταλλαγῆναι se rapporte nettement à ἀρχὴν ἐλέους[5].

3B:1.6 Prière et hymne à l'occasion de la fête de la Dédicace : 10,4 et 7

Ayant restauré le culte dans le Temple,[1] Judas et ses hommes supplient Dieu pour que les maux subis par le peuple ne se répètent pas. La phrase hymnique de 10,7 est le dernier moment du récit de la reconsécration du Temple; il ne s'y ajoute que le décret festival au v.8; la phrase de 10,7, semblable à l'eulogie de I M 4,55 aussi bien pour ce qui est de la teneur que de l'encadrement narratif[2], est nettement reliée au contexte précédent par καθαρισθῆναι mot

---

ness and gladden us with Thy salvation . . . let us inherit Thy holy Sabbath (or Festival) »; il y voit « the spiritual character of an ancient Hasîdean composition », p. 408. Voir aussi Const Ap VII,36,5 : σάββατον γάρ ἐστιν . . . αἶνος εἰς θεὸν εὐχάριστος.

[2] ABEL 1949, ad loc.
[3] KATZ 1960, 15; cas analogue en 1,19.
[4] GRIMM 1857, ad loc; nous rappelons que les chapitres 6 à 7 sont une digression.
[5] BUNGE 1971, 610 : 8,29 relève de l'abréviateur; celui-ci aurait voulu signaler que la « miséricorde » de 8,27 ne peut être définitive aussi longtemps que le Temple reste entre les mains des païens, preuve de l'état de péché du peuple, cf. HABICHT 1979, 171 à propos de 5, 17—20.

[1] Noter la mention du feu au v.3 (voir aussi 13,8) et comparer notre note 11 ad II M 1,24—29 en 3A:1.3.
[2] Le participe εὐοδώσας leur est commun, cf. Ps (117(118),25. S'agit-il d'un refrain créé ad

qui renvoie au v.5. Le fragment hymnique, dont nous croyons qu'il s'agit[3], souligne grâce à sa position dans le récit que la Dédicace est célébrée en l'honneur de Celui qui voit dans le Temple sa demeure particulière.

DÉLIMITATION. Le verbe d'introduction ἠξίωσαν régit toute la construction syntaxique (cf. 8,14s.). L'institution de l'*enkainia* fait suite immédiate à la supplication.

LIENS SIGNIFICATIFS. La prière est liée aux idées-force du livre sur deux points : 1. la relation étroite entre le peuple et le Temple (mise en lumière en 5,17—20); 2. l'interprétation des malheurs en fonction de la παιδεία (nous rencontrons cette interprétation en 6,12—17, passage attribué comme le précédent à l'abréviateur, voir l'expression μετ' ἐπιεικείας παιδεύεσθαι de la prière)[4]. Mais on ne doit pas se limiter au cadre du livre, car la prière nous rappelle la prière de Salomon en 1 R 8; spécialement la connection entre le péché et le fait d'être livré aux ennemis mérite notre attention.

FONCTION. Cette prière contribue au message du livre, à savoir que le Temple et le peuple sont dépendants l'un de l'autre. Aussi bien la prière que le fragment hymnique devaient rappeler aux lecteurs la liturgie de la *Hanoukkah*[5].

3B:1.7 Prières et hymne de combat : 10, 16, 26 et 38

Dans le cadre narratif des campagnes lancées contre les Juifs par les généraux Gorgias (vv. 14 à 23) et Timothée (vv. 24 à 38), s'inscrivent deux prières et une phrase hymnique; cette dernière constitue le terme final de l'épisode de Timothée[1]. Les prières font suite au rapport des activités militaires de l'un et

---

hoc? Selon ABEL 1949, 419 les psaumes 113 à 118 étaient chantés durant la fête de *Hanoukkah*; nous le croyons aussi, car il y a un écho du *Ps* 117(118) en I M 4,24.

[3] Voir notre note précédente.

[4] HABICHT 1979, 171; observer la phrase περιπίπτειν ἐπιτιμίοις en 6,13 et περιπεσεῖν . . . κακοῖς dans notre prière; pour ce qui concerne la παιδεία il faut voir aussi 7,33.

[5] Nous visons les nettes allusions à la prière de Salomon et le caractère particulier du verbe εὐοδοῦν qui dans II M ne figure qu'ici, exception faite de 10,23 où le verbe (au moyen) a un sujet humain.

[1] Les divergences par rapport à I M 5 ne sont pas faciles à résoudre. Toutefois il semble qu'il faille compter avec un déplacement de ces deux épisodes de leur position primitive après 12,31 voir HABICHT 1979, *ad* 10,11. Timothée, mort en 10,38, apparaît de nouveau en 12,1 et fait la guerre à partir de 12,10. Il est probable qu'au cours du processus de rédaction, les considérations littéraires l'ont emporté sur la fidélité à l'ordre chronologique. Dans la composition présente il y a une gradation : après deux récits sur la lutte contre des généraux vient celui de la grande bataille contre Lysias, le vizir (11,1). Ces récits « préparatoires » semblent plutôt exemplaires, voir WELLHAUSEN 1905, 148, qui compare II M à I M : « In 2.M ist . . . Alles abgestreift und nivelliert was in 1.M individuell und eigentümlich sich ausnimmt. »

l'autre généraux. Dans les deux cas, les prières sont pourvues d'un cadre significatif; au v.16 il est souligné par l'expression donnée, ποιησάμενοι
λιτανείαν², non seulement que la prière constitue un acte, mais encore
qu'elle est une contre-action valide devant la levée en masse de l'ennemi. Aux
vv. 25—26 la supplication est amplement décrite³ : la détresse et l'angoisse
des suppliants sont mises en lumière et également leur situation en tant que
suppliants devant Dieu, car il s'agit aussi bien d'une démonstration d'humilité
que d'un appel implicite à la présence protectrice de Dieu (on se prosterne près
de l'autel)⁴. La mobilisation spirituelle mise en valeur aux vv.25s. semble être
motivée dans le récit par l'intention exprimée par Timothée : λημψόμενος τ.
'Ιουδαίαν (v.24).. Dans les deux cas, la supplication achevée, les acteurs marchent aussitôt à l'attaque⁵.

LIENS SIGNIFICATIFS et FONCTION. La prière très courte du v.16 contraste avec les versets 14s. par la nature de l'action exemplifiée : Gorgias et
les Idumées (v.15) se procurent des renforts militaires, tandis que les Juifs ne
demandent d'autre assistance que celle de Dieu, leur σύμμαχος. *Au niveau
sémantique* la prière 10,26 servira de complément sur ce point, car le terme
de σύμμαχος, appliqué aux dieux de la guerre, était courant chez les historiens grecs de l'époque et il retrouve ici son interprétation et son fondement
biblique (*Exod* 23,22, cité)⁶.

La phrase hymnique du v.38 peut être considérée comme le point culminant
du mouvement spirituel qui prend son départ dans l'expression du désespoir
de 10,25s. A l'acte d'abaissement sans réserve correspond un acte d'élévation,
motivé au niveau du récit par l'annihilation de l'ennemi (v.37).

---

[2] Le II M atteste en 3,20 l'expression verbale identique; le III M, en 2,21 et en 5,9, atteste le
substantif (emploi nominal); Denys d'Halicarnasse, dans les *Antiquités Romaines* IV, 67,1 (Teubner) use de la même périphrase, combinée comme en II M 10,16 avec un verbe qui se rapporte
plus étroitement à ce qu'on dit (εὔχεσθαι, suivi d'une énonciation). Nous avons donc la même
suite d'un « performatif » avec un « constatif » (AUSTIN 1970, 169s., n.5).

[3] Nous acceptons la leçon de HANHART : un ἐτράπησαν est sous-entendu (v.25).

[4] Cf. le recours aux rites pénitentiels dans une situation analogue dans I M 3,47. — Il y a du
côté grec des analogies très proches : la prière se poursuit comme une supplication ordinaire :
sur ἱκετεία (v.25), voir CORLU 1966, 316; l'autel comme lieu du rite, *op.cit.*, 318, et προσπίπτειν
étroitement lié à la supplication chez un *Euripide, op.cit.*, 300.

[5] Nous reconnaissons ici un modèle d'insertion fréquent dans I M.

[6] Cf. Denys d'Halicarnasse, *Ant.Rom.* VI,6.3 (Teubner), discours de Postumius à ses soldats : μαθόντας, ὅτι συμμάχους ἔχετε τοὺς θεοὺς οἵπερ ἀεὶ τὴν πόλιν σώζουσιν, voir aussi
MARCUS 1932, σύμμαχος, *s.v.*

3B:1.8 Expédition de Lysias : prière et hymne dans un contexte d'épiphanie, 11.6 et 9

Ayant raconté les opérations de Gorgias et de Timothée, l'auteur en arrive au moment décisif de la confrontation des forces qui aboutit à l'arrêt de la persécution religieuse[1]. Dans cet épisode, les petites phrases de prière et d'hymne, introduites par ἱκέτευον (v.6) et εὐλόγουν (v.9), se trouvent à l'intérieur d'un cadre idéologique que l'on pourrait appeler « puissance de Dieu » (vv. 4 et 13) : le v.4 constate que Lysias ne comptait pas avec la puissance de Dieu au seuil de son entreprise; la suite la lui fait connaître et il doit bon gré mal gré admettre que les Juifs sont invincibles τοῦ δυναμένου θεοῦ συμμαχοῦντος αὐτοῖς (v.13)[2].

LIENS SIGNIFICATIFS. Dans le récit, la puissance de Dieu se manifeste au moyen d'une apparition (v.8)[3]. La prière du v.6, ἀγαθὸν ἀποστεῖλαι πρὸς σωτηρίαν, reçoit dans cette épiphanie une réponse qui a la valeur d'une prédiction; la phrase hymnique du v.9 est à la fois réaction et interprétation (ἐλεήμων θεός). La compréhension du présage dans le sens d'une issue heureuse de la bataille est également révélée par le commentaire du v.10 (ἐλεεῖν) La cavalier céleste est revêtu « par avance » d'une exégèse biblique : il est le « bon ange » de la prière[4].

FONCTION. L'introduction du topique de l'épiphanie avec son interprétation juive est révélatrice de la tendance de l'auteur à minimiser le rôle de la stratégie militaire. Mais ici le développement narratif s'arrête à cause d'une épiphanie. Ensuite, fortifiés (v.9), les soldats juifs « foncent sur les ennemis à la façon des lions » (TOB, v. 11).

3B:1.9 Un appel au droit divin, 12,6

A Joppe, un grand nombre de Juifs sont morts, noyés par suite de la traîtrise de leurs propres concitoyens. A cette nouvelle, Judas, ayant invoqué Dieu, marche contre les meurtriers de ses frères.

---

[1] Sur la version complexe des faits que donne le II M, voir WILL 1982 (II), 342.

[2] L'ignorance est aussi l'attitude de Jason et d'Antiochos d'après 5, 6 et 17; l'expérience qu'entraîne la défaite subie se retrouve aussi chez Héliodore ch. 3, qui non seulement comprend mais proclame la puissance supérieure du θεὸς μέγιστος (v.36).

[3] A noter que l'épiphanie a lieu près de Jérusalem et non à Bethsour même (cf. 11,5 et I M 4,29) — sur la distance, voir NELIS 1983. De plus, la localité de la confrontation des armées restera dans le vague, voir προῆγον en 11,10. Ceci est un exemple qui illustre la position suréminente qu'occupe Jérusalem dans la présentation de II M, comme l'ont bien souligné ARENHOEVEL 1963 et DORAN 1981 parmi d'autres.

[4] Voir HABICHT 1979, *ad loc*; cf. 15,23 et 276.

LIENS SIGNIFICATIFS. L'énoncé bref de τὸν δίκαιον κριτὴν ϑεόν se rapporte au conteste précédent comme un jugement sur le forfait accompli, et au contexte subséquent comme une justification de l'acte de punition que le Maccabée va exécuter.

FONCTION. La phrase d'invocation est le dernier moment d'une série de condamnations proférées ou sous-entendues (vv. 3 à 5) qui aboutissent à une action punitive : la phrase serait un argument probant du message apologétique du livre[1].

3B:1.10 Prières associées aus sièges des villes fortes, 12, 15, 28 et 36[1]

Le siège de Kaspîn est décrit d'une manière semblable à celui de Gazara en 10,32—38 : les assiégés « confiants dans la solidité de leurs murs » (TOB), injurient les Juifs (12,14; cf. 10,34). La prière de 12,15, contenant une phrase participiale assez étendue, constitue une vive riposte, une telle confiance étant aberrante. Il en est de même avec l'invocation de 12,28.

LIENS SIGNIFICATIFS. (12,15) Les gens de Judas sont introduits par un δέ antithétique. Le contraste porte aussi bien sur le motif de la confiance que sur la différence de leur conduite[2]. Les assiégés se voient à l'abri grâce aux circonstances extérieures, tandis que les assiégeants se montrent courageux et même à l'extrême (ϑηριωδῶς) — après avoir invoqué leur Dieu[3]. Mettre sa confiance en des fortifications est une absurdité pour celui qui croit en Dieu qui, à lire la prière, renverse les villes sans machines de guerre, preuve en est la chute de Jéricho[4]. En *12,28*, le contraste entre la force de l'ennemi et la puissance de Dieu est introduit dans la prière même qui nous fait savoir que Dieu est celui qui écrase les forces[5] des adversaires. La bravoure des hommes

---

[1] Comme un élément de la situation de discours il faut compter les reproches adressés aux Juifs de mener une vie ἀπάνϑρωπόν τινα καὶ μισόξενον, voir HENGEL 1973, 549 et 474, n.23. — Il convient de signaler ici que Razis en 14,37 est dit φιλοπολίτης et que le courage d'Éléazar (6,31) face à la mort est qualifié de ὑπόδειγμα γενναιότητος et de μνημόσυνον ἀρετῆς « highly political terms which describe what every good citizen should strive for », DORAN 1980, 201.

[1] Ce verset ne nécessite pas de commentaires, car il est un parallèle à 10,16 dont nous avons parlé en 1.7.

[2] Cf. 10,15—16.

[3] Cf. λεοντηδόν après l'épiphanie de 11,8.

[4] Voir le discours exhortatif de 8,16—20 où le v. 18 oppose la confiance de l'ennemi en ses armes et la confiance des guerriers juifs en Dieu παντοκράτωρ « capable de renverser d'un seul signe de tête ceux qui marchent contre nous et avec eux le monde entier » (TOB).

[5] Nous preferons la leçon ἀλκάς à la variante ὁλκάς d'abord parce que les codices A et V ve sont pas d'accord pour l'attester. Bien que Hanhart ait raison en appelant ὁλκή (poids; masse) *lectio difficilior*, il faut toutefois admettre que GRIMM 1857, *ad loc.*, dit justement que *holkas* « passt nicht zu συντρίβειν, voir aussi ci-dessous, 2.4.5.

qui ont pris position devant les murailles a été soulignée au verset précédent par des artifices rhétoriques[6].

FONCTION. Nous pouvons constater que les prières de 12,15 et 28 s'unissent pour indiquer, à la suite de 12,6 d'ailleurs, que la promptitude de l'action se dégage de l'acte de prière qui la précède[7]. Compte tenu du peu de détails, nous pouvons faire valoir que le Maccabée se montre plutôt liturgiste que général (cf. ci-dessus, 1.8)[8].

3B:1.11 L'anecdote des amulettes trouvées : hymne et prière conjoints, 12,41 à 42

Les deux phrases en question portent sur la découverte, sur les soldats tombés, d'objets consacrés aux idoles (12,40).

DÉLIMITATION. Les phrases introduites par εὐλογήσαντες resp. εἰς ἱκετείαν sont liées l'une à l'autre par leur sujet commun (πάντες). La prière (v.42), dont le dernier terme est ἐξαλειφθῆναι, est suivie d'une parole de mise en garde, adressée par Judas à la foule.

LIENS SIGNIFICATIFS. Pour ce qui concerne la phrase hymnique, on note que, cas d'exception dans II M, ce n'est pas Dieu qui est l'objet immédiat de la louange, mais son action qui se manifeste dans l'incident raconté en 12,38ss[1]. La phrase hymnique révèle et vérifie par son renvoi au contexte non seulement que Dieu est le juge équitable, mais aussi que rien ne lui est caché[2]. La prière se rattache au v.40 par le ἁμάρτημα interprétatif[3], et aux versets suivants au moyen d'un lien thématique qui continue jusqu'à la fin du chapitre. Le concept de péché est en effet, dans les versets 42b, 43, 44 et 45, l'objet d'un enseignement en trois temps : d'abord par un discours d'avertissement (42b), puis par un sacrifice pour le péché des morts (43) et enfin par un commentaire de portée eschatologique (43b, 44 et 45). On pourrait même

---

[6] Paranomase : ῥωμαλέοι — εὐρώστως.

[7] Noter la combinaison persistante de ἐπικαλησάμενος et d'un verbe d'action qui déclenche le moment décisif.

[8] ARENHOEVEL 1963, 267 : « Der Makkabäer ist eher Liturge als General. »

[1] ARENHOEVEL 1963, 266 : « Das Gemeinwesen ist von beständigem Jubel erfüllt (. . .) Selbst wenn er (Gott) zum Gericht erscheint, ergreift die Überlebenden nicht etwa Angst und Schrecken ». — Cf. l'affirmation d'un spécialiste de liturgie : « Berakah ist bereits ihrer Form nach Anerkennung eines gegebenen Zustandes und positive Einstellung dazu. (. . .) 'gelobt sei der gerechte Richter!' hat den Sinn von 'Was Gott tut, das ist wohl getan' », HENNING 1968, 365.

[2] Voir la phrase plusieurs fois répétée dans le livre : ὁ τὰ πάντα ἐφορῶν, etc.

[3] Cf. δυσσέβημα dans le récit (12,3) concernant les Joppites; l'auteur ne peut se contenter de constater de façon analogue un ἁμάρτημα de la part des Juifs.

dire que les deux derniers temps sont l'exposition selon deux modalités de l'expression τελείως ἐξαλείφειν de la prière.

FONCTION. Dans la *situation de communication*, la phrase hymnique sert de confirmation à la vérité de la croyance juive : 1. Dieu est le juge équitable. 2. Rien ne lui est caché. *Au niveau sémantique* la prière donne une interprétation de ce qui s'est passé. Elle constitue aussi le point de départ d'un enseignement sur la relation péché — résurrection des morts.

Ces fonctions principales, situées à deux niveaux différents relèvent d'un modèle qui se manifeste à plusieurs reprises dans le livre : la phrase qui présente l'addressé d'une prière (cf. 12,41) et le contenu de la prière proprement dite n'ont pas le même genre de rapports avec le récit; la première, en tant que message informatif, affirme et accentue le récit, la deuxième par contre l'approfondit. Ceci deviendra encore plus apparent si l'on considère le style des prières et en examine de près le vocabulaire.

3B:1.12 *Prière d'ouverture au deuxième acte, 13,10—11*

Dans une situation de grand péril, causée par l'expédition d'Antiochos V Eupatôr (v.1), Judas enjoint à la foule de prier jour et nuit (v.10). Le plan criminel de l'ennemi est indiqué dans le texte (v.9) de façon semblable à 10,24 et à 14,13; la réaction du côté juif est analogue[1].

DÉLIMITATION. La prière est introduite par ἐπικαλεῖσθαι qui à son tour est subordonné à παρήγγειλε. Le début du v.12 (ποιησάντων) nous signale l'achèvement de l'énoncé; la description de l'acte de prière continue pourtant, de sorte que nous pouvons en imaginer l'intensité.

LIENS SIGNIFICATIFS. La prière se rattache nettement au v.9 (μεταλαβών) qui porte sur l'intention meurtrière du roi. La prière évoque brièvement des situations de détresse dans le passé qui risquent maintenant de se reproduire (v.11a). Le groupe de mots réunis autour de λαόν au v.11 rappelle le répit qui suivit la paix conclue avec Antiochos (fin du ch. 11).

FONCTION. Par rapport au v.9 qui reprend le fil narratif du v.1, perdu à cause de la digression sur Ménélas (vv. 2 à 8), notre prière remplit une fonction informative; elle révèle par sa référence au passé quel comble de malheur pourraient causer les plans non précisés mais qualifiés de « barbares »[2] au

---

[1] Notre texte souligne au v.12 qu'il s'agit d'une prière collective : il était coutume d'annoncer des prières publiques si une calamité s'annonçait imminente.

[2] Sur le tour de phrase de sens singulier, voir HENGEL 1973, 182s; sur le rôle de l'affectivité dans les changements de sens, voir GUIRAUD, 1955, 54s.

v.9. Dans la composition littéraire elle sert d'ouverture d'une manière semblable à la prière de 8,2—4, cette fois au deuxième acte de la lutte contre le pouvoir séleucide[3].

3B:1.13 Trois courtes prières dans les ch. 14 et 15 : la supplication nationale de 14,15, la prière personnelle de 14,46 et la note didactique de 15,21.

La prière de *14,15*, accompagnée de gestes qui en signalent le caractère de supplication nationale et en conséquence introduite par ἐλιτάνευον, est prononcée lors de la nouvelle de l'approche de Nikanôr[1]. Ces deux traits du contexte correspondent à ceux de la prière précédente, supplication nationale elle aussi, située au seuil du deuxième acte. De façon analoque, nous nous retrouvons ici au commencement du troisième acte, le dernier du drame raconté dans II M. On peut donc assigner à 14,14 une *fonction* de démarcation dans la composition littéraire. Dans le récit, la prière est suivie de la marche en avant rapportée au verset suivant. Les liens avec ce qui suit sont faibles, c'est tout juste le εὐθέως qui indique la promptitude d'action en tant que conséquence de la prière, trait constant aussi bien dans IM que II M.

A propos de la prière ultime de Razis (14,46), le martyr qui se suicide[2], nous voulons relever en tant que *fonction* l'effet probable de soulagement que devait avoir cette prière sur les lecteurs. A la fin de l'épisode pathétique s'expriment une paix et même une ferme espérance, trait littéraire qui se répète[3].

La petite note fugitive de *15,21* a pour *fonction* de renforcer l'élément dramatique : il faut bien un Dieu qui opère des prodiges dans une situation sans issue telle que l'auteur l'a décrite[4]. Mais pour le lecteur assidu de l'AT, l'épithète τερατοποιός suscite une attente particulière, nourrie par sa familiarité avec *Ex* 15. C'est aussi à ce cantique que la prière de 15,22—24 fait allusion : on peut ainsi dire que l'énoncé de 15,21 est une anticipation de cette prière, donné dans un but didactique.

---

[3] Nous disons « deuxième acte » parce que de nouveau le Temple paraît menacé. Cet acte se termine bien (voir 13,23), après quoi *exit* Antiochos Eupatôr. Le troisième acte sera abordé au seuil du ch. 14 où Démétrios Ier entrera en scène : l'existence du Temple en danger (14,33).

[1] Sur le personnage, voir FISCHER 1980, 208 : « Nikanor 2 ».

[2] Voir ABEL 1949, *ad* 14,45 et CAVALLIN 1974, 113. Pour la ressemblance aussi bien de forme que de contenu entre l'épisode de Razis et le récit des sept frères martyrs, voir STEMBERGER 1972, 22s. 7,11 est un proche parallèle de 14,46.

[3] Voir 7,40 et 12,45.

[4] Τερατοποιός aussi dans III M 6,32.

3B:1.14 Dernier acte : les prières rapportées textuellement (14,35s. et 15,22ss.)

La prière de 14,35—36 est prononcée lors de la violente menace de Nikanôr contre le Temple. Nous y avons le même encadrement narratif que celui de la prière de I M 7,37—38.

DÉLIMITATION. La prière est signalée au v. 34 par les gestes rituels des prêtres et le verbe ἐπικαλεῖσθαι. Dans la phrase qui présente l'adressé de la prière, le mot ὑπέρμαχος est très important; c'est là une idée-force du livre qui s'exprime[1]. La prière elle-même commence par σύ, κύριε[2], son terme final est οἶκον, le dernier élément de la *petitio*.

LIENS SIGNIFICATIFS. Aux menaces de Nikanôr répond tout ce qui sert de motif pour la *petitio*, à savoir la mention de l'élection par Dieu du son temple (v. 35), dans des termes qui rappellent la Grande prière de Salomon (III Regn 8), comme l'avait fait aussi I M 7,37. Dans la *petitio*, le mot ἀμίαντος renvoie au dernier trait de la menace de Nikanôr, à savoir son intention d'ériger un sanctuaire à Dionysos en ce même lieu. La demande à Dieu de préserver le Temple de toute profanation trouvera son aboutissement dans la phrase hymnique de 15,34 (ἀμίαντον).

FONCTION. Par la reprise des mots διατηρεῖν et ἀμίαντος dans la phrase hymnique de 15,34, l'auteur souligne la nature sacrée du Temple : il est un des symboles les plus importants de la religion juive, dans II M désignée par τὰ ἅγια[3]. La prière aurait donc pour fonction de renforcer l'élément dramatique : voici que la religion juive est attaquée dans ses assises mêmes; conformément à la situation, Dieu est invoqué par ἅγιε παντὸς ἁγιασμοῦ (v. 36).

La prière de *15,22—24* est prononcée par Judas au moment où l'armée de Nikanôr, d'une apparence effrayante (v. 21), s'est rangée en ordre de bataille (v. 20). La note didactique de 15,21 sert de prélude à la supplication comme nous l'avons déjà dit. Le contexte de cette prière s'avère très semblable à celui de I M 7,41s, la situation narrative étant la même. En outre, Judas en priant fait usage du même paradigme biblique dans les prières des deux livres. Ces données, auxquelles s'ajoute la ressemblance constatée entre 14,35s. et I M 7,37s. actualisent la question de savoir si les livres se trouvent dans une position de dépendance litteraire. Les acteurs sont également les mêmes dans cette

---

[1] Ὑπέρμαχος aussi en 8,36 où s'exprime un autre Nikanôr (1.13, note 1). ὑπέρμαχος comporte une nuance offensive tandis que σύμμαχος le mot le plus fréquent, a une valeur stylistique plus neutre.
[2] Cf. le seul σύ de I M 7,37.
[3] A comparer avec I M où aussi bien νόμος que διαθήκη peuvent désigner la religion juive.

suite de prières : les prêtres prononcent la première supplication, Judas la deuxième. Nous reviendrons à cette question dans le chapitre 4 où nous comparerons les deux livres sous quelques aspects choisis.

DÉLIMITATION. Ici aussi la prière est introduite par un énoncé qui présente son adressé. Comme nous l'avons affirmé ci-dessus, l'épithète s'accorde mieux cette fois avec le contenu de la prière; il est tout aussi vrai que le mot τερατοποιός comme le ὑπέρμαχος au début de la prière précédente ne font pas partie intégrante du vocabulaire des prières du livre. Ces deux mots ont, par leur formation morphologique même, un sens bien précis, en vertu duquel ils peuvent remplir la fonction d'enseignement que nous avons esquissée par ailleurs. L'introduction proprement dite (v. 22) tient compte de la note didactique de 15,21. La prière commence par σύ, δέσποτα, légère variante de l'invocation du début de la prière précédente. Elle se termine par une phrase de clôture[4].

LIENS SIGNIFICATIFS. Les points d'attache du paradigme (v. 22) au contexte discursif sont l'armée imposante de l'ennemi et l'adversaire blasphémateur[5]. Le blasphème, repris au v. 24, rattache la prière à l'encadrement de 14,35s. Le ἅγιον attribué à λαόν dans la deuxième moitié du v. 24, signale la contrepartie : un peuple dit « saint » se prépare évidemment à la bataille par une action spirituelle, la prière (vv. 26ss.).

Cette prière complète 14,35—36 dans la mesure où le blasphème prononcé alors (14,33) trouve ici son aboutissement dans un châtiment collectif, à savoir la défaite racontée au v. 27, résultat évident de l'imprécation par laquelle s'achève la prière. Le « bon ange », modification dans la *petitio* du seul ἄγγελος figurant dans le paradigme (v. 22), est une expression que nous avons déjà rencontrée en 11.6 (voir 1.8). Ici également, l'auteur introduit le « bon ange » en vue d'une épiphanie (v. 27).

FONCTION. Du fait que l'auteur a recueilli la prière avec son cadre narratif, il ressort que celle-ci a une fonction de suppléance par rapport à 14,35s., dont le contexte est essentiellement le même. Le « bon ange » du v. 23 est à la fois un signe précurseur de l'épiphanie mentionnée au v. 27 et une clé pour interpréter cette épiphanie.

---

[4] Comme aussi la supplication de 10,26 (au v. 27); ce sont là les seuls cas d'une telle démarcation explicite, indice sans doute de la valeur donnée à la prière par l'auteur.
[5] Présent aussi dans le texte source, III *Regn* 19, par. *Is* 37.

3B:1.15 La place de la phrase hymnique de 15,34
dans la conclusion du livre

Nous avons vu au cours de notre lecture de II M que le Temple joue un rôle très important. Nous retrouvons dans les lettres d'introduction, au milieu (ch. 10), et encore à la fin du livre, des renseignements relatifs à l'institution d'une fête liturgique. Que le Temple prenne une place de premier plan non seulement dans la composition du livre mais aussi dans la pensée de l'auteur ne peut échapper au lecteur. Il est nettement indiqué en 15,17s. que c'est le Temple consacré qui est en jeu dans la bataille prévue, et c'est au sujet du Temple avant tout que les soldats juifs s'avèrent inquiets. Il est conforme à ces données que le dernier passage de prière du livre soit une phrase hymnique qui célèbre l'intervention de Dieu pour le Temple.

La conclusion du livre se fait en un mouvement à trois temps :

1. commandement de Judas relatif au corps mutilé de Nikanôr et sa réalisation (vv. 30—33). Judas est ici l'acteur principal; de plus, il est expressément loué; ici donc la fin appropriée de la « geste » de Judas.
2. phrase hymnique en position d'*inclusio* avec la prière de 14,35s., fin donc de l'épisode de Nikanôr; au verset suivant une déclaration sur la tête de Nikanôr attachée à la Citadelle : signe qui rend manifeste le « secours de Dieu »[1]. Une telle déclaration est en tout conforme avec le but propagandiste du livre.
3. institution d'un jour de fête qui fait *inclusio* avec les lettres festivales en 1,1—2,18, effet de rédaction.

L'institution d'un jour de fête au v. 36 clôt encore une fois l'épisode de Nikanôr en l'élevant au plan liturgique; c'est dire que l'auteur ne se contente pas d'avoir rapporté un signe temporel du triomphe, mais il en établit un signe durable á jamais[2]. Ainsi l'eulogie de 15,34 devient-elle un reflet de ce signe liturgique.

3B:1.16 Conclusion

Nous avons pu constater à différentes reprises que les prières de II M établissent des rapports fort étroits avec leur contexte. Ceci est frappant surtout pour les présentations de l'adressé d'une prière; ces énoncés ont un contenu d'information qui accentue tel trait de récit. La prière qui conclue le ch. 7, révèle l'intention du récit : la consolation, intention jusque-là sous-jacente. Outre le fait de souligner ainsi le récit ou d'en dévoiler l'intention, les prières remplissent des fonctions plus inhérentes au type de discours qu'elles représentent. En tant que FONCTION LITTÉRAIRE nous pouvons considérer aussi le rapport des prières à l'aspect dramatique du récit; comme les prières sont très

---

[1] Le v. 35 renvoie à l'expression τὸν ἐπιφανῆ κύριον du v. 34a : présentation de l'adressé de l'eulogie.
[2] A noter ἀπαρασήμαντον et ἐπίσημον, net renvoi au σημεῖον du v. 35.

souvent liées aux situations de péril, elles sont en mesure d'*intensifier* le caractère dramatique de telles situations. La prière de 14,35—36 le fait en signalant que c'est Dieu lui-même dans sa sainteté qui est attaqué : le drame atteint ainsi son sommet. 14,15 est un cas analogie : l'approche de l'armée de Nikanôr ne menace pas le peuple d'Israël seulement en tant que nation historique mais en tant que peuple « installé pour toujours ». Une prière peut aussi *dé-dramatiser* une situation donnée, voir par exemple 14,46, les dernières paroles de Razis au moment de se donner la mort.

FONCTION INTERPRÉTATIVE. Par son rapport au contexte, une prière peut éclairer une expression du texte qui l'entoure, voir 13,10—11 par rapport à τὰ χείριστα . . . ἐνδειξάμενος en 13,9. Elle peut aussi suppléer au texte précédent en le modifiant sur quelques points précis, voir la prière de 7,37—38 par rapport aux discours antérieurs. Souvent une prière donne un *horizon de compréhension* pour ce qui se passe dans le texte, de sorte que l'incident, auquel se rapporte la prière, obtient une signification nouvelle; à titre d'exemple nous pouvons mentionner le mot ἔλεος en 8,27 (phrase hymnique) qui se réfère à la victoire remportée selon le récit précédent, et encore le ἁμάρτημα de 12,42 (prière), jugement porté sur les amulettes trouvées sur les morts. Une clé d'interprétation évidente sont les quelques paradigmes (par ex. la défaite de Sennakérib rappelée dans la prière de 15,22—24). Un de ces paradigmes mérite notre attention, c'est le ἄγγελος vétéro-testamentaire en rapport voulu avec le cavalier d'épiphanie qui apparaîtra dans le récit immédiat (11,6 et 8). Deux textes nous semblent illustrer particulièrement bien le genre d'interprétation donné : les prières de 7,37—38 et 12,42, dans la mesure où elles expriment des notions encore en formation et non pas des concepts bien circonscrits : nous visons la mort des martyrs au bénéfice du peuple dans le premier texte, et la relation péché-résurrection des morts dans le second. Peut-être que des idées nouvelles de ce genre s'expriment plus facilement dans une prière que dans un autre type de discours. Ceci est conforme avec l'affirmation globale de Marcel Mauss : « la prière est un phénomène central en ce sens qu'elle est un des meilleurs signes par lesquels se dénote d'avancement d'une religion »[1].

FONCTION DE COMMUNICATION. Le but propagandiste du livre se dégage de quelques traits contextuels qui se répètent et qui se rapportent à la « démonstration » : voir par exemple 12,41 (τὰ δικαιοκρίτου κυρίου) par rapport au renseignement explicite de 12,40 : « des objets consacrés . . . que la Loi interdit aux Juifs » (TOB). Que la puissance de Dieu triomphe de toute confiance présomptueuse en les forces militaires, c'est la confession attendue

---

[1] Mauss (1909) 1968, 360.

par les lecteurs devant nombre de prières qui comportent des traits contextuels relatifs à ce sujet; rappelons les prières associées aux sièges des villes fortes, parmi lesquelles 12,15 qui contraste avec 12,4 sur la force véritable. Contraste aussi quant au comportement différent des Juifs et des Syriens : ces derniers agissent, les premiers prient — et remportent la victoire. De même en 10,28 : d'une part θυμός, de l'autre καταφυγὴ ἐπὶ τὸν κύριον. De cette attitude fondamentale les prières du livre sont des témoignages éloquents.

3B:2 Style

3B:2.0 Introduction

Nous abordons maintenant les questions de style pour entreprendre plus tard l'étude du vocabulaire. D'une part, ce sont les données linguistiques du livre qui nous conduisent à changer ainsi l'ordre jusqu'ici suivi, et d'autre part, la nature même de notre tâche. Comme le vocabulaire des prières de II M n'est pas du même genre que celui de I M ou même de II M 1,24—29 (prédominance du discours répété) et que les expressions choisies se rapportent souvent d'une façon ou d'une à la terminologie religieuse du temps, nous avons reporté à la fin l'étude du vocabulaire. Nous rappelons que notre tâche principale est de chercher à déterminer quelques traits typiques du langage de prière juif. Étant donné que le vocabulaire des prières de II M n'est pas déterminé au même degré que celui de I M, il devient nécessaire de faire cette fois une étude comparative plus étendue. Une telle approche nous obligera à sortir plus ou moins du cadre auquel nous rapportons constamment les prières sous les rubriques de contexte et de style. La forte dépendance des prières de II M de leur contexte discursif, résultat de notre analyse maintenant achevée, ne peut pas être elle non plus sans conséquence pour l'étude du style : celle-ci doit tenir compte de ces traits contextuels, parfois se distincts. Avec ce changement par rapport à nos chapitres 2 et 3A, il nous semble que nous suivons un ordre logique.

Nous traiterions d'abord les prières du ch. 3 (Héliodore) et du ch. 7 (le martyre des sept frères) pour grouper ensuite les textes de la façon suivante : Le programme et l'horizon de la résistance (2.3); Les vicissitudes du combat (2.4); Notes édifiantes (2.5) et Une prière portant sur le Temple (2.6). C'est donc un regroupement par thème, la suite du texte narratif n'étant plus aussi importante. On ne retrouvera pas tous les textes de 3B:1 — étant donné notre intérêt principal, nous omettons ceux des textes qui n'apportent rien de remarquable du point de vue du style[1].

---

[1] 8,14—15; 10,16 et 26; 11,9 et 12,6.

3B:2.1 Les prières du chapitre 3, histoire d'Héliodore

Nous étudierons les phrases de prière de 3,15 et de 3,22 en même temps parce que, comme nous l'avons dit, elles se ressemblent fortement, constituant en effet une *inclusio*. Comparées à II M dans son ensemble, ces prières sortent de l'ordinaire, non seulement à cause de leur rattachement plus fort à leur contexte, mais aussi à cause de leur rapport, quant à certains éléments du récit, à la littérature contemporaine[1]. Nous visons le *topos* du sacrilège frappé et l'attaque prodigieuse des Galates sur Delphes en 279/8 av. J.-C.[2]. Cet incident, devenu légendaire, a eu des répercussions aussi bien dans la littérature proprement dite que dans des documents épigraphiques[3]. La protection miraculeuse du sanctuaire d'Appolon était commémorée par des *sôteria*, fêtes instituées en plusieurs endroits[4]. Nous suggérons que c'est sur ce fond que l'anecdote d'Héliodore, y compris les prières, prend du relief.

(VALEUR). Nous notons l'allure juridique du vocabulaire[5], aspect souligné ensuite dans le récit (3,23) : Héliodore agit contre le droit divin. La mention du Ciel (3,15)[6] sert peut-être à le signaler de manière préalable[7].

(RHÉT). Il faut noter le tour rhétorique des phrases, au point de donner des exemples aussi bien de *paranomase* que d'*allitération*[8].

---

[1] Diodore de Sicile (XXII, 9.5) : (trad. Walton dans Loeb) « At the time of the Gallic invasion the inhabitants of Delphi, seeing that danger was at hand, asked the god if they should remove the treasures, the children, and the women from the shrine . . . The Pythia replied to the Delphians that the god commanded them to leave in the shrine the dedications and whatever else pertained to the adornment of the gods; φυλάξειν γὰρ ἅπαντα τ. θεὸν κ. τ. λευκὰς κόρας (= Athéna et Artémis; voir aussi Pausanias X, 22, 12 Loeb) — II M 8,20 atteste que les mouvements des Galates étaient connus par l'auteur. L'armée de Ptolémée comptait dans ses rangs des mercenaires gaulois, WILL 1979 (I), 145s. De plus, la première célébration des *Ptolemaia* (fêtes dynastiques) eut lieu très peu de temps après l'invasion gauloise qui ébranla le monde grec — voir la conclusion de Wilamowitz citée chez WILL, *op.cit.*, 202, n. 3.
[2] Références chez BIKERMAN (1939—44) 1980, 183; le mobile du sacrilège, πλεονεξία, est également un lieu commun : BICKERMANN *PW* 14:1/1928, 795 et FRANK, *RAC, s.v. Habsucht.*
[3] NACHTERGAEL 1977; Callimaque, le poète alexandrin, est un des premiers à s'y référer (*Hymne* IV, 171—84, Loeb), *op.cit.*, p. 99. Parmi les traditions relatives à l'oracle et aux épiphanies, nous trouvons la version suivante transmise par l'historien Justin, (en latin) et citée par NACHTERGAEL, *op.cit.*, p. 25 : lorsque tous étaient prosternés pour implorer l'assistance du dieu, un jeune homme apparut qui était « d'une exceptionnelle beauté plus qu'humaine, et que l'accompagnaient (sic!) deux vierges en armes ». — N'est-il pas possible que notre auteur, travaillant sur deux versions différentes, (voir BIKERMAN, *art.cit.*) ait transformé : 1. le jeune homme en cavalier, conformément à un type d'épiphanies (il apparaît aussi en II M 11,8) 2. les deux vierges en deux νεανίαι?
[4] NACHTERGAEL, *op.cit., passim.*
[5] παρακαταθήκη est un terme exact, BIKERMAN, *art.cit.*, 169.
[6] La tradition manuscrite est partagée : NIESE 1900, 524 et KATZ 1960, 13 optent pour l'élimination de εἰς οὐρανόν tandis que HANHART 1961, 18 veut retenir l'expression (qui a son parallèle en II M 15,34), à bon droit, nous semble-t-il; voir *supra* 2.1.4, n. 2.
[7] HANHART, *op.cit.*, 18s. suggère que le εἰς οὐρανόν prépare le ἐξ οὐρανοῦ de 3,34 : on s'adresse au Ciel parce que le châtiment en viendra; à notre avis, c'est d'abord la notion de Dieu témoin (3,39) qui s'actualise, et ceci à plus forte raison qu'il est le maître de son temple.
[8] Voir par ex. 3,15.22 et 26.

(FRÉQ./POS.). Si ces deux passages sont subordonnés au déploiement du récit, ils livrent quand même un élément actif : l'épithète παγκρατῆ (κύριον) mise en vedette; c'est un facteur décisif de développement.

Quant à la phrase hymnique de *3,30* nous voulons signaler sa destination principalement interne; le choix du mot relève vraisemblablement de l'usage biblique[9], ainsi que le παραδοξάζειν, dont τόπον est le complément, doit exprimer la correspondance établie entre *kâbôd* et δόξα[10]. La destination interne est d'ailleurs marquée déjà par le seul κύριον complément du verbe εὐλογεῖν également « interne »[11].

(ATT.) Que l'auteur s'exprime ainsi à cet endroit est révélateur de son propre souci à l'égard du Temple.

Pour ce qui est de la prière de *3,31* nous voulons noter seulement la description pathétique de la situation *in extremis* d'Héliodore, à laquelle la prière est liée[12]. Contrairement à 3,30, nous avons ici une destination avant tout extérieure, légèrement atténuée dans le cas du seul ὕψιστος comme notre étude de vocabulaire va le montrer.

3B:2.2 La prière du septième frère

La prière du septième frère constitue la partie finale de son discours qui comporte les vv. 30 à 38 du chapitre 7, une insertion, comme nous l'avons constaté en 1.2 de ce même chapitre 3B[1]. Deux traits du v. 37b trahissent la subordination de la prière au discours : (FRÉQ./POS.) le pronom accentué se réfé-

---

[9] KÖSTER dans *TWNT* VIII, 189s. et 199.

[10] Même connexion en III M 2,9. — BIKERMAN *art.cit.*, 175 traduit « rendre illustre », se fondant semble-t-il sur une étude de Louis Robert relative au terme παράδοξος, courant dans les textes agonistiques; c'est un rapprochement vicieux. Sous παραδοξάζειν *LSJ* ne cite que la LXX, proposant le sens « make wonderful », comme le fait aussi le vieux dictionnaire de SCHLEUSNER; si le sens *mirabilem efficio* convient normalement dans la LXX, il ne s'impose ni en II M 3,30 ni en III M 2,9. Nous émettons l'hypothèse suivante : si παραδοξάζειν est rare aussi dans la LXX (H.-R.), le verbe simple, par contre, ne l'est pas. N'est-il pas probable que παραδοξάζειν dans des milieux d'une conscience linguistique plus élevée, ait été choisi comme un terme religieux plus apte à transmettre le contenu *kâbôd-doxa/doxazein*? Voir en II M 3,2 où δοξάζειν signifie « honorer »!

[11] BEYER dans *TWNT* II, 751s.

[12] Dans II M les expressions signifiant « mourir » sont multiples, voir DORAN 1981, 43; les euphémismes relatifs à la mort sont fréquents en grec en général, que l'on compare les expressions variées d'un Polybe, FOUCAULT 1972, 221.

[1] Nous sommes pour notre part frappée par le fait que le ch. 7 répète et réemploie des phrases entières des chapitres précédents : 1. ὁ ζῶν κύριος ἡμῶν βραχέως ἐπώργισται . . . en 7,33 fait écho à ἀπώργισται βραχέως en 5,17 et également 7,32 διὰ τὰς ἑαυτῶν ἁμαρτίας πάσχομεν à διὰ τὰς ἁμαρτίας (5,17); 2. καταλλαγῆναι τοῖς αὐτοῦ δούλοις (8,29, voir 3B:1.5, n. 5) revient en 7,33 (πάλιν καταλλαγήσεται τοῖς ἑαυτοῦ δούλ.). Est-ce que la préoccupation « péché-Temple » serait ici transportée en « péché (du peuple) — martyrs? »

rant au roi séleucide, et (VALEUR) la loi du talion qui s'exprime dans μετὰ ἐτασμῶν καὶ μαστίγων; les deux traits donnent à l'énoncé une allure imprécatoire[2].

On a souvent dit que le récit des sept martyrs est le point le plus dramatique du livre[3]; le conflit poussé à l'extrême se manifeste dans le style : (VALEUR) nous rencontrons dans ce passage le seul exemple du livre d'un simple ϑεόν en tant que complément du verbe « prier ». De plus, ϑεός figure plusieurs fois et avec emphase d'un bout à l'autre de ce chapitre; il en résulte que l'énoncé de 37c διότι μόνος αὐτὸς ϑεός ἐστιν, la dernière occurrence de ϑεός, ressort fortement.

Nous nous trouvons en face d'une *Sache mit Gott* : pour ou contre Dieu, on n'est jamais hors de Dieu. Porte-parole de cette conviction, le septième frère, le plus jeune et le plus vigoureux, s'avère vainqueur[4].

3B:2.3 Le programme et l'horizon de la résistance

1. La prière prononcée au commencement de la résistance, 8,2—4

Notre étude sur le contexte a démontré le rapport immédiat de cette prière à l'apparition de Judas en tant que chef de la résistance militaire. La prière a pour fonction de présenter le programme du réveil maccabéen. Le II M n'a pas de discours — programme[1]; quand un programme est présenté, c'est en négatif : la prière retrace la situation d'où jaillit la guerre : l'état pitoyable du peuple, du Temple et de la Ville. Mais il y a un point positif qui donne à cette guerre sa force motrice et qui la mène à bien : la miséricorde de Dieu, réponse aux instances du peuple, comme nous l'avons déjà dit.

(FRÉQ./POS.). Les quatre infinitifs ἐπιδεῖν, οἰκτεῖραι, ἐλεῆσαι et μνησ-ϑῆναι, toujours en même position, constituent les points forts de la prière. Les deux autres sont d'une valeur secondaire.

---

[2] Pour le rapport imprécation — prière, voir par ex. les prières de vengeance de la nécropole de Rhénée, DEISSMANN 1923, 351—62.
[3] ARENHOEVEL 1967, 169.
[4] Cf. Zeitlin dans TEDESCHE-ZEITLIN 1954, 48 : « the mighty king was humiliated by the martyrs; he had conquered many peoples, but he could not conquer these youths ».

[1] Les passages les plus proches sont 8,21; 15,17 et l'exhortation abrégée de 13,14 : γενναίως ἀγωνίσασθαι μεχρὶ θανάτου περὶ νόμων, ἱεροῦ, πόλεως, πατρίδος, πολιτείας; sur ce passage, GIL 1958, 21 : « el epitomador conoce bien los efectos del asíndeton ». — Cf. le serment d'éphèbes cité chez MARROU 1964, 166.

(VALEUR). Le premier groupe de verbes a une portée générale : ce sont des exemples d'un genre de demandes qui se reproduit de siècle en siècle[2]. En bref, c'est une terminologie où la communauté de prière se reconnaît, c'est dire que la prière ne manquera pas son effet sur les destinataires du livre. Pour ce qui est de μνησθῆναι en rapport immédiat avec une situation de détresse, nous en avons un bon parallèle en I M 7,38. Quant aux verbes d'importance secondaire, la présence de εἰσακοῦσαι au v. 3b ne nécessite aucun commentaire, vu les termes co-occurrents[3]. Les versets 3b et 4a renvoient aux atrocités racontées dans le récit précédent[4]. Alors, tout lecteur peut se rallier à ces cris *de profundis*[5].

Le mot μισοπονηρεῖν (s'indigner), qui selon la concordance de Hatch-Redpath ne figure que dans II M[6], s'harmonise avec l'intérêt apologétique du livre; au service d'un Dieu indigné, les actes de violence accomplis par Judas semblent requis[7]. A notre avis, il s'agit ici d'une hellénisation du ζῆλος biblique, un mot qui fait défaut en II M.

3B:2.3.2 La prière placée dans le cadre de la fête de la Dédicace, 10,4

Le passage 10,4 démontre bien le rôle central de Temple pour les rebelles maccabéens d'après la présentation de II M. l'observation de Félix-Marie Abel est très pertinente : « Les guerres de Judas sont regardées non pas comme des moyens d'accroître progressivement le domaine du futur État asmonéen, mais comme des étapes successives vers la délivrance du Temple. »[1] Si ce passage fait écho à la prière de Salomon à l'occasion de la consécration du Temple, comme nous l'avons affirmé en 3B:1.6, il possède aussi des traits qui sont propres au genre « lamentation collective »; parmi ceux-ci : (VALEUR) le démonstratif τοιοῦτος qui pour le lecteur versé dans le langage de prière juif exprime un appel intense pour que prenne fin la situation actuelle de détresse; à comparer *Or As* v. 38 οὐκ ἔστιν ἐν τῷ καιρῷ τούτῳ et les deictiques de I

---

[2] Voir sous 3A:2.1.6.
[3] Sur l'expression biblique « sang qui crie », voir NELIS 1975, *ad loc.*
[4] *op.cit., ad* 8,4.
[5] Noter le ton pathétique de l'expression ἀναμαρτήτων νηπίων παρανόμου κτλ.
[6] Aussi en 4,49 avec les Tyriens comme sujet. Polybe, d'après le lexique de MAUERSBERGER, emploie le verbe dans un seul endroit au sens politique : « die schlechte Sache hassen ». Le lexique de McDOUGALL nous donne, pour ce qui concerne Diodore de Sicile, des exemples analogues aux passages de II M : XII, 2.3 : réaction du peuple à la mutilation des statues d'Hermès; XX, 33,7 : réaction à l'occasion d'un meurtre.
[7] Une bonne présentation de la narration qui fait suite à 8,2—4 ches NIESE 1900, 472 : « Von diesen Zügen, bei denen wacker geraubt, gesengt und gemordet ward, erzählt das 2. Makkabäerbuch mit einer naiven Freude. »

[1] ABEL 1949, XXXV.

M 3,50, objet d'une observation stylistique dans notre chapitre 2; *Dan* 9,16 est un cas analogue : la proximité des nations hostiles (οἱ περικύκλῳ ἡμῶν) est signalée dans la même intention.

(ATT.). Regardé comme un élément de style littéraire du livre, ce même τοιούτους *choisi au lieu de* οὗτος nous semble être le véhicule d'une idée de prédilection : la conception de l'histoire comme un trésor d'exemples qui vise à illustrer la condition humaine. Le τοιοῦτος serait donc révélateur d'une attitude de l'écrivain qui prend une certaine distance vis-à-vis de son objet[2].

La mention des malheurs au début du v. 4 s'inscrit également dans le genre littéraire « lamentation ». Cependant, une différence qu'il ne faut pas omettre par rapport au genre, c'est le choix du verbe περιπίπτειν; l'auteur fait usage d'une phrase métaphorique dont nous n'avons que peu d'exemples dans la Septante. Dans la LXX (H.-R.) τὸ κακόν/τὰ κακά est régi normalement par ἐπάγειν, εὑρίσκειν ou ἐπέρχεσθαι[3]. On peut se demander si avec le choix d'expression, on ne change pas aussi de conception. N'avons nous pas ici trace d'une attitude vis-à-vis du déroulement des événements, ou bien du temps, qui ne sont plus conçus comme linéaires, ni comme dirigés vers un but[4]?

(RHÉT.). Nous voulons souligner enfin que l'auteur est à même de faire preuve encore une fois de son acquis rhétorique : les infinitifs placés en position d'emphase commencent tous par π; les païens sont dits βάρβαροι-βλάσφημοι; la dernière phrase contient un groupement de deux mots qui forme un *homoioproforon* (allitération); finalement, les deux dernières phrases sont bien équilibrées à cause de la figure de *homoioteleuton*, délibérée ou non[5].

---

[2] Cf. PALM 1955, 197, sur Diodore de Sicile : « (er) demonstriert das Material sozusagen mit dem Zeigestock : das Pronomen ὅδε iste fast völlig weggefallen — was nicht nur als eine Einwirkung durch die volkstümliche Koine aufzufassen ist ».

[3] PREUSS, dans *TWAT* I, 549 : « Eine kleine Gruppe von Texten verwendet בוא *qal* in Klage oder Bitte an JHWH. In der Klage wird das Gekommensein (stets Perf.) mancher Nöte vor JHWH gebracht, um ihn zum Einschreiten zu bewegen. »; parmi ses exemples *Dn* 9,13 et *Ne* 9,28.

[4] Cf. *art.cit.*, 550s. où l'A. dit que « das 'Bringen' oder 'Kommen-Lassen' durch JHWH nicht selten den Glauben an die Geschichtslenkung JHWHs zum Ausdruck bringt. (. . .) Damit gestaltet JHWH die Zeit als Zeitbogen, als zielgerichtete Strecke, führt sie zielgerichtet und erweist sich als ihr Herr, indem er Geschichte gestaltet über die Spanne von Androhung oder Verheissung hin zu Erfüllung. »

[5] Voir la discussion chez DENNISTON 1952, 126—29.

3B:2.3.3 La prière d'ouverture du deuxième acte, 13,10—11

(VALEUR). Cette prière ressemble à la précédente par sa fin analogue : une demande par la foule rassemblée d'être préservée de tout assujettissement aux nations « insolentes »[1]. La prière est un parallèle aussi à 8,2—4 (voir 2.3.1) dans la mesure où elle présente la condition juive en évoquant les assises du peuple : Loi, Patrie et Temple. Selon le contexte discursif, celles-ci sont menacées jusqu'au point d'un ébranlement total.

(ATT.). Le λαός de la prière (cf. 8,2—4) est pourvu d'un argument d'ordre deictique : l'expression ἄρτι βραχέως ἀνεψυχώς (13,11)[2], que nous voulons rapprocher du pronom démonstratif de 10,4 que nous venons de commenter. Cette fois aussi, l'expression choisie est révélatrice de la prédilection de l'auteur pour ce qui est typique, voire universel, mais aussi de son attitude pathétique, discernable partout dans le livre.

(RHÉT.). Le groupement dans la protase de deux adverbes démonstratifs indéfinis donne du relief au troisième démonstratif, cette fois défini (νῦν) dans l'apodose[3]. Effectivement, nous avons ici une formule persistante de la prière grecque, d'usage par exemple dans les prières adressées aux divinités locales[4], prières analogiquement très proches de 13,10—11.

Il faut noter en 11a l'*hyperbate* entre l'article et le participe[5], et au v. 10 le *tricôlon* dont le troisième élément[6], le Temple, se distingue par l'ajout caractéristique « saint ».

---

[1] Ici δύσφημοι en 10,4 : βλάσφημοι καὶ βάρβαροι.

[2] NELIS 1975, *ad loc.*, constate que dans la LXX ce verbe ne se rapporte jamais à un peuple, contrairement à la littérature dite profane.

[3] Il n'y a pas lieu de regarder avec ABEL 1949, *ad loc.*, ἄλλοτε comme une glose (le mot n'est pas omis dans la transmission manuscrite, autant que l'apparat critique de HANHART le mette en évidence). LSJ atteste que le mot tend soit a se répéter, soit a se relier avec πότε ou un mot analogue. Le καί répété s'explique par la nature sommaire du texte.

[4] Voir Sophocle, *Oedipe Roi*, 165 εἴποτε καὶ προτέρας ἄτας ὀρνυμένας πόλει . . . ἔλθετε κ. νῦν (JEBB). A l'époque, la croyance que les divinités liées à une certaine localité la protégeaient aussi fidèlement pouvait être nourrie par le nombre de chroniques rédigées, voir NILSSON 1974 (II), 51—54. — Un autre exemple de la formule peut être tiré d'Aristophane, *Thesmophories*, 1155—1159 (Loeb), passage que HORN 1970, 121 commente ainsi : « Dass der Dichter hier konkrete Vorlagen des echten Thesmophorenfests verwendet hat, liegt sehr im Wahrscheinlichen. » — Sur l'ancienneté de la formule, voir NORDEN 1923, 152.

[5] DENNISTON 1952, 52 dit que la figure d'hyperbate « has the effect of welding a phrase into a close-knit unity » ce qui est tout à fait le cas de notre exemple.

[6] Voir PALM 1955, 145—148; « Augenscheinlich . . . ein Standardschmuck der hellenistischen Prosa », *op.cit.*, 147. Cf. dans la proche narration (13,12) : μετὰ κλαυθμοῦ κ. νηστειῶν κ. προπτώσεως.

3B:2.4 Les vicissitudes du combat

1. Le passage hymnique célébrant l'issue
victorieuse du combat, 10,38

La victoire de l'armée de Judas est marquée par un passage hymnique qui achève de façon conclusive, en l'accentuant, tout l'épisode[1].

(FRÉQ./POS.). Le nom « Israël », qui ne se rencontre que rarement dans le livre, est la pointe du passage dont le ton liturgique est indéniable; chaque fois qu'il est employé, le nom communique à l'histoire une signification accrue et dans le cas présent, l'histoire retrouve son sens dans un acte de culte[2].

(VALEUR). En choisissant le mot νῖκος au lieu de νίκη qu'il utilise toujours ailleurs, l'auteur veut probablement manifester une certaine élévation de style, fidèle peut-être à un usage : νῖκος est deux fois plus fréquent dans la LXX (H.-R.) que ne l'est νίκη, avec une prédominance cependant de l'expression εἰς νῖκος. Il n'est pas exclu non plus que dans la combinaison νῖκος διδόναι nous ayons une expression fixée par l'usage liturgique, voir 1 Co 15,57[3].

(RYTHME). Il y a lieu de parler ici d'un rythme harmonieux et régulier, manifesté surtout par les deux participes présents; ici s'exprime la conviction joyeuse que Dieu intervient toujours à nouveau en faveur de son peuple élu, croyance dont la célébration liturgique démontre la validité.

2. Les prières associées aux sièges des villes
fortes, 12,15 et 28

Nous percevons en 12,15 une nette tension entre le style liturgique et le style didactique-informatif.

---

[1] Cf. NELIS 1975, *ad loc* : « godsdienstig enthousiasme ». — I M 4,11 et 4,24s. sont des passages semblables aussi bien quant à la fonction qu'à la valeur stylistique.

[2] Cf. STOLZ 1983, 9 : « Die kultische Darstellung der Wirklichkeit steuert die Alltagserfahrung in hohem Ausmass. », voir la définition du même auteur, p. 7 : « Kult sei definiert als Umgang mit einer Wirklichkeit, der der Kultteilnehmer lebensschaffende, ordnungssetzende und sinnstiftende Kraft zuschreibt. »

[3] IV M 17,12 donne un exemple de νῖκος qui incite à attribuer une valeur stylistique particulière à ce mot, due à son aire « biblique » : τὸ νῖκος ἀφθαρσία ἐν ζωῇ πολυχρονίῳ; noter l'emphase du premier mot, et voir DUPONT-SOMMER 1939, *ad loc.* à l'égard du syntagme prépositionnel. Chez Philon (MAIER), Ps. — Arist. (PELLETIER), Fl. Josèphe (RENGSTORF) et Diodore de Sicile (McDOUGALL), le mot νῖκος fait défaut : par contre νίκη est largement attesté chez les deux derniers. — Le νῖκος de 1 Co 15,57 peut être causé par la citation de l'Écriture qui précède; l'allure liturgique de ce verset rehausse cependant son intérêt; sur χάρις en 1 Co 15,57, voir SCHENK 1967, 98 « *charis*-Doxologien » et sur la célébration liturgique de la victoire de Dieu, voir HARDER 1936, 100.

(VALEUR). L'expression (ἐπικαλησάμενοι) τὸν μέγαν τοῦ κόσμου δυνάστην a un contenu qui surpasse ce qu'exigerait le contexte discursif. Le μέγας, outre son appartenance intrinsèque à la louange, répond bien aux intérêts de la propagande qui se manifestent ailleurs.

A côté de cette expression généreuse, nous trouvons des détails d'ordre technique immédiatement motivés par le contexte de narration : tension remarquable qui sera surpassée, cependant, par une autre tension de plus de portée : (ATT.) La prière nous donne avec son allusion à *Jos* 6,1-20 une des rare réminiscences de l'histoire d'Israël que l'on trouve dans le livre[1]. Or, le paradigme n'est pas suivi d'une application selon le modèle commun[2]. Le « paradigme » est devenu, si l'on veut, démonstration.

(VALEUR). Le renseignement de date (« au temps de Josué ») révèle un emploi secondaire du texte sacré : le texte n'est pas « étalé » devant Dieu[3], il est plutôt un instrument d'enseignement. La finale de ce passage, à savoir la date donnée, est compatible avec la phrase καθῶς κτλ. de 10,26.

Dans la prière de *12,28* (VALEUR) le choix du mot συντρίβειν à ce seul endroit du livre, est significatif. Le mot est d'une très grande fréquence dans les contextes guerriers de la Septante, modèle auquel se réfère la I M, nous obligeant à traiter ce vocable. Il est fort probable que la phrase de 12,28 (« les forces de l'ennemi ») soit une légère adaptation de l'expression συντρίβειν τ. πολέμους de l'*Exod* 15,3, reprise dans *Idt* 9,7 (prière) et 16,2 (hymne). La raison de l'adaptation faite par l'auteur de II M devrait être la recherche d'une expression plus conforme aux normes de la langue grecque[4]. Toutefois, l'expression συντρίβοντα τ. πολεμίων ἀλκάς demeure, nous le croyons, susceptible d'évoquer chez nombre de lecteurs le souvenir des hymnes chantés ou lus autrefois.

3. La prière avant l'affrontement final avec Nikanôr, 15,22—24

(VALEUR). Le commencement abrupt a un motif : la situation narrative troublée. Le δέσποτα est une variante du κύριε initial de 14,35, prière qu'il faut juxtaposer à 15,22—24, comme nous l'avons fait lors de notre analyse des rapports au contexte qui leur est à maints égards commun. Notre étude sur δεσπότης va montrer le caractère plutôt livresque de ce terme, à en juger par sa distribution dans les textes qui nous occupent.

---

[1] Arenhoevel 1967, 161, n. 24.
[2] On n'y retrouve ni un καὶ νῦν, ni un οὕτως, etc.
[3] Cf. *Const. Ap.* VII, 38,2 ἀντελάβου γὰρ ἐν ἡμέραις Ἐνὼς καὶ Ἐνώχ, ἐν ἡμέραις Μωσῆ καὶ Ἰησοῦ.
[4] Voir LSJ, *s.v.*

(FRÉQ./POS.). L'invocation est suivie immédiatement par le rappel d'un acte de délivrance dans le passé[1]. Judas s'exprime dans un style prosaïque que nous connaissons depuis I M 7,41; en fait, c'est là une formule fréquente de persuasion qui se manifeste par la correspondence ἀπέστειλας-ἀπόστειλον, les deux placés en vedette (vv. 22 et 23).

(VALEUR). A l'instar de II *Par* 32,20, le II M emploie ἀποστέλλειν soulignant ainsi l'initiative de Dieu[2].

(ATT.). Le paradigme du v. 22, qui est aussi celui de I M 7,41 (voir 2 R 19,35 et par.) comprend plus de traits informatifs que ne le fait son correspondant dans I M 7,41 où par exemple ne nom d'Ézékias demeure sous-entendu; la quantité d'informations est évidemment un indice de la préoccupation pédagogique de l'auteur[3]; le nombre d'hommes exterminés n'est pas approximatif mais marqué, notamment par la préposition εἰς dont la fonction dans un cas pareil n'est pourtant pas facile à cerner[4].

(VALEUR). Le καὶ νῦν est un élément reconnu des supplications nationales ou des lamentations collectives : il introduit soit la situation de détresse actuelle, soit la *petitio* même; ici l'expression donnée introduit la *petitio* prononcée dans un moment de crise nationale.

Le choix de la préposition (improprement dite) ἔμπροσθεν (v. 23), rare dans II M mais fréquente dans la LXX (H.-R.), donne un ton « biblique » au passage, une valeur stylistique que l'on peut préciser : la LXX (H.-R.) nous atteste plusieurs fois, dans des récits de guerre notamment, la phrase κύριος (ἐξ)ελεύσεται ἔμπροσθέν σου[5].

L'expression εἰς δέος κ. τρόμον se comprend aisément sur un tel arrière-fond[6], mais elle ne tombe nullement hors du cadre de la littérature hellénistique : de tels couples de mots sont de règle dans la prose contemporaine[7].

---

[1] GUNKEL-BEGRICH 1933, 130; voir l'anamnèse étendue de II *Esdr* 19 (*Ne* 9) et noter au v. 32 le καὶ νῦν caractéreistique. — Cf. I *Clem* 61,1 : Σύ, δέσποτα, ἔδωκας τὴν ἐξουσίαν . . . οἷς δός, κύριε.

[2] L'auteur se sert aussi d'*Is* 37,36 : ἀνεῖλεν ἐκ τῆς παρεμβολῆς est repris.

[3] Le II M irait mieux avec la règle de quantité qui joue un rôle important dans la conversation coutumière, voir WHEELOCK 1982, 55s; l'A. discute les divergences qui existent entre le langage ordinaire et le langage rituel à cet égard.

[4] Parmi les textes source, le IV *Regn* 19,35 et l'*Is* 37,36 donnent le (même) nombre qui figure aussi dans I M 7,41s; le II *Par* 32,20ss., au contraire, n'a pas de nombre. — La préposition fait défaut dans les textes source; la traduction d'ABEL 1949 et la TOB ne la rendent pas, HABICHT 1979 choisit « gegen »; le sens « voll und nicht weniger » (SCHWYZER II, 459) conviendrait mieux ici; pour un argument, voir WACKERNAGEL 1887, 133s.

[5] Voir *Idt* 4,14 et II *Regn* 5,24.

[6] Vu la concordance de H.-R. δέος ne se retrouve que dans II M : 3,30, 12,22, 13,16, toujours avec un équivalent conjoint; dans la LXX (H.-R.) φόβος καὶ τρόμος est très courant et l'usage n'en est pas limité aux livres historiques.

[7] PALM 1955, 145; Diodore de Sicile exprime de façon variée le thème « peur et confusion »,

Nous croyons que c'est le modèle biblique (Guerre sainte) qui prédomine[8], vu le paradigme et vu la nuance apportée par ἔμπροσθεν.

Dans la phrase participiale du v. 24 βλασφημία et ἅγιος λαός[9], par un effet de contraste, rehaussent mutuellement leur valeur expressive.

3B:2.5 Les « notes édifiantes »

Nombre du prières de II M donnent l'impression de n'être que des notices. Certaines le sont plus que d'autres, tant par leur insertion que par leur thème. Ces dernières se rapportent nettement à l'intérêt personnel de l'auteur; leurs points communs avec les prières de I M sont peu nombreux. Il nous semble que ces notices « par excellence » doivent occuper une place à part dans notre exposé; nous les regroupons sous la rubrique *notes édifiantes*.

3B:2.5.1 Les passages de 8,27 et 29

Le passage de 8,27 s'harmonise bien avec la nature hiératique du livre : le chant de louange est réservé pour le jour du sabbat, alors que la victoire remportée sur Nikanôr a eu lieu la veille[1]. A cette expression de la vénération du judaïsme pour le sabbat, il faut comparer les actes de charité racontés par la suite : présentation d'une piété qui se veut typique[2].

(VALEUR). La distribution de ἡμέρα dans II M nous révèle que le seul jour qui compte, c'est un jour de fête[3]. Il va sans dire que l'expression εἰς τὴν ἡμέραν revêt un sens affectif dû au rayonnement de la célébration des fêtes régulières.

---

voir les exemples illustratifs, pp. 143s. — Voir LAUNEY 1950 (II), 898 et 931—36 au regard de la « terreur panique » au sein du combat.

[8] Nous lisons dans *Exod* 15,16 ἐπιπέσοι ἐπ' αὐτοὺς τρόμος καὶ φόβος; nous pourrons constater ailleurs que ce cantique paraît avoir été chéri par les Juifs d'Égypte. Dans II M 15,22—24 nous y avons une allusion indiscutable, le « bras vigoureux » du v. 24.

[9] Nous suivons l'édition de HANHART en lisant ἅγιος λαός au lieu de la leçon facilitante de ἅγιος ναός (cod V). Sur ἅγιος λαός, voir NELIS 1975, *ad loc*; parmi ses exemples, noter III M 2,6.

[1] A la différence de I M, le II M ne permet aucun combat le jour du sabbat, voir 5,25. — En effet, les Juifs étaient en mesure de fêter une double victoire (non seulement l'issue heureuse d'une bataille, mais aussi la possibilité, grâce à la défaite de l'ennemi, de fêter en paix le sabbat, voir 6,6).

[2] Pour les Juifs de la *diaspora* le sabbat était un signe particulièrement important de leur fidélité ethnique et religieuse; à noter leur prédilection pour les noms dérivés du « sabbat », ROBERT 1934, 516ss : Σαββαταῖος est fréquent; une inscription carienne porte même Εὐσαμβ. Aux yeux du monde païen, l'observance du sabbat semblait étrange : voir le dossier chez GOLDENBERG 1979. — La charité pratiquée par les Juifs était reconnue par un monde où régnait la pauvreté, BARON 1952, II, 274.

[3] Le jour du sabbat est dit ἡμέρα ἁγία en 5,25 et ἡ σεμνοτάτη ἡμέρα en 6,11.

(ATT.). Nous avons signalé en 3B:1.5 que la supplication de *8,29* a pour fonction d'interpréter, voire de modifier, le contenu de 8,27 : aussi longtemps que le Temple reste entre les mains des païens, la « miséricorde » inaugurée par la victoire accordée aux Juifs ne peut être que prémices. 8,29 est donc révélateur d'une attitude corrective, suggérée par la combinaison εἰς τέλος καταλλαγ. dans son net rapport à ἀρχὴν ἐλέους de 8,27.

(VALEUR). L'expression εἰς τέλος qui se retrouve aussi bien dans les *Psaumes* que dans des prières tardives[4], est particulièrement apte à exprimer une attente intense de la miséricorde définitive.

3B:2.5.2 L'hymne et la prière conjoints de 12,41—42

L'anecdote des amulettes trouvées sur les morts contient une prière qui se déroule en deux temps : d'abord une phrase sous forme d'hymne qui loue Dieu pour son jugement, se référant clairement à l'incident raconté, puis (v. 42) une intercession pour que soit effacé le péché commis[1]. L'ensemble nous incite à poser la question : la valeur stylistique des ces expressions se manifeste-elle dans le rattachement si apparent de la prière au contexte discursif? Dans ce cas, l'intercession mettrait en relief la portée de l'incident pour la foi. Ou bien la teneur de cette prière à deux faces d'ouvre-t-elle sur un horizon plus vaste, de sorte que telle expression provoque une série d'associations de type culturel?

(VALEUR). Il est fort probable que la demande du v. 42 par son choix de ἐξαλείφειν à ce seul endroit de II M, avec le complément significatif de ἁμάρτημα est un écho du *Ps* 50(51),3 ἐξάλειφειν τὸ ἀνόμημά μου. Avant d'affirmer que le v. 41 est plus riche que le contexte ne le laisse penser, il faut faire quelques observations sur l'ensemble de 12,38—45. Nous avons mis en lumière ci-dessus en 1.11 la tendance didactique de ce récit. Dans l'interces-

---

[4] Par ex. *Ps* 102(103),9 οὐκ εἰς τέλος ὀργισθήσεται, *Or As* v. 34 μὴ παραδῷς ἡμᾶς εἰς τέλος (*Th* ajoute une particule), voir DELLING dans *TWNT* VIII, 53 sur l'oscillation de sens entre « endlich » et « völlig ».

[1] LÉVY 1965 estime à bon droit qu'il s'agit d'une insertion. L'anecdote sert, dit-il, de « point de départ d'une apologie de la doctrine de la résurrection », p. 66; WELLHAUSEN 1905, 147s : « Ein ganz nichtsnutziger, freilich sehr bezeichnender Anhang ist 2 M 12; (. . .) Das ist ganz im Stil der biblischen Chronik und des Midrasch. » . Lévy, *art. cit.*, 68, propose une explication fort intéressante aux « idoles de Jamnia » (12,40). Il rapproche d'un côté deux dédicaces de Délos aux noms d'Héraklès et d'Hôrôn, dits « dieux de Jamnia », et de l'autre le récit du premier chapitre du Deuxième livre des Rois (Élie et Ba'al-Zeboub) : il s'agit probablement du vieux Ba'al sous la forme héllenisée d'Héraklès qui, « conjointement avec Hauronos, donne leur vertu aux phylactères qui protègent le guerrier ». — La prière est précisée comme une intercession « pour les morts » au v. 44.

sion elle-même, il faut noter l'attention prêtée à l'incident, et en même temps, l'abstraction faite des personnes impliquées. Dans la narration, voici quelques points frappants : (v. 40) 1. la remarque à propos des idoles « que la Loi interdit aux Juifs » et 2. le fait que tous reconnaissent que les soldats sont tombés « pour cette même raison ». A noter aussi (v. 45) le mot εὐσέβεια qui dans le livre est d'une occurrence rare et spécifique[2], et immédiatement après : ὁσία κ. εὐσεβὴς ἡ ἐπίνοια. A partir de ces traits nous concluons que l'annecdote vise un catégorie déterminée : les craignant-Dieu. On voit mal quels destinataires auraient pu être davantage touchés qu'eux par un tel épisode. Nous croyons que la prière elle aussi est en mesure de transmettre un message destiné à ce groupe. Retournons au verset 41 de la prière. Il y a là en effet une phrase qui cadre bien avec une telle destination, l'expression « qui rend manifestes les choses cachées »; elle se réfère évidemment en premier lieu aux amulettes cachées et trouvées, mais elle est aussi susceptible d'évoquer tout un champ d'associations qui concernent la « conversion ». Il y a un emploi particulièrement intéressant de semblables expressions à l'intersection d'une théologie du jugement et d'une théologie de la création visant la conversion, un lieu commun semble-t-il de la prédication judéo-hellénistique[3]. Pour l'idée de « rendre manifeste » dans un contexte d'activité créatrice[4], voir *Jos As* 12,2 ὁ ποιήσας τὰ πάντα κ. φανερώσας τὰ ἀφανῆ et observer au v. 4 καὶ πρός σε ἀποκαλύψω τὰς ἀνομίας μου[5]. Même si cette prière de II M s'accorde très bien avec son contexte discursif, elle s'inscrit quand même dans une tradition de prédication et de prière, se déployant dans un cadre de conversion. A côte de II M 12,41s., la prière de *Jos As* 12 a d'ailleurs un intérêt particulier à cause de la mention explicite des idoles (v. 5), le péché majeur. Il convient de mentionner ici aussi la prière pénitentielle de Manassé qui, fidèle à la tradition vétéro-testamentaire, évoque la colère de Dieu, mais bien plus encore, son activité créatrice. *Or Man* et *Jos As* 12 nous semblent être deux branches différentes d'une tradition commune[6].

Nous concluons : avec la prière qui en fait partie, l'anecdote révèle quelques préoccupations catéchistiques de la synagogue judéo-hellénistique.

[2] Le seul autre cas de εὐσέβεια est 3,1 (histoire d'Héliodore).

[3] BERGER 1975, 233 *ad Jos As* 8,9 : « die Verbindung von Schöpfungs- und Bekehrungsaussagen (ist) inhaltlich kennzeichnend ».

[4] Pour la connexion d'« activité créatrice » et d'« omniscience », voir PETTAZZONI 1956, 100—04.

[5] Cf. II M 7,28; 1 *Co* 4,5 et *He* 11,3. A considérer aussi *Or Sib* III 704 : κτίστης ὁ δικαιοκρίτης τε μόναρχος.

[6] Voir *Or Man* vv. 2—3 et 9.

3B:2.6 Une prière portant sur le Temple : 14,35—36

(FRÉQ./POS.). La prière a des traits communs avec 15,22—24 : 1. l'invocation abrupte du commencement; 2. l'introduction du *motif* (ηὐδόκησας) d'une promptitude non moins sensible; 3. le καὶ νῦν typique de la *petitio*.

(RYTHME). Pris ensemble, ces éléments brusquement introduits équivalent à des mouvements saccadés : on a l'impression que la prière a été faite en toute hâte, façonnée sous la pression des circonstances; il en est de même avec la prière de 15,22—24. Mais la prière en question fait aussi état d'un certain assouplissement : l'amplification de l'adressé (κύριε) dans le *motif* et dans la *petitio* donne à la prière un rythme assez mesuré quand même, voire une allure liturgique.

(VALEUR et ATT.). Au v. 36 la tension entre l'invocation ἅγιε et ἀμίαντον[1], épithète attribuée à οἶκος, souligne, comme le même moyen en 15,22—24, l'absurdité de la situation du récit. Si l'on peut voir déjà dans ce contraste un certain appel aux lecteurs du livre, le complément circonstanciel προσφάτως transmet nettement un message littéraire comparable à celui de ἄρτι βραχέως de 13,10—11 — une valeur stylistique tout autre que l'expression temporelle du début de la phrase, εἰς αἰῶνα[2].

Le cas ce 14,35—36 illustre bien comment une prière, faisant partie d'une œuvre littéraire, doit se soumettre aux habitudes stylistiques de l'auteur.

(VALEUR). Il faut enfin commenter le τῶν ὅλων ἀπροσδεής du v. 35; nous aurions pu considérer ce syntagme plus tard sous la rubrique de vocabulaire, mais nous le ferons ici sans inconvénient, étant donné que ces mots se rapportent d'une façon particulière à la prière dans son ensemble : ils constituent avec le reste du verset 35 une allusion à la prière de Salomon dans 1 R 8[3], mais ils portent en même temps la marque d'une réinterprétation adaptée à un temps nouveau et à a une autre civilisation : ἀπροσδεής est un mot-clé[4].

---

[1] Voir 15,34, un parallèle; pour ce qui est de l'importance de la « pureté du Temple », marquée dans la composition du livre, voir BUNGE 1971, 604s.

[2] Sur le τόνδε de ce syntagme, vour DORAN 1981, 29 — sur εἰς αἰῶνα, JOHANNESSOHN 1926, 299 et la note 2.

[3] La prière devait être chère au milieu de l'auteur : 10,4 y fait nettement allusion et les vœux de la première lettre festivale en sont également un écho indéniable.

[4] MARCUS 1932, *s.v.*; parmi ses exemples on peut noter III M 2,9 (prière) et *Aristée*, 211 : ὁ θεὸς δὲ ἀπροσδεής ἐστι καὶ ἐπιεικής — « Dieu n'a besoin de rien » est une idée plus ancienne, chère en particulier aux stoïciens, NORDEN 1923, 13s. Un grand nombre de textes de référence sont rassemblés chez KNOPF 1920, *ad* I *Clem* 52,1 (« der Gedanke . . . ein Gemeinplatz »). I *Clem* 52,1 porte ἀπροσδεής . . . ὁ δεσπότης ὑπάρχει τῶν ἁπάντων; il nous semble que nous avons ici un cas de discours répété, répandu dans le milieu judéo-hellénistique, cf. HAENCHEN 1959, *ad* Ac 17,25 : « aus der jüdsich-hellenistischen Mission ».

Il figure chez Fl. Josèphe, AJ VIII, 111 : ἀπροσδεὲς γὰρ τὸ θεῖον ἀπάντων où l'auteur résume justement la Grande prière de Salomon. L'adjectif n'implique pas forcément une critique du culte sacrificiel[5]. En soi, l'expression donnée appartient au langage de l'adoration qui tente d'exprimer l'excellence de la nature divine[6]. A l'idée de la « suffisance » de Dieu se lie facilement l'idée de sa générosité[7], souvent évoquée dans les priéres de l'époque[8].

3B:2.7 Conclusion

1. Une pluralité de codes conditionnant le style

L'impression laissée par l'étude des prières ne s'écarte pas de l'impression générale que donne la lecture du livre : celle d'un style polyphonique. L'auteur, que ce soit Jason ou l'abréviateur anonyme, a écrit sous des contraintes multiculturelles. Il n'a pas librement choisi d'expression mais a suivi, pour employer la terminologie de Gilles G. Granger, des codes *a priori*[1]. Mais il a aussi réalisé un codage *a posteriori*, superposé aux codages conventionnels, autrement dit, il a été créateur. Nous avons perçu dans II M un système ouvert et mobile de codages[2], qui mériterait une analyse stylistique approfondie[3].

Il n'est pas facile de porter des jugements solides sur les faits linguistiques d'un ouvrage provenant d'un carrefour de civilisations : les prières ne font pas exception. Rappelons le cas de la locution εἰς δέος κ. τρόμον de la prière de 15,22—24. Elle est probablement le résultat de la convergence de deux codages : « style biblique » et convention littéraire contemporaine; et la prière de 10,4, pour laquelle la Grande prière de Salomon (III Regn 8) a servi de modèle jusque dans les détails, n'est pas purement « biblique » : l'auteur y témoigne d'une conception de l'histoire qui est plus hellénique que biblique. En 10,4 encore, le démonstratif τοιοῦτος qu'il a choisi, rappelle à chaque lecteur juif la tonalité typique des supplications nationales qui constituent une partie de son patrimoine spirituel et littéraire. Mais l'auteur, par goût pour l'abstraction, s'écarte quelque peu de la norme biblique. Comme on peut s'y attendre, c'est dans les prières rapportées textuellement que le codage biblique se remar-

---

[5] Contre GÄRTNER 1955, 217.
[6] Voir, concernant Fl. Josèphe, SCHLATTER 1910, 17.
[7] Voir plus haut la note 4, la citation d'*Aristée* 211 et cf. *Ac* 17,25.
[8] Voir *supra* nos remarques à l'égard de ἐλεήμων, etc. de II M 1,24—29 en 3A:2.1.6.

[1] Granger 1968 chez GUIRAUD-KUENTZ 1970, 53s.; sous « codes a priori » sont mentionnées : règles sémantiques et grammaticales et la notion de genre littéraire.
[2] *Ibid.*
[3] La thèse de RICHNOW de 1967 (Göttingen), *Untersuchung zu Sprache und Stil des 2. makkabäerbuches* (dactylographiée), n'a pas pu être mise à notre disposition.

que le plus; mais là non plus, l'auteur ne se comporte pas en pâle imitateur. En 14,35, par le choix de la locution τ. ὅλων ἀπροσδεής, il interprète la prière de Salomon en se servant d'un modèle de pensée adopté par son milieu judéo-hellénistique. Autre exemple de deux codages : un καὶ νῦν peut, dans une prière, être la formule standard d'une lamentation collective qui par sa position usuelle rompt le flot de louange, tandis que dans une autre, au lieu du signaler une discontinuité, il indique une continuité, à savoir la conviction qu'une divinité locale assure à ses adhérents une protection continuelle (13,10—11).

Au cours de cette étape nous avons pu observer à quel degré parfois l'expressivité d'une prière sert à souligner la thématique du récit : les deux passages de 3,15 et 22 affirment le lieu commun ou plutôt la loi universelle que personne n'a le droit de s'emparer des biens confiés à un temple. La prière actuelle (surtout 3,15) souligne que c'est là une loi sanctionnée par Dieu. C'est dire que la prière est ramenée à une fonction littéraire bien restreinte. Que les deux prières de 3,15 et 22 soient essentiellement formelles, l'outillage rhétorique mobilisé le montre bien. Il en est autrement en 3,30 quand, le Temple étant sauvé, l'auteur exprime son adoration : il choisit le terme adéquat παραδοξάζειν qui a ses racines dans la tradition vétéro-testamentaire sans porter pour autant l'empreinte d'un xénisme.

Les prières ont des traits stylistiques qu'il faut attribuer à une orientation individuelle particulière, un codage *a posteriori*, si l'on veut, qui parcourt tout le livre : l'orientation vers le pathétique. L'auteur signale en 8,4 que les enfants dont on demande à Dieu de se « souvenir » sont innocents; en 13,10, la situation de la nation juive telle qu'elle est décrite provoque la pitié : c'est « à peine » si le peuple « commence à reprendre haleine ». Le style pathétique demeure cependant marginal dans les prières par rapport au reste de l'ouvrage : qu'il y laisse aussi ses traces est peut-être signe que le « pathétique » n'était pas seulement un phénomène de style, mais quelque chose comme « l'esprit du siècle »[4].

2. Une orientation pédagogique

Que l'auteur veuille aussi donner un enseignement avec les prières de son texte semble hors de doute. Quant à la prière de 8,27, c'est le contexte thématique qui révèle l'orientation pédagogique. Le simple fait qu'il n'oublie pas dans un paradigme de fixer à une époque précise l'événement auquel il fait allusion est une manifestation de la même tendance. On peut observer qu'à l'occasion une

---

[4] Cf., dans le domaine de l'art, l'expressivité du groupe de Lycaon et, dans les programmes scolaires, la prédilection pour Euripide, MARROU 1964, 248; à propos d'Euripide, DE ROMILLY 1980, 27 affirme : « au total le contre-coup psychologique de l'action passe avant l'action elle-même ».

prière sert non seulement l'intérêt didactique mais aussi le besoin de démontrer, par exemple 12,41—42 qui signifie à ce point de vue « Dieu voit tout ». Avec ce message, joint à une forme de résumé très sommaire, la prière touche à la banalité. Cependant, la comparaison avec d'autres prières de notre recueil rend probable que la teneur de ce passage s'ouvre quand même à une interprétation intra-textuelle.

Au total, les prières, brèves ou longues, sont d'une intelligibilité remarquable grâce à leur haut degré d'explicitation et à leur vocabulaire varié.

Il n'y a que peu de prières achevées ou plutôt peu de textes de prière complets mais des passages à répétitions qui invitent le lecteur à la fois à participer à la prière du texte et à se familiariser avec une pratique de la prière.

3. *Un langage d'adoration*

Nous avons constaté que l'auteur adjoint volontiers au verbe qui introduit la prière une présentation de son adressé. Ceci relève d'une mission particulière que s'est fixée l'auteur : la tâche d'enseigner dont nous avons déjà parlé. Mais on peut dire davantage. Plongé comme il est lui-même dans le sujet qu'il traite, l'auteur célèbre la foi juive en même temps qu'il l'enseigne. Dans la présentation de l'adressé, il célèbre la « grandeur » de Dieu, voir par exemple 12,15 ; ὁ μέγας τοῦ κόσμου δυνάστης et dans 15,21 ὁ τερατοποιὸς κύριος. En dehors de la prière il peut proclamer Dieu de la même manière, *modo grandioso*, voir par exemple ὁ τῶν πνευμάτων κ. πάσης ἐξουσίας δυνάστης en 3,24 et cf.[5], dans les discours du ch. 7, l'amplification de l'expression en 7,28 (ἀξιῶ σε) ἀναβλέψαντα εἰς τὸν οὐρανὸν καὶ τὴν γῆν καὶ τὰ ἐν αὐτοῖς πάντα; c'est probablement une autre voix qui s'exprime ici, mais c'est le même genre de célébration vigoureuse qui se deploie[6]. Selon notre interprétation de 4,30 et de 12,4, l'auteur rend justice à Dieu, ou mieux, il le proclame comme « vrai »[7]. Les valeurs fondamentales de la religion juive sont analogiquement rehaussées, par l'épithète ἅγιος par exemple : ainsi le sabbat, le Temple et la νομοθεσία. C'est au sujet du Temple et du peuple juif qu'il éclate en louange de la façon la plus décisive, voir le style élevé produit par les participes, le choix d'une temporalité excessive (ἄχρι αἰῶνος) et des combinaisons comme ὁ ἑαυτοῦ τόπος resp. ὁ λαὸς ἑαυτοῦ en 3,30, 10,7, 14,15 et 15,34. Il souligne fortement la louange en 8,27 : περισσῶς εὐλογοῦντες κ. ἐξομολογούμενοι. C'est dans les énoncés de louange que les

---

[5] Il y a bien sûr aussi à cet endroit une note d'affrontement qui se mêle à la louange.

[6] Cf. LEDOGAR 1968, 109 : « Praise connotes some sort of personal experience of God ».

[7] Voir *ibid.*, un jugement que nous trouvons très à propos : « What will give to praise its specially privileged position in later Judaism is something that stems from the very signification of the words themselves. Since, as we have said, to praise means to proclaim publicly, to make known to others the wonders of God, this necessarily implies that the one praising has some special knowledge to impart. »

orants du récit deviennent le plus intensivement personnels, car là, presque uniquement[8], nous retrouvons un pronom personnel qui les concerne (8,27 et 10,38).

On peut constater que dans le Deuxième livre des Maccabées c'est dans la louange que se réalise la forme particulière de discours qu'est la prière. Et l'on est tenté de dire que l'objet réel du livre n'est pas la guerre entre les Séleucides et les Juifs[9], mais le pouvoir victorieux du Dieu des Juifs, manifesté dans les événements de cette guerre, donc objet de louange par excellence.

3B:3 Organisation
(Les prières rapportées textuellement)

1. La prière portant sur le Temple, 14,35—36

AGENCEMENT. Le καὶ νῦν (v. 36) constitue une rupture substantielle, étant donné qu'il rompt la louange (v. 35) de l'« être » et du « choix » de Dieu. Le κ. νῦν est exact, car un changement de temporalité est signalé : de la temporalité divine on passe à la temporalité humaine, de ce qui est certain on passe à l'ambigu. La *laudatio* ne constitue pas immédiatement le motif de la *petitio*. Les deux paragraphes sont soudés par l'invocation qui est reprise (v. 36) : d'une part, elle s'accommode à l'objet de la demande, d'autre part elle exprime un motif de louange[1]; autrement dit, le ἅγιε παντὸς ἁγιασμοῦ κύριε sert de pivot. La temporalité divine véhiculée par la locution essentiellement liturgique de εἰς αἰῶνα unit la demande et la louange.

THÉMATIQUE. Le thème central est évidemment *la sainteté du Temple*. Il se présente au moyen de quelques fondements notionnels : 1. il y a chez Dieu une disposition favorable à rendre accessible sa sainteté; 2. c'est une présence promise pour toujours; 3. les expressions choisies indiquent la nature de la présence : οἶκος souligne la présence en tant qu'historiquement manifestée[2], et σκήνωσις la présence comme due à une action intentionnelle[3].

---

[8] En 8,15 aussi apparaît un pronom qui désigne les orants; là, cependant, ils entrent à titre de « génération ».

[9] L'objet d'une œuvre littéraire n'est pas de nature fortuite : voir la définition stipulative de Zumthor 1963, cité chez GUIRAUD-KUENTZ 1970, 76 : « Je désigne par ce mot d'''objet' de vastes secteurs de l'intelligible our du sensible, dans l'un desquels se situe l'imagination créatrice au moment qu'elle va passer à l'acte. »

[1] Noter la plériphorie d'expressions.

[2] Voir *supra*, ch. 2, *vocabulaire* (ἐξελέξατο τὸν οἶκον); οἶκος ne se rencontre qu'ici dans II M, le οἶκος de 15,34 (H.-R.) n'étant qu'une variante de τόπος produite par l'influence de 14,36, texte en partie réutilisé en 15,34.

[3] Le seul exemple dans la LXX (H.-R.); cf. σκήνωμα.

ACTION — ACTEURS. La prière présente une prédominance notable de l'allocutif. La personne du locutif ne figure que dans la *laudatio* et là seulement par l'intermédiaire de l'historie[4], car le ἐν ἡμῖν signifie, pour les orants du texte présent, la communauté de génération en génération. Dans la *petitio* nous ne touchons les locuteurs que par les indices orientationnels[5] : τόν δε respectivement προσφάτως, les deux d'un caractère décidément littéraire sinon livresque[6].

Sur la base de la thématique unitaire d'une part et de la position faible du locutif d'autre part, nous voulons caractériser la prière comme plutôt transmissive que communicative[7]. Ce caractère résulte de la dépendance littéraire de ce morceau avec la Grande prière de Salomon, rapport que nous avons déjà constaté. A l'aide d'une prière réinterprétative, l'auteur nous transmet quelques fondements d'une théologie du Temple, à laquelle il avait recours dans son milieu[8].

2. La prière avant l'affrontement final, 15,22—24

AGENCEMENT. Le verset 22 regroupe une invocation et une *assertion* en deux parties. Le rapport entre les deux propositions est légèrement consécutif (ἀπέστειλας . . . κ. ἀνεῖλεν). Dans la *demande*, un acte divin est évoqué, ainsi que ce qui est souhaité en résultat pour l'ennemi; la prière emprunte donc sa structure au paradigme donné[1]. La demande introduite par καὶ νῦν contient une invocation, δύναστα, dans la même position et pourvue d'un déterminatif laudatif du même genre que celui trouvé en 14,36. Cependant, le déterminatif τῶν οὐρανῶν n'est pas simple louange, car l'expression suivante « envoyer un bon ange » laisse attendre « du ciel »[2]. Néanmoins le ton de louange prédomine et nous avons sur ce point aussi une convergence de structure entre 15,22ss. et 14,35s. Dans ce dernier texte, l'invocation se rapporte à la demande comme un motif qui est un « gage » de la réponse souhaitée à la prière : il constitue un motif de confiance. Il en est de même ici : οὐρανός est dans II M et par ailleurs dans le judaïsme de l'époque revêtu de la valeur symbolique de la majesté et de l'omniprésence divines[3]. La

---

[4] Pour les termes *locutif* et *allocutif*, voir TESNIÈRE 1959, 118.
[5] LYONS 1970, 213.
[6] Voir DORAN 1981, 29.
[7] MAINBERGER 1972, 8.
[8] L'A. parle, *ibid.*, de la prière comme un *locus theologicus*.

[1] Cf. I M 7,41s. où le paradigme est plus autonome, un court récit auquel se rattache la *petitio* par un οὕτως explicite. Il y a pourtant dans I M des prières qui montrent la même structure cohérente que II M 15,22—24 (2.4).
[2] Voir II M 8,20, 10,29 et 11,10.
[3] Voir II M 3,39 et 15,34; les racines sont anciennes, voir PETTAZZONI 1956, 97—114. — Un

deuxième demande, un peu voilée à cause de la 3ᵉ personne employée — il s'agit de l'ennemi — renferme un élément de louange elle aussi dans la locution μεγέθει βραχίονός σου. En tant qu'exemple de discours répété, l'expression pourrait signifier « Ton bras vigoureux, nous le connaissons (*Ex* 15!) et nous le célébrons ». Nous trouvons donc en 14,35s. et en 15,22ss. le même modèle : chaque demande est précédée d'un élément de louange accentué[4].

THÉMATIQUE. C'est sur un appel à l'intervention divine que s'organisent les thèmes de la prière. Au moyen de certaines expressions choisies il est rappellé comment, à diverses époques, Dieu a secouru son peuple[5]. Ce qui s'est passé au temps d'Ézékias doit être actualisé par la situation référentielle, en particulier le nombre écrasant des ennemis, leurs outrages et le danger imminent que court le Temple. La fin de la *demande* οἱ μετὰ βλασφημίας παραγινόμενοι κτλ. évoque, elle aussi, ce paradigme idéal. Le bras « vigoureux » du v. 22 relève vraisemblablement d'un usage, celui de chanter ou de réciter le Cantique de délivrance, *Ex* 15. Par référence à un passé d'interventions réitérées de Dieu pour son peuple, s'exprime ici une espérance fondée : Dieu délivrera encore son *qâhâl*.

ACTION — ACTEURS. Le locutif et l'allocutif sont bien équilibrés. Ce dernier est pleinement présent par son action dans l'histoire, rappellée et espérée. Le locutif entre en tant que présence réelle (ἔμπροσθεν ἡμῶν) et sous forme d'une description fonctionnelle qui le met en relation des plus étroites avec l'allocutif (ὁ ἅγιος λαός σου). L'anontif, l'ennemi, est présenté de façon stéréotypée (μετὰ βλασφημίας); c'est le personnage statique d'après une typologie formelle[6].

L'équilibre qui existe entre les trois personnes de la communication, chacune d'une solidité qui lui est propre[7], donne à cette prière un caractère décisivement communicatif[8].

---

côté des choses seulement est envisagé par B.-G. 1926, 313s; il y est dit (p. 314) : « Je höher und reiner sich die Gottesvorstellungen entwickeln, desto stärker wird auch die Gefahr einer unlebendigen, unpersönlichen Auffassung der Gottheit. »

[4] Cf. l'organisation de la *Tefilla*; pour ce qui est du choix des expressions traditionnelles de louange, cf. la référence à *Ber.* 33b dans *EncJud* 13, 982 : « In praising God, man should be circumspect, using only the standard forms of praise found in Scripture and established for use in prayer. » (L. Jacobs, art. « Prayer »).

[5] Cf. le discours de réconfort en 15,8—11; Judas savait soulager ses soldats παραμυθούμενος . . . ἐκ τοῦ νόμου καὶ τῶν προφητῶν (v. 9).

[6] DUCROT-TODOROV 1972, 289 (Tod.); voir *supra* 1.2.4, n. 9 pour le terme « anontif ».

[7] L'anontif est reflété déjà dans la partie d'assertion, c'est-à-dire dans le paradigme.

[8] Voir MAINBERGER 1972, 8.

3B:4 Vocabulaire

3B:4.1 Vocabulaire appliqué à Dieu

Le vocabulaire des prières du *résumé* est suffisamment riche pour permettre un classement plus détaillé. Nous groupons les appellations de Dieu sous les titres suivants : 1. Souveraineté 2. Puissance manifestée 3. Bienveillance.

3B:4.1.1 Souveraineté

1. ὕψιστος

La désignation ὕψιστος ne se trouve qu'une seule fois dans le livre : en 3,31, dans une prière qui est le récit d'une demande d'intercession. Ce sont les compagnons d'Héliodore qui agissent en suppliants, ce qui amène Félix-Marie Abel à qualifier le mot ὕψιστος de « tout à fait en situation »[1]. Le terme appartient effectivement au langage religieux habituel aux époques hellénistique et romaine[2]; la documentation épigraphique atteste que croyant ou crédule, on s'adressait à telle ou telle divinité qualifiée de θεὸς ὕψιστος, Ζεὺς ὕψιστος[3], ou, plus rarement, sous le seul ὕψιστος[4]. La littérature judéo-hellénistique sait s'accommoder de cet usage[5]; ce fait doit être jugé non seulement comme le résultat du souhait d'être entendu par le public grec[6], mais aussi comme une expression authentique de la part des Juifs qui, familiers avec la langue et la civilisation grecques, ont formulé leurs croyances dans les catégories de pensée à leur portée. Dans la littérature juive on se servait normalement du seul ὕψιζτος moins souvent de θεὸς ὕψιστος, expression qui prévaut pour les locuteurs païens[7]. Chez Philon, le cas est analogue : il emploie la dernière expression dans ses écrits qualifiés de diplomatiques[8].

---

[1] ABEL 1949, *ad loc.*
[2] Voir l'aperçu de CUMONT, *PW* 9/1914—1916, 445—50 (non de Jessen comme le dit ABEL 1949 *ad* II M 3,31).
[3] A l'époque « Zeus » désignait le dieu suprême, de caractère abstrait « rather than the personal name of a traditional Greek divine character », ROBERTS *et alii* 1936, 59.
[4] *art cit.*, p. 55; voir aussi le tableau, pages 66 à 68.
[5] SIMON 1972, 374; *ibid* : quant au *Siracide*, une comparaison avec les fragments en hébreu indique que ὕψιστος est le correspondant non seulement de (*El*) *Elyon* mais aussi de *El*; BERTRAM 1978, 241 : « bei Jesus Sirach neben Kyrios zur Gottesbezeichnung und fast zum Eigennamen Gottes geworden ». La correspondance *elyon* — ὕψιστος est particulièrement fréquente dans les *Psaumes* — sur ce témoignage d'élévation liturgique, voir BERTRAM, *RAC*, « Erhöhung », II a.
[6] MOORE 1930 (III), 132.
[7] Voir SIMON 1972, 372—76 concernant l'alternance significative entre le seul ὕψιστος et θεὸς ὕψιστος.
[8] *Flacc.*, 46 et *Legat.*, 157, 278 et 317. Dans *Leg.* III, 82, Philon, se référant à *Gn* 14,18 (Melchisédech) explique le terme : « car il est 'prêtre du Très-Haut, non pas qu'il y ait un autre Dieu qui ne soit pas le Très-Haut — Dieu, étant unique, 'est en haut dans le ciel, et en bas sur la terre, et il n'y en a pas d'autre en dehors de lui' (*Dt* 4,39) — mais le fait qu'il a sur Dieu non des pensées

Dans II M 3,31, il n'y a pas de raison d'attendre un ϑεὸς ὕψιστος car c'est bien le grand prêtre Onias qui doit intercéder pour la victime, le sacrilège paralysé. En mettant ὕψιστος dans la bouche des suppliants païens, l'auteur veut probablement indiquer chez eux une reconnaissance implicite de ce que le Dieu d'Israël est le seul capable de sauver leur maître[9]. Le contexte subséquent indique que c'est la compréhension présupposée du terme chez les suppliants qui prédomine : (ἔργα) τοῦ μεγίστου ϑεοῦ[10], ὁ τὴν κατοικίαν ἐπουράνιον ἔχων[11], en conséquence de quoi Dieu est dit ἐπόπτης[12].

Dans notre recueil de prières nous retrouvons le mot ὕψιστος, citations mises à part[13], premièrement comme un legs du langage des *Psaumes*, employé d'une façon significative dans les prières pénitentielles, voir *Or Man* v. 7[14], et cf. *Dn* 9,4 (μέγας) : les versets se ressemblent dans la mesure où, avant d'avouer leurs péchés, les pénitents se soumettent à la souveraineté divine; *Jos As* 8, 10 confirme probablement l'existence de ce modèle[15]. Deuxièment, ὕψιστος figure parmi d'autres termes équivalents qui visent la majesté de Dieu : III M 6,2 (invocation) et I *Esdr* 9,46 (eulogie); dans de tels cas, ὕψιστος a plutôt une valeur stylistique.

Il existe deux prières d'une empreinte définitivement juive qui touchent à notre propos : deux prières de vengeance trouvées à la nécropole de Rhénée sur l'île de Délos, présentées au grand public par Adolf Deissmann en 1908. Les textes commencent par ἐπικαλοῦμαι καὶ ἀξιῶ τὸν ϑεὸν ὕψιστον — pour Deissmann le correspondant du *El Elyon* biblique[16]. En dépit du nombre d'emprunts à l'AT grec que nous présentent ces textes, nous préférons une autre interprétation : il s'agit de la terminologie courante, ouverte dans le sens où elle s'applique à telle ou telle divinité, mais qui, employée dans une suppli-

---

basses et terre à terre, mais très grandes, très au-dessus de la matière et très élevées, est le motif de cette expression — le Très-Haut. » (trad. Mondésert).

[9] Cf. *Dan* 3,93 et l'explication qui en donne SIMON 1972, 373s.

[10] v. 36; l'épithète — dans II M seulement à cet endroit — est rare dans la LXX (H.-R.); en III M cependant, elle revient plusieurs fois : dans le milieu non-juif d'Égypte, μέγιστος était beaucoup plus employé en tant qu'appellation divine que ne l'était ὕψιστος; RONCHI 1974—79 consacre les pages 722—88 (fasc. IV) à μέγιστος contre trois pages à peine (1120—22, fasc. V) pour ὕψιστος; outre des prédilections liées à la géographie religieuse, μέγιστος a un emploi spécifique : le terme s'inscrit dans un cadre de compétition entre diverses divinités où les miracles servent de preuve de suprématie : voir *Bel-et-Dr* vv. 18 et 41 et BIKERMAN, *art cit.*, p. 185.

[11] v. 39; voir CUMONT 1929, 117—24 concernant la théologie païenne sur le « dieu de ciel »; l'A. relève à la page 118 que les Séleucides représentaient Ζεὺς Οὐράνιος sur leur monnaie, ce qui pourrait être d'une certaine importance pour la signification de notre texte.

[12] Voir *PW* 9/1914—16, 447 (Cumont) pour des attestations épigraphiques du mot ἐπόπτης en liaison avec ὕψιστος.

[13] Par ex. I *Clem* 59,3 qui cite *Is* 57,5.

[14] OSSWALD 1974, *ad loc.*, se réfère entre autres au *Ps* 46 (47), 3; ce texte peut illustrer la proximité conceptuelle qui subsiste entre *El Elyon* et *mèlèk* IHWH, voir VON RAD 1978, 10,1.

[15] Le thème de la prière est la μετάνοια à savoir la conversion à la religion juive dans laquelle s'engage ici l'égyptienne Aséneth; PHILONENKO 1968, *ad loc.*, voit dans la phraséologie de ce verset les vestiges d'une liturgie d'admission des prosélytes; voir aussi BERGER 1975, 234—40.

[16] DEISSMANN 1923, 355.

cation adressée à une divinité particulière, sort de son ambiguité[17]. Étant admis que nous avons affaire à une terminologie alors en vogue, nous pouvons regarder ces deux documents épigraphiques sous divers aspects pour mieux comprendre le choix d'expression : 1. il s'agit d'une prière privée, cas où la nature équivoque de l'expression ne joue probablement pas; 2. on ne peut cependant pas exclure l'influence possible d'un syncrétisme plus conscient, car il existait des groupements voués au culte d'un θεὸς ὕψιστος de nature mixte[18]; 3. il faut rappeler que dans dédicaces épigraphiques placées sur le bâtiment d'une synagogue ou d'une proseuque, on n'a pas hésité devant l'expression[19]; cependant, l'objectif de ce genre d'inscriptions était spécifique : conférer au bâtiment en question un caractère officiel — les dédicaces visaient les passants non-juifs. Les stèles funéraires de Rhénée ne sont pas érigées dans ce but, du moins pas principalement; elles sont des manifestations jumelles d'un genre spécifique qui règle le choix des expressions : malgré leur caractère formel de prières, il faut les ranger parmi les imprécations; en fait, on peut se référer à un texte d'incantation trouvé à Alexandrie[20], qui présente plusieurs traits analogues; et intrinsèquement il faut bien que les malfaiteurs supposés soient punis — il est alors tout à fait approprié que, oubliant les traits individuels de la divinité à laquelle on adhère, on en appelle à la Divinité Suprême[21].

2. δεσπότης

Dans le récit de II M, le terme δεσπότης apparaît sous des traits contextuels convergents : c'est Dieu dans son action punitive qui est visé par l'emploi de ce titre de souveraineté[1]. Au contraire, quand il apparaît en 15,22 (au vocatif)[2] le terme n'est qu'une variante de κύριε placé dans la même position d'invocation initiale dans la prière apparentée de 14,22—24. Dans ce cas donc, δεσπότης est une désignation proche d'un nom propre.

---

[17] ROBERTS et alii 1936, 61.

[18] L'expression comme telle invite au syncrétisme, SIMON 1972, 376; sur les groupements judéo-païens, voir SCHÜRER 1897.

[19] Dans CIJ, II les numéros 1433, 1532 et 1443; pour Délos justement, où les ruines d'une synagogue ont été mises au jour près du stade, voir BRUNEAU 1970, 486—93 et p. 487 pour les dédicaces trouvées. — I M 1,15 témoigne d'une communauté juive à Délos.

[20] Voir BERGMANN 1911, 508 et CUMONT, PW 9/1914—16, 447; les ressemblances les plus frappantes entre ces textes d'imprécation sont 1. l'appel initial au Dieu Très-Haut; 2. la phrase αἴρει τὰς χεῖρας (DEISSMANN 1923, 352) deux mains élevées sont représentées; 3. le syntagme πάντων ἐπόπτῃ lié à l'appel initial correspond à la phrase participiale ὁ πάντα ἐφορῶν des stèles.

[21] BERGMANN, art.cit., 508s : on cherche à comprendre la cause d'une mort subite.

[1] Voir 5,17 et 20; 6,14 et 9,13; sur ces passages, du point de vue de leur provenance littéraire, voir HABICHT 1979, 171s. — Cf. Ap 6,10.

[2] Contre NELIS 1975 qui fait de 15,22 un cas analoque à 9,13; « deze naam gebruikt de auteur als hij over God als de strafende rechter spreekt ».

Dans notre recueil, la distribution du titre δεσπότης donne lieu aux commentaires suivants : 1. il entre parfois dans l'énumeration de titres équivalents, voir III M 2,2 et *Idt* 9,12 — il n'est pas nécessaire de nous y attarder. 2. Proches de l'emploi de II M 15,22 sont III M 6,5 et *Tob* 8,17, car il s'agit aussi d'une invocation : le substantif est dépourvu de traits contextuels[3]. A ces exemples, on peut comparer *Ac* 4,24, la supplication de l'assemblée de Jérusalem, où δέσποτα est suivi plus tard (v. 29) de κύριε.

Dans *Lc* 2,29, le même auteur se soumet peut-être à une convention littéraire juive en usant du même vocatif δέσποτα[4]. Si ce n'est pas l'opposition δοῦλος-δεσπότης qui a occasionné ici le choix du mot — et cela est tout à fait possible[5] — il se peut que la teneur de 2,29, malgré son empreinte biblique, soit le reflet du langage épigraphique juif[6]; une épitaphe de la catacombe de Monteverde à Rome (*CIJ* I, n° 358) nous donné : νῦν, δέσποτα, ἐν εἰρήνῃ κοίμησιν[7]. Avant de devenir membre d'une expression figée, δεσπότης a probablement servi à exprimer l'idée que Dieu est le maître de la vie (cf. II M 14,46)[8]. 3. Dans *Or As* v. 37, le choix de δέσποτα est peut-être conditionné par le contexte — les orants se disent ταπεινοί (cf. *Lc* 2,29 : δεσπότης-δοῦλος), ce qui est peut-être modelé sur le choix déjà fait de δεσπότης, à plusieurs reprises même, dans *Dan* (O'-texte) qui est également une prière pénitentielle.

Dans la LXX (H.-R.) en général, le vocable est distribué de façon fort inégale, ce qui a été noté et expliqué par Karl Heinrich Rengstorf : caractère abstrait et invocation courante[9]. On note que le livre des *Psaumes* ne donne aucun exemple, sauf dans les traductions d'Aquila et de Symmaque.

La grande prière de I *Clem* emploie δέσποτα à plusieurs reprises (59,4; 60,3 et 61,1s.) dont une fois pourvu d'une épithète (ἐπουράνιε) et suivi de βασιλεῦ τῶν αἰώνων (61,2)[10]. Δεσπότης est d'ailleurs un terme largement utilisé par Clément à la différence de κύριος qui tend à être approprié au Christ[11].

---

[3] Dans III M, le terme figure aussi dans un texte narratif, à savoir en 5,12 — du langage littéraire, selon STEGEMANN 1969, 345.

[4] δεσπότης figure seulement en ces deux endroits dans *Lc-Ac*.

[5] Ainsi FITZMYER 1981 et SCHÜRMANN 1969, *ad loc*.

[6] A notre connaissance, une telle dépendance n'a pas été proposée par les commentateurs; nous avons l'intention de revenir sur la question à une autre occasion.

[7] JALABERT et MOUTERDE dans *DACL* 7:1, 684 : du IIᵉ ou IIIᵉ siècle.

[8] On trouve ce rapprochement dans ZAHN 1920, *ad Lc* 2,29 (voir *Sir* 23,1).

[9] *TWNT* II, 45ss. A l'égard de « hellenistische Gebetsanrede », voir RONCHI 1974—79, 222s. (fasc. I). Concernant Flavius Josèphe, SCHLATTER 1932, 25ss : « Die häufigste Anrede im Gebet ist δέσποτα. κύριε hat J. vermieden, da er nicht nur das Tetragrammaton, sondern auch κύριος, seinen Ersatz, als den Israel gegebenen Gottesnamen behandelt, den er im Verkehr mit den Griechen nicht gebrauchte. »

[10] Cf. δέσποτα τῶν οὐρανῶν dans *Idt* 9,12 avec βασιλεῦ πάσης τῆς κτίσεως.

[11] JAUBERT 1971, 66s. — Sur l'emploi, à une période ultérieure, de δεσπότης dans la titulature impériale, voir HAGEDORN-WORP 1980, 165—77; contre l'opinion régnante, les A. concluent : « Nicht also, um den Kaiser hinter Christus auf den zweiten Rang zu verweisen, ist man dazu übergegangen, ihn mit δεσπότης statt wie bislang mit κύριος zu titulieren, sondern ganz im Gegenteil, um Respekt, um nicht zu sagen Unterwürfigkeit, dem Herrn dieser Welt gegenüber zum Ausdruck zu bringen. »

Dans les prières juives de notre recueil, nous pouvons constater une différence de valeur entre κύριος et δεσπότης en dépit du fait que parfois ces termes nous paraissent interchangeables : δέσποτα n'a pas le même ton de familiarité que κύριε, il n'est jamais pourvu de déterminant personnel (cf. κύριε ὁ θεός μου). Par ailleurs, il n'a pas le même ton de solennité ou de sainteté : parmi nos prières comprenant une *laudatio* aucune ne commence par δέσποτα. Il nous semble évident que δεσπότης n'a jamais attenint le caractère de nom propre qu'a obtenu κύριος dans le langage religieux juif[12].

3B:4.1.2 Puissance manifestée

1. δυνάστης

Dans les prières, la désignation ne se rencontre que rarement[1]. Du recueil nous pouvons cependant citer quelques exemples : III M 2,3, 5,51 et aussi 6,39, car ce passage, écrit dans un style liturgique, reproduit la prière de 6,1—15[2]. Le II M apporte trois exemples : 12,15 et 28 et 15,23 auxquels il faut ajouter la mention très sommaire en 15,29 d'une bénédiction du « seigneur Maître », dite « dans la langue de leurs pères » (TOB)[3]; l'exemple de 15,23 diffère des autres dans la mesure où il est tiré d'une prière rapportée textuellement. Nous pouvons utiliser ces exemples de II M et III M pour les comparer à un passage du NT dont les commentateurs signalent souvent le caractère synagogal, à savoir 1 *Tm* 6, 15 : il s'agit d'un passage de transition qui aboutit à un hymne proprement dit[4]. Le δυνάστης, un *hapax* dans l'ancienne littérature chrétienne[5], est suivi dans l'hymne même de « le Rois des rois et Seigneur des seigneurs » (TOB). La plupart des commentateurs supposent, soit que l'auteur cite ici un hymne synagogal, soit plus vaguement qu'il

---

[12] Cf. Philon, *Her.*, 22 : συνώνυμα ταῦτ'εἶναι λέγεται, κύριος καὶ δεσπότης . . . δ. δὲ παρὰ τὸν δέσμον, ἀφ'οὗ τὸ δέος οἶμαι. Philon de continuer : « le 'Maître' est un 'Seigneur' mais en plus, il est pour ainsi dire un seigneur redoutable » (trad. Harl); la remarque se réfère au δέσποτα κύρ. de *Gen* 15,2.

[1] Le mot fait défaut dans les *Psaumes* (H.-R.; dans 71(72), 12 le sujet est humain).

[2] Le texte de prière se termine en 6,15 (v. 16 : λήγοντος) mais avec les événements (v. 39) le langage descriptif se transforme en louange, reprenant en partie la terminologie de la prière : ἐρρύσατο (6,10 et 11), ἐπιφάνας τὸ ἔλεος (6,4); le tour de phrase a trait à un hymne, voir la construction participiale, une reprise de 6,4, et l'adverbe μεγαλοδόξως d'une valeur stylistique élevée — c'est dans un tel contexte que nous trouvons l'expression ὁ πάντων δυνάστης. La même manière de reprendre dans le récit des expressions d'une prière antérieure est visible dans III M 2,21.

[3] Pour le contexte narratif (« epiphanie ») cf. 3,24; autrement, un δυνάστης du récit sert à contraster : dans 15,3ss. le Seigneur du ciel et le seigneur terrestre; aussi bien dans le ch. 3 que dans le ch. 15 l'alternance de κύριος et de δυνάστης est significative : le premier est liturgique, interne et, disons, primaire.

[4] On pourrait dire que l'expression ὁ μακάριος καὶ μόνος constitue le prélude de l'hymne.

[5] DEICHGRÄBER 1967, 103.

y a « derrière cet hymne la synagogue hellénistique »[6]; on peut aller plus loin que la provenance littéraire : le cas de δυνάστης de 1 *Tm* 6,15 peut nous montrer non seulement comment priaient les premiers chrétiens mais aussi avec quel contenu de pensée ils ont créé leur théologie, recourant aux éléments juifs qui se trouvaient à leur portée.

En ce qui concerne la désignation δυνάστης, elle montre une certaine solidité dans la distribution. D'abord, il y a une ressemblance entre 1 *Tm* 6,15ss. et III M 2,2s. dans la mesure où δυνάστης est un terme parmi d'autres qui touche à la puissance souveraine de Dieu[7]; comme les autres termes de sens apparenté, il se rencontre avec un déterminatif qui exprime l'extension de pouvoir, ainsi dans II M 15,23 τῶν οὐρανῶν et 12,15 (τ. κόσμου); δυνάστης possède toutefois un contenu spécifique que le cas de III M 2,2—3 laisse entrevoir : le terme est accentué, car il est le dernier à évoquer la puissance de Dieu que les versets suivants vont illustrer. Dans 1 *Tm,* δυνάστης est renforcé par sa position en tête de la série et aussi parce que son sens est souligné par l'adjonction de μόνος[8].

Il y a bien entendu une raison toute simple pour laquelle le mot s'emploie ainsi; il s'agit non seulement d'un titre, signalant la position élevée du titulaire, mais d'une fonction, voir d'une puissance qui se manifeste. Le vocable est un nom d'agent du sens de « celui qui a le pouvoir d'agir »[9].

Ayant constaté ce sens étymologique du mot, on ne s'étonnera pas que le vocable se rattache à des contextes où la puissance manifeste de Dieu est le thème central, à savoir dans les récits d'apparitions célestes, les épiphanies : c'est le cas dans III M 5,51, 6,39 et II M 15,23, II M 12,15 et 28, où le thème est bien la puissance miraculeuse de Dieu (sans que le mot ἐπιφανεία soit mentionné)[10].

1 *Tm* 6,15—16 se rapporte à cet usage : la doxologie finale a la forme sans parallèle dans le NT de ᾧ τιμὴ κ. κράτος et il n'est pas insignifiant que le terme corrélatif de proposition du v. 15 soit bien l'épiphanie du Seigneur (v. 14).

---

[6] La citation provient de DEICHGRÄBER, *op.cit.*, p. 98 : « während hinter 1 *Tm* 6,15 wohl die hellenistische Synagoge steht ».

[7] Dans III M 2,2s. parmi d'autres les termes βασιλεύς, δεσπότης et μόναρχος. Au sujet de la « Häufung von Gottesprädikaten erstmals in den Pastoralbriefen » voir DEICHGRÄBER, *op.cit.*, p. 88.

[8] μόνος avec δυνάστ. se trouve aussi dans *Or Sib* III, 718, passage d'allure liturgique : il s'agit du pèlerinage futur de la gentilité au Temple de Jérusalem.

[9] CHANTRAINE 1968—50, sous le mot-entrée δύναμαι — il précise le pouvoir d'agir : « en général, notamment en parlant du pouvoir politique : dit de Zeus (Sophocle), des chefs d'une cité (Hérodote, Platon) ».

[10] A noter en 12,15 τὸν ἄτερ κριῶν et μετὰ κράτους en 12,28.

2. ἐπιφανής, etc.

Dans les passages de prière de II M, la famille de mots est représentée aussi bien par le substantif (14,15) que par l'adjectif (15,34). Ces deux exemples vont de pair dans la mesure où ils sont membres d'une phrase qui présente l'adressé de la prière et dont la fonction est didactique comme nous l'avons constaté ci-dessus (3B:1.16). La place prédominante du mot ἐπιφανεία dans la préface du livre s'harmonise avec ce fait, d'autant plus que le thème « épiphanie » est une idée-force de II M[1]; ceci se traduit de façon négative dans l'emploi parcimonieux du titre politico-religieux d'*Epiphanès* que porte le principal Opposant du récit[2]. Nous devons voir dans ces occurrences une expression de l'intention de l'auteur : il devait avoir intérêt à utiliser les termes ἐπιφανεία et ἐπιφανής pour deux raisons principales : 1. positivement : c'était dans son milieu un *topos* bien répandu; l'inscription de Cos qui traite de la protection miraculeuse du temple d'Apollon de Delphes lors de l'invasion des Galates en 279/8, en est une expression parlant[3]. 2. négativement : la propagande politique savait profiter de la valeur religieuse du mot ἐπιφανής en tant que titre de souverain[4]. Dans le II M en son entier, l'emploi de ἐπιφανής, etc., s'inscrit dans une double perspective : pour l'Opposant (l'ennemi du discours), il s'agit d'une puissance horrifiante et efficace à laquelle est due la défaite (3,24 et 12,22), tandis que pour les Juifs il s'agit d'une assistance bienveillante et tout aussi efficace, amenant la victoire (2,21; 3,30; 5,4; 15,27 et les prières signalées plus haut)[5].

Ἐπιφανής dans la phrase d'eulogie de 15,34 est mis en vedette[6], et sa signification doit être spécifique comme dans III M 5,35, le seul exemple de ce

[1] Doran 1981, 103 : « 2 Maccabees, then, is a history of recent events filled with the theme of the epiphanic help of God. »

[2] Sur l'Opposant, voir Ducrot-Todorov 1972, 291 (Todorov).

[3] La nouvelle eut un très large retentissement dans tout le monde grec du temps et le sauvetage du temple a suscité nombre de légendes, Nilsson 1974 (II), 105s. — L'inscription de Cos est accessible dans Ditt.³ Syll. I, n° 398; voir l'expression τάς τε ἐπιφανείας τὰς γεγενημένας ἕνεκεν τοῖς περὶ τ. ἱερὸν κινδύνοις et cf. la préface de II M citée plus haut (note 1). — On peut se rapporter aussi à la Chronique de Lindos (le texte dans Blinkenberg-Kinch 1941 (II), 149—99); concernant ce document, Rostowzew 1920, 203 : « tous les sanctuaires grecs étaient des foyers de récits de ce genre ».

[4] Sur l'histoire du titre, voir Tondriau 1948. — Contre l'opinion d'Arenhoevel 1967, 153, n. 27, nous pouvons constater que l'auteur est conscient du sens équivoque du terme; ainsi dans 2,20, le roi séluide est dit *Epiphanès* en même temps que son fils est dit *Eupatôr*, ce qui comporte que le titre sert de simple désignation. Le roi est dit *Epiphanès* dans 4,7 et 10,9 avec la réserve προσαγορευθείς. Autrement le nom d'Antiochos figure seul.

[5] Cf. Festugière 1977, 66 au sujet de ἐπιφανεία dans l'hymne de Zeus de Callimaque : « c'est que sa puissance se faisait sentir et aussi sa bienveillance ». — Les mots s'inscrivent dans un cadre de combat : « die ἐπιφανεία des Gottes ist sein hilfreiches Eingreifen in der Schlacht », Bultmann-Lührmann, *TWNT* IX, 9; le verbe et le substantif dénotent « das plötzliche und unerwartete Auftauchen des Feindes, wodurch die Entscheidung der Schlacht erzwungen werden soll », Pax 1955, 9; II M 12,22 est un exemple illustratif de cet usage.

[6] II M 15,34 τ. ἐπιφανῆ κύριον εὐλόγησαν après l'anéantissement de Nikanôr et de sa menace contre le Temple.

mot dans une prière du livre : la crédibilité d'une divinité à cette époque dépend de ses épiphanies[7]. Ἐπιφανής serait donc, dans II M et dans III M, un terme de propagande. En dehors de III M 5,35, l'adjectif ne se retrouve pas dans le recueil. Probablement le terme était-il ressenti comme trop lié au culte des souverains.

La famille de mots dans son ensemble n'est pas souvent utilisée dans le recueil, mais elle a tout de même une distribution intéressante : 1. Le verbe est souvent lié avec πρόσωπον, voir ἐπίφανον τ. πρόσωπόν σου (Ps 30(31),17 et ailleurs; la phrase est reprise dans Dn (Th) 9,17 et nous la retrouvons dans I Clem 60,3. 2. Dans III M 2,19, le verbe et le substantif sont liés à un concept important, à savoir la « miséricorde »[8]. Le sens d'assistance bienveillante est apparent aussi sans que soit mentionnée expressément la « miséricorde »; il en est ainsi dans III M 6,9 ἐπιφάνηθι τοῖς . . . ὑβριζομένοις et I Clem 59,4 τ. δεομένοις ἐπιφάνηθι. 3. Dans III M 2,9 nous avons une co-occurrence d'un autre type : παρέδοξας ἐν ἐπιφανείᾳ μεγαλοπρεπεῖ, ce qui veut dire une manifestation porteuse de gloire.

Les deux derniers types de co-occurrence se rencontrent aussi dans le NT, voir Tt 2,11; 3,4 et 2 Tm 1,9s. pour le deuxième[9], et pour le troisième type voir Tt 2,13[10].

En conclusion, les trois mots ont un usage divergent; l'adjectif ἐπιφανής était employé par le langage de prière à un moindre degré que ne l'étaient les autres mots de la même racine. Mais l'adjectif a la qualité d'exprimer les objectifs de l'auteur de II M : démontrer que les Juifs sortent victorieux du conflit grâce à la puissance sans égale de leur Dieu. Celui-ci triomphe sur toute tentative d'intrusion dans son temple (ch. 3) et, vengeant tout blasphème lancé à son nom (ch. 14 et 15), il fait échouer n'importe quelle levée d'armes contre son peuple (ch. 15). En conséquence, la dernière expression de louange de l'auteur est : εὐλόγησαν τὸν ἐπιφανῆ κύριον.

3B:4.1.3 Bienveillance : εὐεργέτης etc., et σωτήρ.

Nous avons trouvé en ἐπιφανής un exemple d'un langage de prière qui n'est pas exempt d'un ton de propagande. Son emploi est inégal : en comparaison avec un ample usage dans le milieu païen, les prières juives et chrétiennes s'en servent rarement. Dans la même perspective, regardons les épithètes si couran-

---

[7] III M 5,35 : la première menace lancée par Hermon est rendue inopérante grâce à l'ἐνεργείᾳ du Seigneur (5,28). L'ἐνεργεία, etc., appartient au même champ sémantique que ἐπιφανεία; Pax 1955, 38 et 40s.

[8] Dans 6,4 et 6,39 ἐπιφαίνειν entre avec ἔλεος en tant que complément, et une construction en sens inverse se trouve dans III M 5,51 οἰκτεῖραι μετ' ἐπιφανείας et 5,8 ῥύσασθαι.

[9] Voir Dibelius-Conzelmann 1966, 108ss : partiellement « schon vom Diasporajudentum rezipiert » (109).

[10] Spicq 1969 II, ad loc. ; « peut-être la citation d'une formule liturgique ».

tes de εὐεργέτης et σωτήρ[1]. Ces mots, réunis, se rencontrent très souvent[2]. La combinaison de ces deux noms d'agent ne revient ni dans II M, ni dans le recueil[3]. Philon cependant nous en donne un exemple illustratif, qui de plus nous aide à apprécier le seul exemple de εὐεργέτης (sans σωτήρ) de notre recueil, I *Clem* 59,3[4]. Que l'expression εὐεργέτης πνευμάτων κτλ. de Clément (codex Hierosolymitanus) soit inusitée, la tradition manuscrite le montre déjà; pourtant, il ne s'agit pas nécessairement d'une expression façonnée *ad hoc* pour varier la locution κύριος/θεὸς τ. πνευμάτων[5]; l'expression choisie veut plutôt exprimer la souveraineté bienveillante qu'exerce Dieu sur toute sa création, mode de pensée déjà établi[6].

Pour ce qui concerne le verbe εὐεργετεῖν, II M 10,38 nous apporte un exemple susceptible de nous informer sur la différence de conception entre II M et I M : (εὐλόγουν) τῷ κυρίῳ τῷ μεγαλῶς εὐεργετοῦντι τ. Ισραηλ καὶ τὸ νῖκος αὐτοῖς διδόντι. A propos de ce verset il faut comparer d'une part la connection de σωτηρία avec Israël dans I M 4,25, passage de fonction analogue, et d'autre part l'emploi (peu commun) de ce verbe dans la LXX (H.-R.)[7]; le résultat est semblable à celui auquel conduit notre étude ci-dessus sur ὁ διαῴζων τὸν Ισραηλ (3A:2.3.1) : l'auteur se représente l'action de Dieu sous un aspect anthropologique.

S'il est nécessaire de distinguer entre εὐεργέτης et εὐεργετεῖν, à plus forte raison faut il le faire avec σωτήρ — σῴζειν. Le substantif ne figure nulle part dans II M, mais le recueil en donne quelques exemples; les trois cas de III M

---

[1] Attestations de εὐεργέτης dans RONCHI 1974—79, 310—44 (fasc. II) et PRÉAUX 1944 qui tire profit des archives de Zénon; SCHUBART 1937 est un véritable corpus de sources. — Selon NOCK 1951, 135 εὐεργέτης avait ses racines dans le domaine humain, différant en cela de σωτήρ; cf. II M 4,2 εὐεργέτης τ. πόλεων (également Fl. Josèphe, BJ IV, 146); NILSSON 1974 (II) 183 : « Der Beiname wird kaum je einem Gotte beigelegt ». — Sur l'importance de la « bienfaisance » en tant que vertu royale, voir p.ex. AALDERS 1975, 21—27 (Lettre d'Aristée).

[2] SKARD 1932, 29 : « die Verbindung . . . die aus den hellenistischen Inschriften so wohl bekannt ist; die Begriffe sind von Alters her verwandt, teilweise gar identisch »; Fl. Josephe en a des exemples en grand nombre, voir la concordance de Rengstorf.

[3] Pour la valeur des noms d'agent en — τηρ, voir VERNANT 1975 qui s'appuie sur la recherche faite par le linguiste renommé Émile Benveniste : « — τηρ tend donc à abolir l'individualité de l'agent dans la fonction qui l'absorbe » (p. 368).

[4] *Opif.* 169 ἔδει . . . ἠφανίσθαι διὰ πρὸς τ. εὐεργέτην κ. σωτῆρα θεὸν ἀχαριστίαν κτλ. — La rareté du couple de mots en tant que désignation divdine se comprend, voir SCHUBART, *art.cit.* p. 13 au sujet du culte des souverains hellénistiques : « dass er sich gerade an den Σωτήρ und den Εὐεργέτης wie an den 'Επιφανής anschliesst ist bekannt ». — La précaution avec laquelle on se sert de σωτήρ est également compréhensible — il y avait beaucoup de σωτῆρες en ce temps là — pour en prendre un exemple frappant d'Alexandrie : la statue de Zeus Sôter au sommet de la tour de Pharos, FRASER 1972, 18s.

[5] Le concept de « εὐεργεσία » est important pour Clément, voir KNOPF 1920, 74—77. SCHERMANN 1909, 2s. se référant aux passages dans les papyrus magiques, suggère que ceux-ci et I *Clem* 59,2—61,3 remontent à une origine commune.

[6] Voir le texte philonien cité ci-dessus et cf. *Aristée* 190 et 210.

[7] La concordance cite trois exemples des *Psaumes* (le verbe ayant un complément individuel) — Symmaque en ajoute quelques cas; Sap 16,2 est proche de II M 10,38 : εὐεργετήσας τ. λαόν σου.

132

montrent une distribution suggestive : en 6,29 le mot est « protégé » : (ηὐλόγουν) τ. ἅγιον σωτῆρα θεόν, en 7,12 Ισραηλ en est le complément déterminatif; le σωτήρ non-marqué de 6,32 est un cas plus complexe[8]; il est évident que le récit vise ici en premier lieu une audience non-juive, vu les données suivantes : 1. ἀνέλαβον ᾠδὴν πάτριον[9]; 2. le mot τερατοποιός uni à σωτήρ[10]; 3. le cadre, une fête de délivrance, arrangée par l'ancien Opposant, le Lagide pris de regrets. A cause de ces données nous voyons dans le σωτήρ de III M 6,32 un exemple analogue à ἐπιφανής tel que ce mot se présente en II M 15,34 : le terme est choisi dans un but de propagande.

Il existe aussi un usage traditionnel qui relève de l'AT. Nous pouvons y discerner deux types principaux de distribution : 1. avec « Israël » en complément déterminatif; 2. avec un pronom personnel : fréquent dans les *Psaumes* et, modelé sur ceux-ci, dans les *Psaumes de Salomon* (cf. *Lc* 1,47); en outre, *Idt* 9,11 (hymne), dont nous avons un écho dans I *Clem* 59,3 et *Lc* 1,47, suggère un rapport particulier de σωτήρ à la piété des *anawim*, également *Sir* 51,1.

Pour ce qui concerne le sens du terme, il faut rappeler la remarque d'A.D. Nock sur ce que σωτήρ est un mot qui reçoit sa coloration de son contexte[11]. C'est pour cette raison, évidemment, qu'on ne pouvait pas s'en servir comme titre divin sans l'entourer de précaution[12].

De notre étude sur les appellations divines ἐπιφανής, εὐεργέτης et σωτήρ, il résulte que le langage de prière juif ne s'approprie pas ces terme sans prendre des précautions — on leur donne un qualificatif pour éliminer leur caractère équivoque; en même temps ce sont des termes de rapprochement, issues d'une civilisation en pleine osmose religieuse.

3B:4.2 Vocabulaire concernant les orants

Nous devons porter notre attention d'abord sur les noms communs ἔθνος, γένος et λαός dont le dernier exige une particulière considération en raison de sa distribution caractéristique. Puis, nous ferons des observations sur le nom propre d'Israël qui au point de vue distributionnel est partiellement équivalent à λαός. Outre ces mots qui tous regardent les orants en tant que communauté, nous traiterons la désignation plus restreinte de δοῦλοι.

---

[8] Il existe des leçons différentes, voir l'apparat critique de HANHART.

[9] « Nichts ist für das nationale und religiöse Selbstbewusstsein des hellenistischen Judentums so charakteristisch wie der Begriff πάτριος bzw. τὰ πάτρια », DAHL 1941, 99.

[10] τεραποποιός se retrouve en II M 15,21, présentation de l'adressé de la prière; MARCUS 1932 : « not found in the Greek Old Testament or in the (originally Semitic) Apocrypha », ce qui veut dire « Hellenistic », p. 49.

[11] NOCK 1951, 127.

[12] Cf. sur l'emploi de σωτήρ dans le NT, KIEFFER 1979, 232; il semble que l'emploi de ce titre soit plus 'délicat' que celui de κύριος.

1. « Peuple »

La mention du « peuple » dépend forcément du genre littéraire (elle s'impose par exemple au cas d'une supplication nationale) mais aussi de la situation extra-linguistique du texte. Nous prenons donc ici les livres I—III M pour notre corpus à cause de leur situation commune, la persécution[1]. Nous pouvons ajouter une autre raison qui nous a poussée à limiter ainsi nos matériaux : la question de savoir quel est le sens de ces mots ne s'impose pas. Il s'agira plutôt d'en trouver la signification, ou plus exactement de préciser comment les orants perçoivent leur identité devant Dieu.

Le concept de « peuple » est exprimé par λαός dans les prières de II M cinq ou six fois, si l'on tient compte de la phrase sommaire de 15,14 où le prophète Jérémie est dit προσευχόμενος περὶ τ. λαοῦ. Nous pouvons discerner dans ces occurrences trois types d'énoncés qui tous, en effet, relèvent d'un même intérêt général : 1. λαός est introduit comme fondement de l'existence juive; il en est ainsi dans la prière de 8,2—4 qui, en raison de sa place dans le récit et de sa forme sommaire, ressemble à un programme de lutte (cf. I M 4,43s.)[2]. Deux autres fondements sont mentionnés : le Temple et la Ville. Analogiquement au passage de 8,2—3 et dans le même ordre il est dit dans 15,14 du prophète Jérémie qu'il intercéda pour le peuple et la Ville Sainte. Il nous semble clair que c'est le peuple en tant que base historique et concrète du judaïsme que traduit le terme λαός. Par conséquent, 2. λαός est le mot choisi pour désigner le *peuple-victime*, en butte aux menaces des nations; 13,11 et 15,24 sont des exemples de ce groupe. On note que dans le dernier passage le caractère particulier de ce peuple menacé est souligné par l'épithète ἅγιος. Dans III M 2,6 également, le λαός accablé, présenté aussi sous son nom propre d'Israël, est qualifié de « saint »; voir aussi III M 6,3 où est présentée la situation poignante du λαός contraint de vivre à l'étranger, dans un pays hostile[3]. 3. Le troisième groupe comporte des exemples où λαός est combiné avec κλῆρος ou μερίς — ici le caractère spécifique du peuple est dû à sa relation d'appartenance à Dieu. Le passage de II M 14,15 en est un exemple notable, car ici la qualité d'être « peuple d'appartenance » est dit valable « pour toujours ». III M 6,3 apporte une expression qui appartient à ce groupe : (ἔπιδε ἐπὶ) μερίδος ἡγιασμένης σου λαόν. L'intérêt de ces exemples du troisième groupe vient du fait que l'aspect historique est quelque peu affaibli, en comparaison de l'importance du « peuple » en tant qu'entité historique dans le supplément C d'*Esther* grec, texte peut-être contemporain de

---

[1] Le IV M se rapporte aussi à la persécution, mais ce texte n'est pas d'importance primordiale pour nous à cause de sa nature de traité philosophique.

[2] 8,1 raconte la mobilisation.

[3] Sur l'importance donnée à la vie à l'étranger, voir BERTRAM 1932, 219 : « Die LXX aber sieht in dem Schicksal des Volkes Israel das Schicksal des Frommen in der Welt überhaupt sich abbilden und vollziehen. »

II M, mais probablement d'une provenance palestinienne[4]. *Est* C 8—10 ressemble à II M 14,15 et à III M 6,3, mais la phrase du v. 9 n'y a pas de correspondant : (Ne méprise pas ton lot) ἢν σεαυτῷ ἐλυτρώσω κτλ.

La distribution du mot λαός dans II M dans son ensemble peut confirmer nos conclusions relatives à ses occurrences dans les prières de II et III M : du fait qu'un seul exemple de λαός se rencontre dans le récit (10,21) on peut deviner l'auréole particulière dont est entouré ce mot. Comme mots équivalents le II M utilise ἔθνος 9 fois et fournit autant d'exemples de γένος. On peut donc dire que pour l'auteur de II M, λαός est un terme quasi technique, ce que montre la distribution oblique du mot, réservé aux textes de prière.

Le nom Israël est plus rare encore dans II M; nous le retrouvons dans 10,38 (hymne), 11,6 (prière) et dans la tournure liturgique de 9,5 κύριος ὁ θεὸς τοῦ Ισραηλ[5]. Beaucoup plus fréquente est la désignation οἱ 'Ιουδαῖοι en tant que *Selbstbezeichnung*. C'est le contraire dans I M qui fait une distinction nette entre Ισραηλ (*Selbstbezeichnung*) et οἱ 'Ιουδαῖοι, nom officiel. Sur ce point il y a lieu de dire que la littérature marquée d'une influence palistinienne diffère de la littérature davantage influencée par les conditions de vie dans la *diaspora*. — Nous voulons signaler que dans *Const Ap* VII, 35,4 Ισραηλ est devenu une entité transnationale, désignant l'assemblée de culte dont la louange se joint à celle des anges (Ισραηλ ἡ ἐπίγειός σου ἐκκλησία)[6].

Il nous semble évident qu'Israël est devenu un nom sacré et liturgique : y ont contribué aussi bien l'anthropocentrisme de l'hellénisme que le fait politique, à savoir l'importance grandissante de la *diaspora* d'une part, et la perte de l'État juif de l'autre[7].

2. δοῦλος avec un déterminant personnel

Le terme δοῦλος qui souvent qualifie l'adressant d'une prière se retrouve dans II M en connexion avec καταλλάσσειν voir en 8,29 (prière) et dans le discours du septième frère martyr en 7,33. La notion qui prévaut dans ces cas doit être « obéissance », voire « fidélité à l'Alliance »[1], mais c'est une obéissance

---

[4] MARTIN 1975, 65—72 : il s'agit d'un original sémitique; voir MOORE 1977, 165s. pour la datation.

[5] Sur III M, comparé à II M, voir KUHN, *TWNT* III, 365 : « Auch hier 'Ισραήλ nur in betont religiösem Zusammenhang ». Voir aussi sa note 50 qui se réfère à la *Tefilla* (pour III M 7,23). Cf. les cas d'un Israël en lettres hébraïques sur des inscriptions juves en grec; là-dessus DAHL, *op.cit.*, p. 107 : « die fremde Sprache und der sakrale Name des Volkes soll die Wirkung verstärken, damit der Grabfriede ungestört bleibe.

[6] Voir BOUSSET (1915) 1979, 235; Cf. l'expression très débattue d'« Israël de Dieu » en *Ga* 6,16 — l'emploi liturgique du nom Israël a certainement aidé à le délier de l'histoire, voir BETZ 1979, *ad loc.*

[7] Voir DAHL 1941, 95, et 103 : « Aus dem theozentrischen Erwählungsglauben ist ein anthropozentrisches Bewusstsein der eigenen Frömmigkeit geworden! ».

[1] Nous rappellons que le mot διαθήκη non seulement est rare dans II M mais aussi qu'il y

mise à l'épreuve : les deux passages ont un contexte de souffrance; *Or As* vv. 33 et 44 montrent un emploi analogue de ce mot — un mot témoin dans le sens qu'il laisse souvent entendre une situation de tribulations : les *Psaumes* en donnent des exemples bien connus. Mais le mot δοῦλος a certainement aussi un côté positif qui apparaît plus ou moins nettement suivant le caractère du texte, celui de « confiance », voire de « fierté ».

Nombreux sont les textes qui affirment : s'appeler δοῦλος de quelqu'un c'est confesser son identité[2], dire ce qu'on est au plus profond de son être — c'est ainsi que s'appelle, en *Lc* 2,29, le vieillard Syméon, arrivé au terme de sa vie.

3B:4.3 Autre vocabulaire

Nous nous limitons ici à la locution μεγέθει βραχίονός σου parce qu'elle se rattache à l'usage établi d'évoquer le pouvoir de Dieu au moyen de la métaphore « bras/main de Dieu ».

1. μέγεθος βραχίονός σου et l'Epinicium Moysis

Le groupe de mots μεγέθει βραχίονός σου en II M 15,24 est une reprise de la même expression dans *Exod* 15,16 et le seul exemple de celle-ci dans la LXX (H.-R.); les mots ne sont pas cités isolément : les deux textes montrent le même contexte de malédiction sur l'ennemi[1]. Bien que la combinaison avec

---

prend un sens plus restreint que ce n'est le cas dans I M; le IM, par contre, ne donne qu'un seul exemple de δοῦλος (David), voir la note précédente.

[2] Nous pouvons citer; *Est* C 27(28) et 29 : déclaration d'innocence; *Jos As* 17,7 : aveu des péchés; *Jos As* 23,10 et II *Esdr* 5,11 : déclaration d'un adhérent; confession des plus personnelles dans *Apc Mos* (Ève) : μὴ ἀπαλλοτριώσῃς με τὴν δούλην σου (éd. TISCHENDORF) et dans le prologue de *Test Sal* v. 2 (éd. McCrown, rec.c) ἔπιδε τοῦ δούλου σου δέησιν (cf. Lc 1,48). — KOSMALA 1959, 418 cite des textes juifs et chrétiens qui attestent un δοῦλος/δούλη θεοῦ entre d'autres des inscriptions funéraires (ceci soutient notre thèse avancée *supra*, 4.1.1.2 δεσπότης à propos de *Lc* 2,29). Nous n'acceptons par pour autant les conclusions de l'auteur : *Lc* 1,48 serait « eschatologisch und messianisch » et les inscriptions de Bet-Shéarim auraient une origine essénienne. Il arrive à la deuxième conclusion en s'appuyant sur le fait que dans les *Hymnes* (1 QH) « tritt (der Betende) vor Gott immer wieder mit dem Selbstbekenntnis 'dein Knecht' » et en se tenant à l'opinion que « die Bezeichnung 'Knecht' oder 'Magd Gottes' sonst im offiziellen Judentum der Zeit nicht üblich ist ».

[1] καταπλήσσειν (II M 15,24) est un vocable utilisé ailleurs dans II M et dans un contexte semblable : voir II M 8,16 exhortation au combat; l'optatif de ce verbe relève d'un usage, cf. *supra*, 3A:1.1, n. 9. *Exod* 15,16 ne correspond pas tout à fait à l'hébreu; l'impératif et l'optatif du texte grec sont plus aptes à l'actualisation et à l'appropriation par la liturgie. Le verset 17 analogiquement est transformé en demande (καταφύτευσον). Ce verset est cité, comme nous l'avons vu, dans la prière du premier chapitre (II M 1,29). — Que le texte hébreu ait déjà une structure qui s'ouvre à l'actualisation, c'est l'opinion exprimée par LOHFINK (1963) 1965, 125. — Sur *Ex* 15, voir MUILENBURG 1966 et NORIN 1977, 77—107.

μέγεθος soit singulière[2], le mot βραχίων utilisé métaphoriquement pour la puissance de Dieu[3], se retrouve dans notre recueil. A côté de δεξιός le qualificatif le plus souvent accordé au substantif est ὑψηλός[4], voir par exemple *Bar* 2,11 et *Dn* 9,15[5]. Les deux dernières occurrences sont integrées dans un énoncé du type *omnium confessio* au sujet de l'exode — l'événement fondamental du salut; il en est de même en *Ac* 13,17. I *Clem* 60,3 montre un emploi de βραχίων ὑψηλός en parallèle avec χεὶρ κραταιά combinaison biblique[6]. I *Clem* 60,3 est une demande générale de protection et de délivrance occasionnée par une situation d'hostilité, cf. *Sir* 33(36),7 et *Lc* 1,51. Si l'accent de la prière synagogale de *Sir* 33(36) est mis sur les merveilles de Dieu[7], II M 15,24 est formulé dans un intérêt plus précis qui sait profiter de l'ancien concept du Dieu guerrier[8]. On n'atteint pas le fond de la question si l'on considère l'écho; d'*Exod* 15,6 (et s.) comme une allusion à un texte écrit; nous nous trouvons ici devant une tradition liturgique, car d'abord, on peut constater que la métaphore a une position solide dans des hymnes et des professions de foi liés au culte[9]; le cantique de l'*Exode* 15 a sans doute joué un rôle éminent dans la vie liturgique des Juifs d'Alexandrie : pour Philon ce cantique est un modèle idéal[10]; il semble d'ailleurs que le chant des hymnes ait été particulièrement apprécié dans la *diaspora* égyptienne[11].

L'*Epinicium Moysis* a eu une histoire heureuse[12]; Ismar Elbogen situe le cantique dans la liturgie régulière du Sabbat à l'époque du Temple[13], et I.H. Dalmais le mentionne en tant qu'élément du rituel Azkénazi pour l'office du matin[14]. Rangé

---

[2] Voir pourtant *Ps* 78(79), 11 κατὰ μεγαλωσύνην τ. βραχίονός σου.

[3] Voir HELFMEYER dans *TWAT* II, 653.

[4] Le bras élevé d'un dieu ou d'un souverain est amplement attesté par l'iconographie orientale, voir KEEL 1974, 161—204. Sur le syntagme prépositionnel ἐν βραχίονι ὑψηλῷ où ἐν veut rendre le b[e] instrumenti, voir SOISALON-SOININEN 1983, 35, et 37 : « der Übersetzer (wollte) einen feierlichen Ausdruck über Gottes Taten möglichst wortgetreu wiedergeben ».

[5] Selon THACKERAY 1921, 88s. et d'autres après lui, il y a un rapport de dépendance de la prière de Baruch à celle de *Dn* 9.

[6] Voir KNOPF 1920, *ad loc* ; « geläufiger LXX-Ausdruck ».

[7] BOX dans *Charles* I, 440; « There are some striking parallels between this prayer and parts of the synagogue liturgy, especially the *Eighteen Blessings* ».

[8] HELFMEYER, *art.cit.*, à la même page : « In der überwiegenden Mehrheit der einschlägigen Texte tritt die Vorstellung von JHWH als Krieger zutage. » La notion du « bras de Dieu » ou « de la main de Dieu » s'actualise dans une situation de guerre ne surprend pas si l'on suppose que Dieu peut réellement intervenir. I *QM* utilise *yad* à plusieurs reprises (*idem*, col. 652), et voir *Ps Sal* 13,2. Or *Sib* III, destiné à un public lettré, n'hésite point devant la métaphore : αὐτὸς ὑπέρμαχος ἀθάνατος καὶ χεὶρ Ἁγίοιο (709; éd. GEFFCKEN); nous touchons ici à une vérité sémantique générale : « Le corps humain est la source d'un très grand nombre de . . . métaphores cognitives » (p. 52) et expressives, GUIRAUD 1955, 52ss.

[9] HELFMEYER, *art.cit.*, 657.

[10] Voir DELLING, *TWNT* VIII, 500. On peut rappeler dans ce contexte que Philon dénomme la fête de Pâque τὰ διαβατήρια *Spec.* II, 147.

[11] HENGEL 1971, 164.

[12] EISENHOFER 1932 (I), 160.

[13] ELBOGEN 1913, 117.

[14] DALMAIS 1957, 28ss.

parmi les *odae* déjà dans le codex Alexandrinus, le *Cantemus Domino* est un des cantiques les plus usités de la liturgie chrétienne, faisant partie du bréviaire[15]. Il semble que la notion du « bras puissant de Dieu » ait encore trouvée à l'epoque byzantine un cadre favorable pour le déployer; cet écho d'un temps reculé n'est d'ailleurs pas le seul indice que l'armée byzantine dans ses pratiques religieuses se soit inspirée des prières maccabéennes[16].

3B:4.4 Conclusion

Si l'on considère les noms divins dans II M, on est frappé tout d'abord par leur nombre, mais aussi par leur empoi varié. Leur occurrence dans la phrase qui présente préalablement l'adressé de la prière est d'une importance singulière : notre analyse du rapport des prières à leur contexte a montré les liens étroits d'une telle phrase avec l'intention marquée de faire ressortir l'excellence du judaïsme[1].

Parmi les titres étudiés il y en a deux en particulier qui accentuent ce but littéraire : ὕψιστος et παντοκράτωρ (voir sous 3A:2.1.5 pour le dernier). Δεσπότης le fait aussi, mais seulement en connexion avec la notion de colère divine, de jugement. La potentialité du mot παντοκράτωρ dans ce domaine nous semble comprise dans son sens littéral. Ὕψιστος est un cas différent : il obtient sa valeur de supériorité, disons « offensive », à cause de son emploi dans un cadre de concurrence entre divinités, ce qui est vrai aussi pour le terme μέγιστος qui l'accompagne souvent[2]. Cet état de choses se manifeste aussi dans II M où la désignation ὕψιστος figure une seule fois, à savoir dans la prière du grand-prêtre Onias (II M 3), prononcée plutôt contre son gré, car elle est la réponse à une demande de la part des soldats païens, inquiets du sort d'Héliodore, le sacrilège puni; l'adjectif traduit alors la reconnaissance de la supériorité du Dieu d'Israël, ou pour parler selon une terminologie plus assortie à la pointe de l'anecdote : la supériorité du Dieu du temple de Jérusalem[3]. Nous avons ici un cas singulier où le contenu d'une prière a pour but de servir des intérêts de propagande littéraire. Quelque exceptionnelle que

---

[15] CABROL, *DACL* 2, col. 1978 et GAMBER 1983, 100—4. *Ex* 15, 1—18 est devenu très tôt un texte du bréviaire; il est toujours chanté pendant le vigile de Pâques. Le *tractus* comporte : *Dominus quasi vir pugnator* ou *Dominus conterens bella* — à propos de cette expression participiale, voir *supra*, 3B:2.4.5.

[16] Voir *infra*, 4.1 (chapitre de conclusion), vers la fin.

[1] Nous avons consciemment choisi le terme « excellence », car il est approprié à traduire la double destination qui est celle de II M; Cf. SCHÜSSLER-FIORENZA 1976, 3 au sujet de la littérature de propagande juive : « In such literature it (c.-à-d. le judaïsme) developed a sophisticated apologetics to strengthen its own members and to convince its gentile readers of the truth of the Jewish faith. »

[2] Voir *supra*, 3B:4.1.1.1, note 10.

[3] DORAN 1981, 104.

soit cette prière, elle s'avère néanmoins conforme aux prières juives normales par le choix du seul ὕψιστος au lieu de θεὸς ὕψιστος. Les deux autres termes, παντοκράτωρ et δεσπότης ne sont pas aussi rares; ils peuvent revêtir un ton de propagande tout aussi net mais seulement dans le récit. Le cas de δεσπότης n'est pas uniforme pourtant; nous sommes portée à croire que le lien de ce mot avec la notion de colère punitive, dont le livre fournit des exemples justement dans le récit, n'est pas seulement occasionné par un dessein littéraire particulier, mais suscité par un usage liturgique connu : le rattachement de ce titre à la colère divine est un élément inhérent au genre « prière pénitentielle » ou « confession des péchés ». De toute façon ce n'est pas le livre des *Psaumes* qui a servi de modèle sur ce point. En nous tenant à une perspective diachronique, nous voulons rappeler la fréquence assez importante du titre dans I *Clem*, notamment dans la grande prière de cette épître; c'est là un témoin de la tendance que l'on perçoit aussi par ailleurs à réserver le titre κύριος à Jésus Christ. Les exemples tirés de notre recueil ont cependant montré que comme invocation à Dieu, le δεσπότης n'a jamais atteint la dignité de son équivalent κύριος. En somme, le titre δεσπότης a un caractère essentiellement littéraire, parfois livresque même : il se retrouve quatre fois sur cinq dans le récit de II M — à comparer avec la prédilection pour ce titre que manifeste Flavius Josèphe, par égard pour les lecteurs helléniques comme le remarque Adolf Schlatter[4].

L'emploi du terme δυνάστης n'est pas très différent de celui de δεσπότης et de παντοκράτωρ. Ainsi, dans le récit évidemment, δυνάστης, comme aussi le participe δυνάμενος, exprime un affrontement — dans le chapitre final au point de devenir un constituant immédiat de la thématique : la confrontation entre Nikanôr, dit δυνάστης ἐπὶ τῆς γῆς, et le δυνάστης ἐν οὐρανῷ (15,3ss.)[5]. Mais δυνάστης est plus qu'un simple mot d'affrontement. Nous avons noté son occurrence régulière dans des passages hymniques ou du moins évocatifs d'un hymne non seulement dans II M mais aussi dans III M. Ce trait de distribution, se basant probablement sur un usage liturgique réel, nous aide à comprendre la teneur de 1 *Tm* 6,15a, verset qui débouche sur un hymne proprement dit.

A δυνάστης, il y a lieu de comparer ἐπιφανής, désignation que les Juifs d'alors n'ont pas souvent employée pour des raisons faciles à comprendre; ce mot délicat n'est pourtant pas un terme de propagande pure et simple : il est aussi l'élément d'un langage, celui de la célébration, qui ne vise pas en premier lieu le public extérieur. Le terme est mis en vedette dans le chapitre final jusqu'à être le signal de clôture du récit entier, ce récit dont le début avait justement attiré l'attention sur les « épiphanies du Ciel », grâce auxquelles la

---

[4] Voir *supra*, 3B:4.1.1.2, note 9.
[5] δυνάστης ἐν οὐρανῷ est bien l'expression primaire, car Nikanôr n'est pas un δυνάστης au sens vrai du terme, voir FISCHER 1980, 208 : « Nikanor (Nr. 2) ».

nation juive est sortie victorieuse de ses difficultés. Quoique le terme δυνάστης se retrouve dans des contextes d'apparitions célestes, il est d'une autre portée que le terme approprié, ἐπιφανής, qui demeure un *Fremdkörper* du langage de prière juif; il y a raison d'y voir un terme synthésisant dans la mesure où, soit il introduit, soit il achève une série d'expressions relatives à la puissance de Dieu. Ceci a des conséquences pour notre conception de II M : le concept d'« épiphanie » est l'idée-force du livre, la puissance de Dieu, sous les aspects couverts par δυνάστης ou δυνάμενος, doit être regardée comme la conviction fondamentale qui nourrit cette idée maîtresse. Car comment peut-on mieux expliquer le ton de louange qui, parcourant le livre, lui donne son caractère singulier? Il est vrai que le II M s'exprime d'une façon variée sur la puissance de Dieu, mais il est tout aussi vrai que nulle autre désignation que δυνάστης ne peut mieux traduire d'une part la confiance en Dieu en face des vicissitudes de l'histoire et d'autre part l'espoir en un *eschaton* de plénitude. L'auteur choisit bien ses termes quand il dit : ἔστιν ὁ κύριος ζῶν αὐτὸς ἐν οὐρανῷ δυνάστης (15,4).

Entre le groupe ἐπιφαίνειν et le groupe εὐεργετεῖν il y a cette ressemblance que ἐπιφανής et son correspondant formel εὐεργέτης appartiennent au discours littéraire, tandis que les verbes de ces deux groupes se prêtent plus aisément au langage de prière proprement dit. Le εὐεργετεῖν en particulier retient notre attention parce qu'il fait du nom Israël son complément accentué. Nous avons trouvé dans la phrase de 10,38 un exemple qui rappelle la locution analogue σῴζειν τ. Ισρ. de I M. Le choix de verbes différents est significatif : le εὐεργετεῖν, préféré par le II M, introduit un jugement de valeur à cause du concept de « bienveillance » auquel il se rattache. On pourrait même dire que se dégage ici la tendance dite anthropocentrique si typique de certaines parties de la Septante[6]. Dans ce cas il convient de parler à la suite de Georges Matoré d'un *mot-clé*, à savoir un mot qui dénote « un sentiment, une idée vivants dans la mesure même où la société reconnaît en eux son idéal »[7]. Si le choix de εὐεργετεῖν produit un réorientation dans la conception de l'action salvatrice du Dieu d'Israël, le groupe ἔλεος etc., présente lui aussi une modification d'ordre conceptuel. L'emploi du groupe de mots par les auteurs juifs de l'époque suit en général la norme donnée par la correspondance *hèsèd-eleos* : tout en restant fidèle à cet usage, l'auteur de II M insiste beaucoup sur la « miséricorde de Dieu », au point de choisir le terme ἔλεος pour dénoter l'*eschaton* de salut (7,29)[8]. A propos du mot ἐλεήμων nous avons pu noter deux tendances qui signalent un glissement de sens : 1. le mot tend à figurer seul, se séparant de ses équivalents οἰκτίρμων etc., et se désistant du rapport d'hyponomie qu'il a traditionellement avec δίκαιος; 2. il s'unit avec

---

[6] BERTRAM, *TWNT* II, 652, note 7.
[7] MATORÉ 1953, 68.
[8] BULTMANN, *TWNT* II, 478.

εὐεργετικὸς etc., ou avec des expressions variées du concept de « bonté »[9].
Lors de notre étude de II M 1,24—29 (3A), nous avions observé un trait distributionnel commun pour II M, *Tob* et *Sir* — c'est que ces écrits sont d'accord pour présenter d'emblée, à l'aide du qualificatif ἐλεήμων le Dieu que l'on prie. Si cet adjectif est opportun dans une demande d'intervention, les épithètes χρηστός, ἀγαθός etc., sont faites pour la louange. A noter que l'ange dont l'on attend qu'il soit envoyé pour secourir (11,7), sans qu'il soit dit ἐλεήμων ce qui est évidemment exclu, est dit ἀγαθός par voie de dérivation peut-on dire, notamment en référence à la miséricorde divine. Pour illustrer ce mouvement de « bonté-bienveillance-miséricorde » que nous discernons dans II M, nous ne croyons pas qu'il y ait une expression meilleure que celle de la *Lettre d'Aristée* : « A considérer, en effet, combien Dieu fait cas de l'espèce humaine . . . »[10]. C'est dans la conviction qu'il fait en vérité cas de son peuple que les orants de II M s'adressent à Dieu sous l'invocation de ἐλεήμων, expression aussi de la conscience qu'ils ont de dépendre pour leur vie de sa Bienveillance.

---

[9] ἔλεος et ses synonymes se rattachent au domaine des créatures : II M 6,2; cf. *Sap* 8,1 et 15,1 et pour εὐεργετικός, voir I *Clem* 23,1.
[10] *Aristée*, 259, trad. Pelletier.

4 Conclusion

Nous avions déclaré au préalable que nous allions étudier les prières de I M et de II M dans une double perspective. Nous voulions d'abord les regarder en tant qu'éléments de récit et découvrir leurs fonctions dans la composition littéraire. De plus, notre but était de regarder ces mêmes éléments en ce qui concerne leur rapport avec un langage de prière.

Nous avons voulu comparer les prières de ces deux livres à d'autres prières, et dans ce but, nous avons réuni un recueil de textes du livre de *Tobit* jusqu'aux *Constitutions apostoliques*, livre VII surtout qui contient des prières considérées avec raison comme juives. Dans notre recueil nous avons retenu aussi des prières des premiers chrétiens : la grande intercession pour l'Église de la *Première lettre de Clément* a été pour nous un « puits de découvertes » et les prières de la *Didachè* nous ont montré comment le langage liturgique chrétien a su profiter du langage de prière juif pour certains de ses « thèmes », structures de pensée ou même expressions précises[1]. Nous nous sommes référée constamment aussi à des prières qui ont probablement servi de « modèles », telle que la prière pénitentielle de *Dn* 9, la prière de Salomon de 1 R 8 et un grand nombre de Psaumes. Étudiant le vocabulaire, le style et l'organisation des prières des deux premiers livres des Maccabées, nous avons donné une certaine importance à ce procédé de comparaison dans l'intention de pouvoir circonscrire au moins approximativement « un langage de prière juif en grec ».

Nous avons choisi les deux premiers livres des Maccabées pour plusieurs raisons, parmi lesquelles nous soulignons : 1. un livre est une traduction tandis que l'autre a été écrit originairement en grec; 2. deux optiques sont représentées : l'une est conçue dans une perspective palestinienne, l'autre est marquée par les préoccupations d'une vie dans la *diaspora*. Il faut maintenant réunir ce que nous avons trouvé de caractéristique au sujet des prières de ces livres.

4.1 Deux expressions du même langage : prières de guerre (I M) — prières de confrontation (II M)

Le cadre conceptuel du Premier livre des Maccabées est celui de la Guerre sainte, cadre qui détermine le rôle de Dieu, de son peuple et de l'ennemi. Les trois rôles apparaissent le plus clairement dans les prières où l'on observe la

---

[1] Cf. SCHILLEBEECKX 1983, 23 qui parle d'une façon judéo-chrétienne de prier.

dépendance de la lamentation collective : les trois acteurs y sont nettement marqués. L'auteur de I M peut réunir entre eux les personnages du récit et les lecteurs grâce à leur appartenance commune qui est aussi le sienne : « Israël ». Dans cette perspective, l'auteur n'a pas besoin de présenter Dieu explicitement : Il est connu à travers l'histoire d'Israël. Les ennemis de même : les « nations » se rassemblent, on le sait, contre Israël.

L'auteur et les destinataires du Deuxième livre des Maccabées ont un autre horizon : l'histoire « sainte », n'est plus une évidence pour eux. Le II M présente Dieu par des noms qui ont, certes, un contenu informatif, mais dont la signification tient surtout à ce qu'ils relèvent de l'expérience. L'auteur et les lecteurs, pourvu qu'ils s'identifient avec les personnages du récit, sont témoins d'un drame où, dans le compétition des dieux, leur Dieu remporte glorieusement la victoire.

Les prières des deux livres diffèrent et se ressemblent à la fois. D'abord, on peut constater que des situations semblables provoquent des prières semblables. La prière de Judas avant l'affrontement final avec Nikanôr est pareille dans les deux livres, mais cette ressemblance ne comporte pas l'évidence d'une source commune pour I M et II M[1]. Il ne faut pas oublier que l'on célébrait le jour commémoratif de la défaite de Nikanôr, le 13 Adar. Il y a dans les deux livres des réminiscences de la Grande prière de Salomon — de nouveau, c'est en raison d'une situation commune, la fête commémorative de la Dédicace que les choses se présentent ainsi. Deuxièmement, il y a des allusions très nettes à l'*Exode* 15 dans les deux livres : le cantique a certainement été amplement chanté, mais l'important, c'est qu'il soit le texte fondamental de délivrance qui, pendant des siècles de tribulation, a donné espoir aux croyants. Il y a aussi d'autres témoignages de ce que l'on prie avec l'Écriture — que l'on connaît, et qui plus est, dans laquelle on se reconnaît. Une illustration de ce dernier point : le I M « se reconnaît » dans la phrase ὁ συντρίβων πολέμους, le II M dans l'expression μεγέθει βραχίονος — tous les deux font allusion à *Exod* 15. Le I M est très riche en matière commémorative : à l'aide des Psaumes, *Ps* 78(79) et 82(83) en particulier, l'auteur sait interpréter les événements en sorte que les lecteurs ne peuvent que se sentir solidaires avec son message. Les prières de I M ont, pourrait-on dire, un caractère avant tout « transmissif ». Les prières de II M, sans en être dépourvues, ont un caractère plutôt communicatif. Quant aux modes de la prière, on constate que la louange domine dans le Deuxième livre, la demande dans le Premier.

Nous avons découvert des ressemblances qui unissent les deux livres avec notre recueil de textes et de plus avec l'histoire de la prière juive en général. On note que dans les prières, les expressions varient tandis que le contenu forme des ensembles qui reviennent régulièrement : la comparaison s'impose avec les Dix-huit Bénédictions dont le contenu était fixé bien avant que les ex-

[1] Cf. MOMIGLIANO 1931, 112s.

pressions ne fussent précisées[2]. Quant à l'histoire de la prière juive, on sait l'usage qui s'est installé de prononcer à toute occasion une bénédiction. On serait tenté d'en voir un reflet dans II M : le récit nous offre des phrases de prière à profusion. Ce livre illustre bien, d'avance, la maxime d'un rabbin : les portes sont toujours ouvertes pour la prière[3]. Quant à la manière de s'exprimer dans la prière — nous visons I M et II M aussi bien que le recueil, il saute aux yeux que s'y reflètent les fonctions de la synagogue : l'enseignement de la tradition et la confession de foi.

Dans nos matériaux nous retrouvons une structure fondamentale : la louange précède et succède à la demande. D'abord on loue Dieu en se souvenant de lui, puis on le confesse comme l'absolument Autre (doxologie). Une autre structure, plus liée à la face d'expression, est celle d'une alternance entre l'impératif à la 2ᵉ personne et l'impératif à la 3ᵉ personne, en rapport consécutif. Elle est ancienne (les Psaumes) mais aussi récente : les prières comprises dans les pratiques religieuses de l'armée byzantine sont organisées ainsi. Ces prières datées entre les IXᵉ et XIᵉ siècles s'inscrivent dans la tradition des Maccabées : nous reconnaissons certains éléments essentiels du vocabulaire[4]. Les soldats byzantins prient avec l'Écriture Sainte comme le font les Maccabées, et même, ils prient avec les deux premiers livres des Maccabées, devenus Écriture.

4.2 Langage de prière — langage de foi

Toute prière est liée à un acte de foi, ne serait-ce que le constat primordial de l'existence divine ou la confiance fondamentale que « Dieu veut de nous » (cf. I M 4,10). La prière peut consolider cette foi de base : le rappel des actes de délivrance dans le passé a certainement cette fonction. La conséquence en est que la foi, renforcée, s'exprime de nouveau en prière, car la prière est « un parler qui sourd d'une mémoire active »[1]. Si pour les orants de I M le passé, plein de sens, est le soutien par excellence de la foi, pour ceux de II M, ce sont les noms de Dieu surtout qui jouent ce rôle. En fait, ces noms sont de première importance, car les noms propres équivalent à « la condensation de la présence personnelle opérée par un mot singulier au sein des formes du langage »[2].

Il est conforme à l'importance donnée au passé dans I M que la conscience de soi qui est celle des orants se cristallise sur la notion de « peuple de l'al-

---

[2] Heinemann 1977.
[3] Op.cit., p. 20.
[4] Vieillefond 1935, 324—27, cite parmi d'autres textes le traité Στρατηγικὴ ἔκθεσις. Les prières contiennent le terme συντρίβειν et le verbe συμμαχεῖν. L'histoire de David et Goliath sert de paradigme.

[1] Bruaire 1969, 309.
[2] Nédoncelle 1969, 341; il s'est inspiré d'Émile Benveniste.

liance »; dans II M, c'est le « peuple d'appartenance ». Cette conscience sous forme différente aide les orants à faire leur le langage d'anticipation systématique qu'est la prière, ou mieux : le langage de l'espérance[3]. La même perspective fondamentale s'exprime bien entendu dans d'autres prières juives de notre recueil, mais, il faut le souligner, elle s'exprime aussi dans les prières chrétiennes qui y sont incluses.

Les prières que nous avons étudiées témoignent toutes d'un pouvoir d'innovation qui sans doute est une caractéristique essentielle d'un langage de prière.

[3] ULANOV 1982, 10.

Bibliographie

Textes

La liste qui suit ne couvre que les textes le plus souvent cités. Pour les autres textes, les éditions sont signalées dans les notes.

AT et NT[1]

LXX :   *La Septante de Göttingen;* les textes qui ne sont pas encore parus dans la série sont donnés d'après A. RAHLFS, Stuttgart, 1935.

TM :   *Biblia Hebraica Stuttgartensia*, ed. K. ELLIGER-W. RUDOLPH, Stuttgart, 1969—1976.

NT, gr. :   *Novum Testamentum Graece*, ed. E. NESTLE, B. et K. ALAND, Stuttgart, [26]1979.

Pseudépigraphes

Aristée :   *Lettre d'Aristée à Philocrate* (SC, 89), ed. A. PELLETIER, Paris, 1962.

Hen :   *Apocalypsis Henochi Graece* (PVTG, 3), ed. M. BLACK, Leyde, 1970.

Par Ier :   *Paraleipomena Jeremiou* (Texts and Translations 1, Pseudep. Series 1, SBL), ed. R. A. KRAFT et A.-E. PURINTON, Missoula, Montana, 1972.

Jos As :   *Joseph et Aséneth* (SPB, 13), ed. M. PHILONENKO, Leyde 1968. *Le livre de la Prière d'Aséneth*, ed. P. BATIFOL, dans *Studia Patristica* I—II, Paris, 1889—1890.

Or Sib III :   *Die Oracula Sibyllina* (GCS), ed. J. GEFFCKEN, Leipzig, 1902.

Test Abr :   *The Testament of Abraham*, The Greek recensions (Texts and Translations 2, Pseudep. Series 2 (SBL), ed. M. R. JAMES (1892) et M. E. STONE, Missoula, Montana, 1972.

Test Iob :   *Testamentum Iobi* (PVTG, 2), ed. S.P. BROCK, Leyde, 1967.

Test Sal :   *The Testament of Solomon*, ed. C. C. McCOWN, New York, 1922.

---

[1] Pour les livres bibliques nous employons normalement les sigles de RAHLFS. Quand nous travaillons sur le texte hébreu ou quand nous ne voulons que suggérer le contenu d'un passage, nous employons les sigles de la TOB. Les Psaumes apparaissent toujours dans l'ordre : LXX et TM. La transcription de l'hébreu suit, sauf pour les termes théologiques usuels, le modèle de *Dictionnaire du NT* par Xavier LÉON-DUFOUR (1975). Les personnages bibliques sont présentés selon la nomenclature de la TOB, les personnages politiques d'après Édouard Will (1979—1982).

Autres

Fl. Josèphe :   *Flavii Iosephi opera*, vol. I—VII, ed. B. NIESE, Berlin, 1885—1895.

Philon :   *Philonis Alexandrini opera quae supersunt,* vol. I—VII, ed. L. COHN - P. WENDLAND, Berlin, 1896—1930.
Les œuvres de Philon d'Alexandrie, publiées sous le patronage de l'Université de Lyon, par R. ARNALDEZ, J. POUILLOUX et C. MONDÉSERT, Paris, 1961 et suiv.

Qumrân :   *Die Texte aus Qumran, Hebräisch und deutsch*, ed. E. LOHSE, Darmstadt, 1964.

Textes chrétiens

I Clem :   *Die Apostolischen Väter*, I, ed. K. BIHLMEYER, Tübingen, [2]1956.
Clément de Rome. Épître aux Corinthiens (SC, 167), ed. A. JAUBERT, Paris, 1971.

Did :   *Didache*, dans BIHLMEYER.
La doctrine des douze apôtres (Didachè), (SC, 248), ed. W. RORDORF et A. TUILIER, Paris, 1978.

Const Ap :   *Didascalia et Constitutiones Apostolorum*, vol. I—II, ed. F.X. FUNK, Paderborn, 1905.

Ouvrages cités en abrégé — une sélection

B.-G. :   W. BOUSSET - H. GRESSMANN, *Die Religion des Judentums im späthellenistischen Zeitalter*, Tübingen, [3]1926.

BONSIRVEN :   J. BONSIRVEN, *Textes rabbiniques des deux premiers siècles chrétiens*, Rome, 1955 — la traduction de la *Tefilla*, pp. 2 s.

CHARLESWORTH II :   *The Old Testament Pseudepigrapha*, vol. 2 : Expansions of the « Old Testament », etc., ed. J. H. CHARLESWORTH, Londres, 1985.

Dict. ling.   *Dictionnaire de linguistique* ed. J. DUBOIS et alii, Paris, 1973.

H.-R. :   E. HATCH - H. A. REDPATH, Concordance to the Septuagint, I—III, Oxford, 1897 (réimpression anastatique 1975, Graz).
— Pour les Psaumes de Salomon, etc., nous avons utilisé la concordance de J.B. BAUER adjointe au dictionnaire de WAHL 1853, réimpression anastatique 1972.

ROSCHER :   W.H. ROSCHER, *Ausführliches Lexikon der griech. und röm. Mythologie*, 6 vol. et suppl., Leipzig, 1884—1921.

SCHLEUSNER :   J.F. SCHLEUSNER, *Lexicon in LXX et reliquos interpretes graecos. . .* , I—III, Londres, 1829.

Ouvrages consultés

Articles dans EWNT, TWNT, TWAT, THAT, PW, etc., et quelques commentaires facilement identifiables non repris dans la liste qui suit. — Pour les abréviations employées ci-dessous, voir la *Revue Internationale des Études Bibliques* (Internationale Zeitschriftenschauf für Bibelwissenschaft und Grenzgebiete).

ALDERS, H. Wzn, G.J.D., *Political Thought in Hellenistic Times*, Amsterdam, 1975.

ABEL, F.-M., *Grammaire du grec biblique*, Paris, 1927.

ABEL, F.-M., *Les Livres des Maccabées*, (Études bibliques), Paris, 1949.

ANLAUF, G., *Standard Late Greek Oder Attizismus? Eine Studie zum Optativ-Gebrauch im nachklassischen Griechisch*, Cologne, 1960.

ARENHOEVEL, D., « Die Eschatologie der Makkabäerbücher », *Trierer Theologische Zeitschrift* 72 (1963), 257—269.

ARENHOEVEL, D., *Die Theokratie nach dem 1. und 2. Makkabäerbuch*, Mainz 1967.

AUDET, J.-P., *La Didachè. Instructions des apôtres*, (Études bibliques), Paris, 1958.

AUSTIN, J.L., *Quand dire, c'est faire*, (trad. de l'anglais), Paris, 1970.

BARON, S.W., *A Social and religious history of the Jews*, vols. I—VIII, New York, ²1952.

BARR, J., *The Typology of Literalism in ancient biblical translations,* (Mitteilungen des Sept.-Unternehmens), Göttingen, 1979.

BAUER, W., *Zur Einführung in das Wörterbuch zum Neuen Testament, (Neotest. Coniectanea* 15), Lund/Copenhague, 1955.

BAUMBACH, G., « Volk Gottes in Frühjudentum. Eine Untersuchung der ekklesiologischen Typen des Frühjudentums », *Kairos* 21 (1979) 30—47.

BENTZEN, A., *Inledning til det Gamle Testamente*, Copenhague, 1941.

BEVENISTE, É., *Problèmes de linguistique générale*, I—II, Paris, 1966—1974.

BERGER, K., « Jüdisch-hellenistische Missionsliteratur und apokryphe Apostelakten », *Kairos* 17 (1975), 232—248.

BERGMANN, J., « Die Rachegebete von Rheneia », *Philologus* 70 N.F. (1911) 503—510.

BERTRAM, G., « Der anthropozentrische Charakter der Septuaginta-Frömmigkeit », *Forschungen u. Fortschritte* 8 (1932), 219.

BERTRAM, G., « Der Sprachschatz der Septuaginta und der des hebr. Alten Testaments », *ZAW* 16 (1939) 85—101.

BERTRAM, G., « Theologische Aussagen im gr. A.T. : Gottesnamen », *ZAW* 69 (1978), 239—246.

BI(C)KERMAN(N), E.É., « Ein jüdischer Festbrief vom Jahre 124 v.Chr. (2 Makk 1,1—9 », (1933. Maintenant dans : *Studies in Jewish and Christian History*, II, Leyde, 1980, 136—158).

— « Héliodore au temple de Jérusalem », (1939/44. Maintenant dans : *Studies*, II, 159—191).

— *Der Gott der Makkabäer*, Berlin, 1937.

— *Les institutions séleucides*, Paris, 1938.

— « The Historical Foundations of Postbiblical Judaism », dans : *The Jews : Their History, Culture, and Religion*, (éd. L. Finkelstein), vols, I—II, 70—114, New York, 1949.

— « Bénédiction et Prière ». *RB* 69 (1962), 524—532.

BOECHER, O. « Die heilige Stadt im Völkerkrieg. Wandlungen eines apokalyptischen Schemas », *Josephus-Studien*, (Mélanges à O. Michel), Göttingen, 1974.

BOECKER, H.J., *Redeformen des Rechtslebens im Alten Testament*, Neukirchen—Vlyun, 1964.

BORNKAMM, G., « Lobpreis, Bekenntnis und Opfer », *Apophoreta*, (Mélanges à E. Haenchen = *BZNW* 30), 46—63, Berlin, 1964.

BOUSSET, D.W., *Eine Jüdische Gebetssammlung im siebenten Buch der apostolischen Konstitutionen*, (1915. Maintenant dans : Religionsgeschichtliche Studien, éd. A.F. VERHEULE, Leyde, 1979, 231—286).

BRAUN, H., « Von Erbarmen Gottes über den Gerechten. Zur Theologie der Psalmen Salomos », *ZNW* 43 (1950/51), 1—54.

BROWNLEE, W.H., « Le livre grec d'Esther et la royauté divine », *RB* 73 (1966), 66—185.

BRUAIRE, C., « L'invention dans le langage religieux », *L'analisi del linguaggio teologico. Il nome di Dio*, Milan, 1969, 305—312.

BRUNEAU, P., *Recherches sur les cultes de Délos à l'époque hellénistique et à l'époque impériale*, Paris, 1970.

BUNGE, J.G., *Untersuchungen zum zweiten Makkabäerbuch*, Bonn, 1971.

BURNEY, C.F., « An Acrostic Poem in Praise of Judas Maccabeus », *JTS* 21 (1919/1920), 319—325.

CADBURY, H.J., « The Greek and Jewish Traditions of Writing History », *The Beginnings of Christianity. Part 1. The Acts of the Apostles* (éd. F.J. FOAKES-JACKSON et K. LAKE), vol. II, Londres, 1922, 7—89.

CASABONA, K., *Recherches sur le vocabulaire des sacrifices en grec, des origines à la fin de l'époque classique*, Paris, 1966.

CASSIRER, P., « On the place of Stylistics », *Style and Text*, (Mélanges à N.E. Enkvist), Stockholm, 1975, 27—48.

CAVALLIN, H.C.C., *Life after Death. I.* (Coniectanea Biblica, NT Series, 7 :1), Lund, 1974.

CERFAUX, L., « Le titre Kyrios », *Recueil L. Cerfaux. I* (Bibl. Ephem. Theol. Lovaniensium), Louvain, 1954, 3—190.

CERFAUX, L., « La multiplication des pains dans la liturgie de la Didachè », *Bib* 40 (1959), 943—958.

CHANTRAINE, P., *Dictionnaire étymologique de la langue grecque. Histoire des mots*, I—IV, Paris, 1968—80.

CHARLESWORTH, J.H., « A Prolegomenon to a New Study of the Jewish Background of the Hymns and Prayers in the New Testament » *JJS* 33 (1982), 265—285.

CLERICI, L., *Einsammlung der Zerstreuten. Liturgiegeschichtliche Untersuchung zur Vor- und Nachgeschichte der Fürbitte für die Kirche in Didache 9,4 und 10,5*, Münster, 1966.

CONGAR, Y., « Die Wesenseigenschaften der Kirche », *Myst. Sal. 4,1*, Einsiedeln/Köln, 357—399, 1972.

CORLU, A., *Recherches sur les mots relatifs à l'idée de prière d'Homère aux Tragiques*, (Études et commentaires, LXIV), Paris, 1966.

COSERIU, E., « Structure lexicale et enseignement du vocabulaire », *Actes du Premier colloque international de linguistique appliquée* (1964), Nancy, 1966, 175—217.

CUMONT, F., *Les religions orientales dans le paganisme romain*, Paris, ⁴1929.

DAHL, N.A., *Das Volk Gottes. Eine Untersuchung zum Kirchenbewusstsein des Urchristentums*, Oslo, 1941.

DALBERT, P., *Die Theologie der hellenistisch-jüdischen Missions-Literatur unter Ausschluss von Philo und Josephus*, Hambourg, 1954.

DALMAIS, I.H., « Office synagogal et liturgie chrétienne », *Vie Spir* 97 (1957), 23—42.

DANIEL, S., *Le vocabulaire du culte dans la Septante*, Paris, 1966.

DAVIES, Ph., « A Note on I Macc. III. 46 », *JTS* 23(1972), 117—121.

LE DÉAUT, R., « Aspects de l'intercession dans le Judaïsme ancien », *JSJ* 1(1970), 35—57.

DEICHGRÄBER, R., *Gotteshymnus und Chnristushymnus in der frühen Christenheit*, Göttingen, 1967.

DEISSMANN, A., *Bible Studies* (trad. de la 2ème éd. allem.), Édimbourg, 1903.

— *Licht vom Osten*, Tübingen, ⁴1923.

DELLING, G., « ΜΟΝΟΣ ΘΕΟΣ », *TLZ* 77 (1952), 469—476.

— « Zum gottesdienstlichen Stil der Johannes-Apokalypse », *NT* 33(1959), 107—137.

— « Partizipale Gottesprädikationen in den Briefen des Neuen Testaments », *ST* 12 (1963), 1—59.

— « Einwirkungen der Sprache der Septuaginta in Joseph und Aseneth », *JSJ* 9 (1978), 29—56.

DENNISTON, J.D., *Greek Prose Style*, Oxford, 1952.

DESELAERS, P., *Das Buch Tobit. Studien zu seiner Entstehung, Komposition und Theologie*, Göttingen, 1982.

DORAN, R., « The Martyr : A Synoptic View of the Mother and their Seven Sons », *Ideal Figures in Ancient Judaism*, (éd. J.J. COLLINS et G.W.E. NICKELSBURG), Chicago, 1980, 189—205.

— *Temple and Propaganda : The Purpose and Character of 2 Maccabees*, Washington, 1981.

DOWNEY, G., *A History of Antioch in Syria from Seleucus to the Arab Conquest*, Princeton, 1961.

DUBOIS, C. & DUOBIS, J., *Introduction à la lexicographie. Le dictionnaire*, Paris, 1971.

DUCREY, P., *Le traitement des prisonniers du guerre dans la Grèce antique. Des origines à la conquête romaine*, Paris, 1968.

DUCROT, O. & TODOROV, T., *Dictionnaire encyclopédique des sciences du langage*, Paris, 1972.

DUPONT-SOMMER, A., *Le Quatrième livre des Machabées. Introduction, traduction et notes*, Paris, 1939.

EISENHOFER, L., *Handbuch der katholischen Liturgik. I,* Freiburg im B., 1932.

ELBOGEN, I., *Der jüdische Gottesdienst in seiner geschichtlichen Entwicklung*, Leipzig, 1913.

ENKVIST, N.E. et alii, *Linguistics and Style*, Oxford, 1964.

ETTELSON, H.W., « The Integrity of I. Maccabees », *Transactions of the Connecticut Acad.* 27, New Haven, 1925, 249—284.

FESTUGIÈRE, A.J., *La vie spirituelle en Grèce à l'époque hellénistique,* Paris, 1977.

FIENSY, D.A., *Prayers alleged to be Jewish. An Examination of the Constitutiones Apostolorum.* Chicago, 1985.

FIORENZA-SCHÜSSLER, E., « Miracles, Mission and Apologetics », *Aspects of Religious Propaganda in Judaism and Early Christianity*, Notre Dame/Londres, 1976, 1—25.

FISCHER, Th., *Seleukiden und Makkabäer*, Bochum, 1980.

FITZMYER, J.F., « Some notes on Aramaic epistolography », *JBL* 93 (1974) 201—225.

DE FOUCAULT, J.A., *Recherches sur la langue et le style de Polybe*, Paris, 1972.

FRASER, P.M., *Ptolemaic Alexandria*, vols. I—III, Oxford, 1972.

GAMBER, K., *Sacrificium vespertinum Lucernarium und eucharistisches Opfer am Abend und ihre Abhängigkeit von den Riten der Juden*, Ratisbonne, 1983.

GÄRTNER., *The Areopagus Speech and Natural Revelation* (Acta Sem. Neotest. Ups., 21), Lund, 1955.

GIL, L., « Sobre el estilo del libro segundo de los Macabeos », *Emerita* 26 (1958), 10—32.

GIRAUDO, C., *La struttura letteraria della preghiera eucaristica* (= Analecta biblica, 92), Rome, 1981.

GOLDENBERG, R., « The Jewish Sabbath in the Roman World up to the Time of Constantine the Great », dans : *Aufstieg und Niedergang der römischen Welt* II, 19.1 (éd. W. HAASE), Berlin/New York, 1979, 414—447.

GOLDSTEIN, J.A., *I Maccabees* (The Anchor Bible), New York, 1976.

GOUDOEVER, J., *Biblical Calenders,* Leyde, 1959.

GREIFF, A., *Das Gebet im Alten Testament,* Münster, 1915.

GRIMM, C.W.L., *Das erste Buch der Maccabäer,* dans : *Kurzgefasstes exegetisches Handbuch zu den Apokryphen des Alten Testaments, I,* (éd. FRITZSCHE et GRIMM), Leipzig, 1851—1860. 1853.

— *Das zweite, dritte und vierte Buch der Maccabäer,* dans : *Kurzgefasstes,* etc. (voir ci-dessus), Leipzig 1851—60. 1857.

GUILLET, J., « Le langage spontané de la bénédiction dans l'Ancien Testament », *RSR,* 57 (1969), 163—204.

GUIRAUD, P., *La sémantique,* (Que sais-je?), Paris. 1955.

GUIRAUD, P., et KUENTZ, P., *La stylistique. Lectures,* Paris,1970.

GUNKEL, H., *Genesis* (Gött. Handkom. z. A.T.), Göttingen ³1910.

GUNKEL, H. & BEGRICH, J., *Einleitung in die Psalmen* (Gött. handkom. z. A.T.), Göttingen, 1933.

GUTBERI⸍ G., *Das Erste Buch der Makkabäer,* Münster, 1927.

HABICHT, Chr., *2. Makkabäerbuch* (= Jüdische Schriften aus hellenistisch-römischer Zeit, Bd I:3), Gütersloh, ²1979.

HAGEDORN, D. & WORP, K.A., « Von κύριος zu δεσπότης. Eine Bemerkung zur Kaiser-Titulatur im 3./4. Jhdt. », *ZPE* 39/1980, 165—177.

HARDER, G., *Paulus und das Gebet,* Gütersloh, 1936.

HARTMAN, L., *Asking for a Meaning. A Study of 1 Enoch 1—5* (Coniectanea Biblica, NT Series, 12), Lund, 1979.

HEINEMANN, J., *Prayer in the Talmud. Forms and Patterns,* New York, 1977.

HEILER, F., *Das Gebet. Eine religionsgeschichtliche und religionspsychologische Untersuchung,* Munich, ²1920.

HELBING, R., *Grammatik der Septuaginta. Laut- und Wortlehre,* Göttingen, 1909 (Réimpression anastatique, 1979).

— *Die Kasussyntax der Verba bei dem Septuaginta,* Göttingen, 1928.

HELLHOLM, D., *Das Visionenbuch des Hermas als Apokalypse. Formgeschichtliche und texttheoretische Studien zu einer literarischen Gattung,* I (Coniectanea Biblica, NT Series 13:1), Lund, 1980.

HENGEL, M., *Die Zeloten. Untersuchungen zur jüdischen Freiheitsbewegung in der Zeit von Herodes I. bis 70 n. Chr.,* Leyde/Cologne, 1961.

HENGEL, M., « Proseuchē und Synagoge », *Tradition und Glaube,* (Mélanges à K.G. Kuhn), Göttingen 1971, 157—83.

— *Judentum und Hellenismus,* Tübingen, ²1973.

— *The Charismatic Leader and His Followers,* Edimbourg, 1981.

HENNING, J., « Die Heiligung der Welt im Judentum und Christentum », *Ar Litg* 10 (1968), 355—374.

HERMUSSON, H.-J., *Sprache und Ritus im altisraelitischen Kult,* Neukirchen-Vluyn. 1965.

HOENIG, S.B., « City-square and Synagogue », dans : *Aufstieg und Niedergang der römischen Welt,* II, 19,1 (éd. W. HAASE), 448—476, Berlin/New York, 1979.

HOLM-NIELSEN, S., « Religiöse Poesie des Spätjudentums », *Austieg,* II, 19,1, 152—186. 1979.

HOMMEL, H., « Pantokrator », *TViat.* 5 (1953/54), 322—378.

HORN, W., *Gebet und Gebetsparodie in den Komödien des Aristophanes,* Nürnberg, 1970.

HULTGÅRD, A., *L'eschatologie des Testaments des Douze Patriarches. Interprétation des textes,* Uppsala, 1977.

151

IDELSOHN, A.Z., *Jewish Liturgy and its Development*, New York, (1932) 1967.

ILG, N., « Berît in den Qumran-texten », dans : *Qumrân. Sa piété, sa théologie et son milieu* (éd. M. DELCOR), Paris/Louvain, 257—263, 1978.

JACOB, J.E., *Théologie de l'Ancien Testament*, Neuchâtel, 1968.

JANSSEN, E., *Das Gottesvolk und seine Geschichte : Geschichtsbild und Selbstverständnis im palästinensischen Schrifttum von Jesus Sirach bis Jehuda ha-Nasi*, Neukrichen-Vluyn, 1971.

JAUBERT, A., *La notion d'Alliance dans le judaïsme aux abords de l'ère chrétienne*, Paris, 1963.

JEREMIAS, J., *Jerusalem zur Zeit Jesu*, I—II, Göttingen, [2]1958.

JOHANNESSOHN, M., *Der Gebrauch der Präpositionen in der Septuaginta*, Berlin, 1925.

JOHNSON, N.B., *Prayer in the Apocrypha and Pseudepigrapha. A Study of the Jewish Concept of God*, Philadelphia, 1948.

JONES, G.H., « 'Holy War' or 'Yahweh War'? », *VT* 25 (1975), 642—658.

JÖRNS, K.P., *Das hymnische Evangelium. Untersuchungen zu Aufbau, Funktion und Herkunft der hymnischen Stücke in der Johannesoffenbarung*, Gütersloh, 1971.

KAMINKA, A., « Quelques notes sur le Premier livre des Macchabées », *REJ* 92 (1935), 179—183.

KATZ, P., « The Text of 2 Maccabees Reconsidered », *ZNW* 51 (1960), 10—30.

— « Zur Übersetzungstechnik der Septuaginta », *WO* 2 (1964), 267—273.

KAYSER, W., *Das sprachliche Kunstwerk*, Bern, 1976.

KEEL, O., *Wirkmächtige Siegeszeichen im AT*, Freiburg im B., 1974.

KEYSSNER, K., *Gottesvorstellung und Lebensauffassung im griechischen Hymnus*, Stuttgart, 1932.

KIEFFER, R., *Nytestamentlig teologi*, Stockholm, 1979.

KINNEAVY, J. L., *A Theory of Discourse*, Englewood Cliffs, N.J., 1971.

KOHLER, K., « The Essene Version of the Seven Benedictions as Preserved in the vii Book of the Apostolic Constitutions », *HUCA* 1 (1924), 410—425.

KOCH, K., « Zur Geschichte der Erwählungsvorstellung in Israel », *ZAW* 67 (1955), 205—226.

KOSMALA, H., *Hebräer - Essener - Christen. Studien zur Vorgeschichte der Frühchristlichen Verkündigung*, Leyde, 1959.

KRAUS, H.J., *Psalmen, 1—2.* (Bibl. Kommentar, AT, 15.1—2), Neukirchen-Vluyn, 1978.

— *Theologie der Psalmen* (Bibl. Kommentar, AT, 15.3) Neukirchen, 1979.

KRISTEVA, J., *Le langage, cet inconnu. Une initiation à la linguistique*, Paris, 1981.

KUHN, K.G., *Achtzehngebet und Vaterunser und der Reim*, Tübingen, 1950.

LANGHOLF, V., *Die Gebete bei Euripides und die zeitliche Folge der Tragödien*, Göttingen, 1971.

LAPOINTE, R., « La valeur linguistique du Sitz im Leben », *Bib* 52 (1971), 469—487.

LAUNEY, M., *Recherches sur les armées hellénistiques*, I—II, Paris, 1949—50. 1950.

LAWLER, L.B., « The Dance in Metaphor », *Class Journ* 46 (1950/51), 383—391.

LEDOGAR, R.J., *Acknowledgment. Praise-verbs in the Early Greek Anaphora*, Rome, 1968.

LEVENSON, J.D., « From Temple to Synagogue: 1 Kings 8 », *Traditions in transformation*, (Mélanges à F.M. Cross), Winona Lake, 1981, 143—166.

LÉVY, I., « Les dieux de Jamnia », dans : *Recherches esséniennes et pythagoriciennes*, Genève/Paris, 65—69. 1965.

LIEBERMAN, S., *Greek in Jewish Palestine. Studies in the II—IV Cent. C.E.*, New York, 1942.

LIMET, H., *L'expérience de la prière dans les grandes religions*, (Actes du colloque de Louvain-la-Neuve . . . 1978), Louvain-la-Neuve, 1980, 13—16.

LIPIŃSKI, E., *La liturgie pénitentielle dans la Bible*, Paris, 1969.

LJUNG, I., *Tradition and Interpretation. A Study of the Use and Application of Formulaic Language in the so-called Ebed YHWH-psalms,* (Coniectanea Biblica, OT Series 12), Lund, 1978.

LOHFINK, N., *Das Siegelied am Schilfmeer. Christlische Auseinandersetzungen mit dem Alten Testament,* Frankfurt am Main, 1965, 102—128. Aussi dans *Verbum Domini,* 1963.

LYONS, J., *Linguistique générale. Introduction à la linguistique théorique,* Paris, 1970, (trad. de l'anglais, 1968), 1970.

MAIER, J., *Geschichte der jüdischen Religion,* Berlin/New York, 1972.

MAINBERGER, G., « Gebet, Sprache und Erfahrung », *Ling Bibl* 7—8 (1972), 7—16. 1972.

MARCUS, R., « Divine Names and Attributes in Hellenistic Jewish Literature », *Proceedings of the Amer. Acad. of Jew. Res.,* 3(1931/32), 43—120.

MARMORSTEIN, A., *The Old Rabbinic Doctrine of God,* Londres, 1927.

MARROU, H.-I., *Histoire de l'éducation dans l'Antiquité,* Paris, ⁶1964.

MARTIN, R.A., « Syntax Criticism of the LXX Additions to the Book of Esther », *JBL* 94 (1975), 65—72.

MARTOLA, N., *Capture and Liberation,* (Acta Academiae Aboensis, Ser. A, 63:19), Åbo, 1984.

MATORÉ, G., *La méthode en lexicologie. Domaine français,* Paris, 1953.

MAUSS, M., *La Prière,* (1909. Maintenant dans: *Œuvres I. Les Fonctions du sacré*), Paris, 1968.

MICHEL, H.J., *Die Abschiedsrede des Paulus an die Kirche, Apg. 20, 17—38. Motivgeschichte und theologische Bedeutung,* Munich, 1970.

MIDDENDORP, Th., *Die Stellung Jesu ben Siras zwischen Judentum und Hellenismus,* Leyde, 1973.

MESNIL DU BUISSON, Compte du, « Le Temple d'Onias et le camp Hyksos à Tell El-Yahoudiye », *Bull. de l'Inst. français d'Arch. Orient.* 35(1935), 59—71.

MOHRMANN, Ch., « Sakralsprache und Umgangssprache », *ArLitg* 10 (1968), 344—354.

MOMIGLIANO, A., *Prime linee di Storia della tradizione maccabaica,* Rome, 1931.
— « The Second Book of Maccabees », *Classical Philology* 70 (1975), 81—88.
— « Greek Historiography », *History and Theory,* 17(1978), 1—28.

MONTEVECCHI, O., « Pantokrator », dans : *Studi in onore di Aristide Calderini e Roberto Paribeni,* II, Milan, 1957, 401—432.

MOORE, C.A., *Daniel, Esther and Jeremiah : The Additions,* (The Anchor Bible), New York, 1977.

MÜLLER, K., « Geschichte, Heilsgeschichte und Gesetz », dans : *Literatur und Religion des Frühjudentums,* (éd. J. MAIER et J. SCHREINER), Würzburg, 1973, 73—105.

MUILENBURG, J., « Liturgy on the Triumph of Yahweh », dans : *Mélanges à T.C. Vriezen,* Wageningen, 1966, 233—251.

NACHTERGAEL, G., *Les Galates en Grèce et les Sôtéria des Delphes,* (Acad. Royale de Belgique. Mém. de la classe des Lettres, t. LXIII), Bruxelles, 1977.

NÉDONCELLE, M., « L'irruption du nom propre dans la prière et la réflexion », voir BRUAIRE, C., 341—354.

NELIS, J.T., *II Makkabeën,* Bussum 1975.
— « La distance de Beth-sur à Jérusalem suivant 2 Mac. 11,5 », *JSJ* 14(1983), 39—42.

NEUHAUS, G.O., *Studien zu den poetischen Stücken im 1. Makkabäerbuch,* Würzburg, 1974.

NEUSTADT, E., « Der Zeushymnos des Kleanthes », *Hermes* 66(1931), 387—401.

NIESE, B., « Kritik der beiden Makkabäerbucher », *Hermes* 35(1900), 268—307 et 453—527.

NILSSON, M.P., *Geschichte der grieschichen Religion*, II, (Handbuch der alt. Wiss. V.2.2), Berlin, ³1974.

NOCK, A.D., « Notes on Ruler-cult, I—IV », *Journ. of Hellen. Stud.* 48 (1928), 21—43.

— « Soter and Euergetes », *The Joy of Study* (= Mélanges à F.C. Grant), New York, 1951, 127—148.

NORDEN, E., *Die Antike Kunstprosa*, I, Leipzig/Berlin, ³1915.

— *Agnostos Theos. Untersuchungen zur Formgeschichte religiöser Rede,* Stuttgart, 1923.

NORIN, S.I.L., *Er spaltete das Meer. Die Auszugsüberlieferung in Psalmen und Kult des Alten Israel,* (Coniectanea Biblica, OT Series, 9), Lund 1977.

OESTERLEY, W.O.E., *The books of the Apocrypha. Their Origin, Teaching and Contents,* Londres, 1915.

— *The Jewish Background of the Christian Liturgy,* Oxford, 1925.

PALM, J., *Über Sprache und Stil des Diodoros von Sizilien. Ein Beitrag zur Beleuchtung der hellenistischen Prosa,* Lund, 1955.

PAX, E., *Epiphaneia. Ein religionsgeschichtlicher Beitrag zur biblischen Theologie,* Munich, 1955.

PERROT, Ch., *La Lecture de la Bible dans la Synagogue. Les anciennes lectures palestiniennes du Shabbat et des Fêtes,* Hildesheim, 1973.

PETERSON, E., Εἷς Θεός, Göttingen, 1926.

PETTAZZONI, R., *The All-Knowing God. Researches into early Religion and Culture,* Londres, 1956, (trad. de l'italien).

PFEIFFER, R.H., *History of New Testament Times. With an Introduction to the Apocrypha,* New York, 1949.

PLETT, H.I., *Textwissenschaft und Textanalyse,* Heidelberg, ²1979.

PLÖGER, O., « Reden und Gebete im deuteronomistischen und Chronistischen Geschichtswerk », dans : *Mélanges à G. Dehn à son 75ème anniversaire),* Neukirchen-Vluyn, 1957, 35—49.

PRÉAUX, C., « La bienfaisance dans les archives de Zénon », *Chronique d'Égypte,* 37(1944), Bruxelles, 1944.

— *Le monde hellénistique. La Grèce et l'Orient (323—146 av. J.-C.),* Paris, 1978, (2 vol).

PRIGENT, P., *Apocalypse et Liturgie,* (Cahiers théologiques 52), Neuchâtel, 1964.

— « Au temps de l'Apocalypse. II. Le culte impérial au 1ᵉʳ siècle en Asie Mineure », *RHPhilRel* 55(1975), 215—235.

RABIN, C., « The Translation Process and the Character of the Septuagint », *Textus* VI (1968), 1—26.

VON RAD, G., *Der Heilige Krieg im alten Israel,* Zürich, 1951.

RANKIN, O.S., *The Origins of the Festival of Hanukkah. The Jewish New-Age Festival,* Edimbourg, 1930.

RICHTER, W., *Exegese als Literaturwissenschaft. Entwurf einer alttestamentlichen Literaturtheorie und Methodologie,* Göttingen, 1971.

RIESENFELD, H., *Jésus transfiguré. L'arrière plan du récit évangélique de la transfiguration de Notre-Seigneur,* (Acta Sem. Neotest. Ups., 16), Lund, 1947.

— « Das Brot von den Bergen. Zu Did. 9,4 », *ERANOS* 54 (1956), 142—150.

ROBERT, L., « Note préliminaire sur des inscriptons de Caire », *Bull. de corr. hellénique,* 58(1934), 512—517.

— *Études épigraphiques et philologiques,* Paris, 1938.

ROBERTS, C., SKEAT, Th.C., et NOCK, A.D., « The Gild of Zeus Hypsistos », *HarvTR* 29(1936), 39—89.

RONCHI, G., *Lexicon Theonymon rerumque sacrarum et divinarum ad Aegyptum pertinentium quae in papyris, ostracis titulis graecis latinisque in Aegypto repertis laudantur,* I—V, Milan, 1974—77.

154

DE ROMILLY, J., *La douceur dans la pensée grecque*, Paris, 1979.
— *L'évolution du pathétique d'Eschyle à Euripide*, Paris, 1980.
ROSTOWZEW, M., « Ἐπιφάνειαι », *Klio* 16(1920), 203—206.
SAFRAI, S., « The Synagogue », *The Jewish People in the First Century*, II, Assen, 1976, 908—943.
DOS SANTOS, E.C., *An Expanded Hebrew Index for the Hatch-Redpath Concordance to the Septuagint*, Jérusalem.
SCHÄFER,P., « Der synagogale Gottesdienst », voir Müller, *Literatur und Religion*, 391—423, 1973.
SCHATKIN, M., « The Maccabean Martyrs », *Vig Chr* 28(1974), 97—113.
SCHENK, W., *Der Segen im Neuen Testament. Eine begriffsanalytische Studie*, Berlin 1967.
SCHERMANN, Th., *Griechische Zauberpapyri und das Gemeinde und Dankgebet im 1. Klemensbriefe*, (TU 34), Leipzig, 1909/10.
SCHILLEBEECKX, E., *God among us. The Gospel Proclaimed*, New York, 1983.
SCHLATTER, A., *Wie sprach Josephus von Gott?*, Gütersloh, 1910.
— *Die Theologie des Judentums nach dem Bericht des Josephus*, Gütersloh. 1932.
SCHREINER, J., *Sion-Jerusalem, Jahwes Köningssitz. Theologie der Heiligen Stadt im Alten Testament*, Munich, 1963.
SCHUBART, W., « *Das hellenistische Köningsideal nach Inschriften und Papyri* », Arch. für Papyrusforsch. 12(1937), 1—26.
SCHUNK, K.D., *Die Quellen des I und II Makkabäerbuches*, Halle, 1954.
— *1. Makkabäerbuch.* (= Jüdische Schriften aus hellenistisch-römischer Zeit, Bd I:4), Gütersloh, 1980.
SCHÜPPHAUS, J., *Die Psalmen Salomos*, Leyde, 1977.
SCHÜRER, E., « Die Juden im bosporischen Reiche. . . », *Sitzungsber. d. kön. preuss. Akad. d. Wiss. zu Berlin*, Bd I, 200—225, Berlin 1897.
— *Die Geschichte des jüdischen Volkes*, III, Leipzig, ³1909.
— *The History of the Jewish People in the Age of Jesus Christ*, I, Édimbourg, 1973, (révisé et édité par G. VERMES et F. MILLAR).
SEELIGMANN, I.L., *The Septuagint Version of Isaiah. A Discussion of its Problems*, Leyde, 1948.
SIMON, M., *Le Christianisme antique et son contexte religieux. Scripta varia*, vol I—II, Tübingen, 1981.
SKARD, E., *Zwei religiös-politische Begriffe, Euergetes-Concordia*, Oslo 1932. (= Avh. Norsk Videnskaps-Akademi, II Hist.-Filos. Kl., No. 2.)
SLAMA-CAZACU, T., *Langage et contexte*, S-Gravenhage, 1961.
SMEND, R., *Die Weisheit des Jesus Sirach*, erklärt von Rudolf Smend, Berlin 1906.
SOISALON-SOININEN, J., « Die Wiedergabe des *bᵉ instrumenti* im griechischen Pentateuch », *Glaube und Gerechtigkeit* (Mélanges à R. Gyllenberg), Helsinki, 1983, 31—46.
STACHOWIAK, L.R., *CHRESTOTES. Ihre biblisch-theologische Entwicklung und Eigenart*, Freiburg im B., 1957.
STEINLEITNER, F., *Die Beicht im Zusammenhange mit der sakralen Rechtspflege in der Antike*, Munich 1913.
STEGEMANN, H., *ΚΥΡΙΟΣ Ο ΘΕΟΣ und ΚΥΡΙΟΖ ΙΗΣΟΥΣ Aufkommen und Ausbreitung des religiösen Gebrauch von ΚΥΡΙΟΣ und seine Verwendung im Neuen Testament*, Bonn 1969 (dactylographié).
— « Religionsgeschichtliche Erwägungen zu den Gottesbezeichnungen in den Qumrantexten », voir ILG, *Qumrân*, 195—217.
STEMBERGER,G., *Der Leib der Auferstehung. Studien zur Anthropologie und Eschatologie des palästinensischen Judentums*, Rome, 1972.
STENDAHL, K., *The School of St. Matthew*, (Acta Sem. Neotest. Ups. 20), Lund, 1954.

STEVENSON, W.B., « Hebrew Olah and Zebach Sacrifices », *Mélanges à A. Bertholet*, Tübingen, 1950, 488—497.

STOLZ, F., *Psalmen im nachkultischen Raum*, Zürich, 1983.

TACHAU, P., « *Einst* » und « *Jetzt* » in Neuen Testament. *Beobachtungen zu einem urchristlichen Predigtschema in der neutestamentlichen Briefliteratur und zu seiner Vorgeschichte*, Göttingen, 1972.

TEDESCHE, S.-ZEITLIN, S., *The Second Book of Maccabees* (Jewish Apocryphal Literature), New York, 1954.

TELEMAN, U., « Style and Grammar », *Style and Text*, (Mélanges à N.E. Enkvist), Stockholm, 1975, 90—100.

TESNIÈRE, L., *Éléments de Syntaxe Structurale*, Paris, 1959.

THACKERAY, H. St. J., *A Grammar of the Old Testament in Greek according to the Septuagint*, I, Cambridge, 1909.

— *The Septuagint and Jewish Worship. A Study in Origins*, Londres, 1921.

— *Some Aspects of the Greek Old Testament*, Londres, 1927.

THYEN, H., *Der Stil der Jüdisch-hellenistischen Homilie*, Göttingen, 1955.

TOMACHEVSKI, B., « Thématique », (1925. Maintenant, dans : *Théorie de la litterature. Textes des Formalistes russes réunis, présentés et traduits par T. TODOROV*, Paris, 1965, 263—307).

TONDRIAU, J.L., « Notes ptolémaïques II. Sur l'origine du titre épiphanès », *Aegyptus* 20 (1948), 171—172.

TOV, E., « The Impact of the LXX. Translation of the Pentateuch on the Translation of the other Books », dans : *Mélanges à D. Barthélemy* (= Orbis Biblicus et Orientalis, 38), Fribourg (Suisse)/Göttingen, 1981.

TOWNER, W.S., « 'Blessed be YHWH' and 'Blessed art Thou, YHWH' : The Modulation of a Biblical Formula », *CBQ* 30(1968), 386—399.

ULANOV, A. et B., *Primary Speech. A Psychology of Prayer*, Atlanta, 1982.

DE VAUX, R., *Les institutions de l'Ancien Testament*, II, Paris, 1960.

VERHEUL, A., « La prière eucharistique dans la Didachè », *Questions liturgiques* 60(1979), 197—207.

VIEILLEFOND, J.-R., « Les pratiques religieuses dans l'armée byzantine d'après les traités militaires », *Revue des Études Anciennes* 37(1935), 322—330.

VITEAU, J., *Étude sur le grec du Nouveau Testament, comparé avec celui des Septante*, II, Paris, 1896.

VERNANT, J.P., « Catégories de l'agent et de l'action en Grèce ancienne », dans : *Langue, discours, société*, (Mélanges à É. Benveniste), Paris 1975, 365—373.

VÖGTLE, A., *Die Tugend- und Lasterkataloge im Neuen Testament*, Münster, 1936.

VOLZ, P., *Die Eschatologie der jüdischen Gemeinde im neutestamentlichen Zeitalter*, Tübingen, 1934.

WACHOLDER, B.Z., « The Letter from Judah Maccabee to Aristobulus. Is Maccabees 1:10b—2:18 Authentic? », *HUCA* 49(1978), 89—133.

WACKERNAGEL, J., « Miscellen zur griechischen Grammatik », *Zeitschrift für vergleichende Sprachforschung* 28(1887), 109—145.

— *Kleine Schriften*, I—II (éd. Latte), Göttingen, 1953.

WAHL, C.A., *Clavis librorum Veteris Testamenti apocrypha philologica*, Leipzig, 1853.

WAMBACQ, B.N., *L'épithète divine Jahve ṣᵉba'ôt. Étude philologique, historique et exégétique*, Bruges, 1947.

WEHOFER, Th.M., *Untersuchungen zur altchristlichen Epistolographie*, (= Sitz. ber. der phil.-hist. Klasse der Akad. der Wiss. Wien, bd. 143, Jahrgang 1900), Wien, 1901.

WEIPPERT, M., « 'Heiliger Krieg' in Israel und Assyrien. Kritische Anmerkungen zu Gerhard von Rads Konzept des 'Heiligen Krieges im alten Israel' », *ZAW* 84(1972), 460—500.

156

WEISS, M., « Wege der neuen Dichtungswissenschaft in ihrer Anwendung auf die Psalmenforschung », *Bib* 42(1961), 255—302.

WELLES, C.B., *Royal Correspondence in the Hellenistic Period*, New Haven (Yale), 1934.

WELLHAUSEN, J., « Über den geschichtlichen Wert des zweiten Makkabäerbuchs, im Verhältnis zum ersten », *Nachricht. von der königl. Gesellsch. der Wiss., philol.-hist. Klasse*, Göttingen, 1905, 117—163.

WENSCHEWITZ, H., *Die Spiritualisierung der Kultusbegriffe. Tempel, Priester und Opfer im Neuen Testament* (= *Angelos*, Beiheft 4), Leipzig, 1932.

WESTERMANN, C., « Struktur und Geschichte der Klage im Alten Testament », (1954, maintenant, dans : *Lob und Klage in den Psalmen*, Göttingen, 1977, 125—164).

— « Das Loben Gottes in den Psalmen », (1968, voir *supra*, 11—124).

WHALLON, W., *Formula, Character, and Context. Studies in Homeric Old English and Old Testament Poetry*, Cambridge, Mass., 1969.

WHEELOCK, W.T., « The Problem of Ritual Language : From Information to Situation », *JAAR* 50 (1982), 49—71.

WIDENGREN, G., *Religionsphänomenologie*, Berlin, 1969.

WILDBERGER, H., *Jahwes Eigentumsvolk*, Zürich/Stuttgart, 1960.

WILL, É., *Histoire politique du monde hellénistique* (323—30 av. J.-C.), I—II, Nancy, 1979—1982.

WÜRTHWEIN, E., 1973, *Der Text des Alten Testaments. Eine Einführung in die Biblia Hebraica*, Stuttgart, 1973.

ZEGERS, N., *Wesen und Ursprung der tragischen geschichtsschreibung*, Cologne, 1959.

ZEITLIN, S., « An Historical Study of the First Canonization of the Hebrew Liturgy », *JQR* 36(1945/46), 211—246.

ZIEGLER, J., *Dulcedo Dei. Ein Beitrag zur Theologie der griechischen und lateinischen Bibel*, Münster, 1937.

— *Beiträge zur Jeremias-Septuaginta*, Göttingen, 1958.

— « Wortschatz des griechischen Sirach », *Von Ugarit nach Qumran,* (Mélanges à O. Eissfeldt, *BZAW* 77), Berlin, 1958b, 274—282.

ZIMMERLI, W., *Erkenntnis Gottes nach dem Buche Ezechiel. Eine theologische Studie*, Zürich, 1954.